Cynnwys

1 Datblygu sgiliau ymholi gwyddonol   1

BIOLEG

2 Celloedd a phrosesau celloedd   12

3 Cludiant i mewn ac allan o gelloedd   27

4 Ffotosynthesis a resbiradaeth   34

5 Y system resbiradol   46

6 Treuliad   56

7 Bioamrywiaeth a'r amgylchedd   64

CEMEG

8 Adeiledd atomig a'r Tabl Cyfnodol   75

9 Metelau alcalïaidd a halogenau   82

10 Bondio cemegol, adeiledd a phriodweddau   98

11 Cyfraddau adweithiau a chyfrifiadau cemegol   111

12 Cemeg organig   131

13 Dŵr   138

FFISEG

14 Cylchedau trydanol syml   152

15 Pellter, buanedd a chyflymiad   165

16 Effaith grymoedd   176

17 Ffiseg rygbi   189

18 Ceir, Rheolau'r Ffordd Fawr a gwrthdrawiadau   200

19 Defnyddio dadfeiliad ymbelydrol   210

20 Pŵer niwclear?   221

Mynegai   232

Cydnabyddiaeth

Hoffai'r Cyhoeddwr ddiolch i'r canlynol am ganiatâd i atgynhyrchu deunyddiau sydd dan hawlfraint:

t.52 Ffigur 5.10, ail-luniwyd gan *http://info.cancerresearchuk.org/cancerstats/types/lung/riskfactors/#smoking*, atgynhyrchwyd drwy ganiatâd Cancer Research UK; **t.66** DEFRA, Ffigur 7.4, 'U.K. Biodiversity indicators in your Pocket 2010', ail-luniwyd gan *http://jncc.gov.uk/pdf/BIYP_2010.pfd*; **t.119** Ffigur 11.15, 'Rates of Reaction' yn *Focus on Science Investigations 1 software program*, drwy garedigrwydd Focus Educational Software Ltd; **t.149** dyfyniad o wefan *http://improving-your-life.com/230/hard-water-health-benefits-discover-the-secrets-to-why-it-may-improve-life-expectancy*; WHO, allan o Guidelines for drinking-water quality, *Health criteria and other supporting information*, 2il argraffiad, Cyfrol 2; **t.206** 'Speed cameras switched on again', addasiad o *http://www.pressassociation.com/component/pafeeds/2011/04/01/speed_cameras_switched_on_again?camefrom=home* (17 Awst, 2011), atgynhyrchwyd drwy ganiatâd The Press Association.

Ffotograffau
t.4 CALLALLOO CANDCY – Fotolia; **t.5** Jeffrey Banke – Fotolia; **t.7** Peter Nicholson/Getty Images; **t.9** *ch* yukosourov – Fotolia, *c* © amana images inc./Alamy, *d* © Comstock Images/Getty Images; **t.12** TopFoto; **t.13** *tch* © 2008 Nancy Nehring/istockphoto.com, *td* © Science Photo Library/ Alamy, *g* David Becker/Getty Images; **t.18** Cordelia Molloy/Science Photo Library; **t.20** Eye of Science/Science Photo Library; **t.23** J. L. Carson, Custom Medical Stock Photo/Science Photo Library; **t.30** *ch* © Chad Ehlers/Alamy, *d* Claude Nuridsany & Marie Perennou/Science Photo Library; **t.42** Michael Steele/Getty Images; **t.47** Oxford Scientific/Photolibrary; **t.51** Dr. Edwin P. Ewing, Jr.; **t.52** NIBSC/Science Photo Library; **t.60** Eye of Science/Science Photo Library; **t.65** *ch* FLPA/Mark Sisson, *d* Imagebroker/FLPA RF; **t.67** *ch* Olympixel – Fotolia, *d* © Gary K Smith/Alamy; **t.68** Martyn F. Chillmaid; **t.69** © The Photolibrary Wales/Alamy; **t.70** © david tipling/Alamy; **t.72** FLPA/Nigel Cattlin; **t.73** *t* © Imagestate Media (John Foxx), *g* Loke T. Kok, Virginia Polytechnic Institute and State University, Bugwood.org; **t.82** Martyn F. Chillmaid; **t.83** Martyn F. Chillmaid; **t.84** *o'r top i'r gwaelod* Martyn F. Chillmaid, Martyn F. Chillmaid/Science Photo Library, Andrew Lambert Photography/Science Photo Library, © Phil Degginger/ Alamy, © Lester V. Bergman/CORBIS; **t.85** *pob un* Martyn F. Chillmaid; **t.86** Noel Toone/Photographers Direct; **t.89** *pob un* Martyn F. Chillmaid; **t.91** *pob un* Martyn F. Chillmaid; **t.92** sciencephotos/Alamy; **t.98** *tch* adimas – Fotolia, *td* Windsor – Fotolia, *cd* Igor Kali – Fotolia, *gch* © Wildlife GmbH/Alamy, *gd* Tyler Boyes – Fotolia; **t.99** *t* demarco – Fotolia, *c* © Reven T.C. Wurman/Alamy, *g* © stargatechris/Alamy; **t.100** © Wildlife GmbH/Alamy; **t.103** *ch* dkimages – Fotolia, *c* adimas – Fotolia, *d* © Can Balcioglu – Fotolia.com; **t.104** *ch* Igor Kali – Fotolia, *d* Tyler Boyes – Fotolia; **t.107** Doug Pensinger/ Getty Images; **t.108** *t* © 2009–2011 Sarina Fiero, *gch* Yoshikazu Tsuno/AFP/Getty Images, *gd* © Phil Degginger/Alamy; **t.109** Pascal Goetgheluck/ Science Photo Library; **t.111** © Leslie Garland Picture Library/Alamy; **t.116** choucashoot – Fotolia; **t.117** Eisenhans – Fotolia; **t.136** © Richard Heyes/Alamy; **t.137** Andrew Lambert Photography/Science Photo Library; **t.138** © Mark Lawson/Alamy; **t.140** Ben Stansall/AFP/ Getty Images; **t.143** Charles D. Winters/Science Photo Library; **t.145** © Mikael Karlsson/Alamy; **t.147** Sheila Terry/Science Photo Library; **t.150** Phototake Science/Photolibrary; **t.152** © Francisco Martinez/Alamy; **t.165** *ch* imagebroker.net/FLPA, *d* Abbas Hasnain/Photographers Direct; **t.169** *o'r top i'r gwaelod* Axel Schmies/Photolibrary, Neale Haynes/Rex Features, eVox Productions LLC/Photolibrary, © Drive Images/Alamy, www. carphoto.co.uk, © James Leynse/Corbis; **t.176** *t* NASA Nov. 25, 2009, *gch* NASA/Tony Gray, Tom Farrar March 15, 2009, *gd* NASA/Bill Ingalls; **t.179** © NASA/Reuters/ Corbis; **t.183** NASA; **t.184** NASA; **t.186** *t* NASA, *c* NASA, *gch* NASA, *gd* NASA/Bill Ingalls; **t.187** NASA; **t.189** Franck Fife/AFP/ Getty Images; **t.190** *t* © Richard Wareham Fotografi e/Alamy, *g* Graham Stuart/AFP/Getty Images; **t.191** Andy Hooper/Jamie Mcphilimey/Rex Features; **t.193** *t* Stu Forster/Getty Images, *ar ffurf tabl o'r top i'r gwaelod* Stu Forster/Getty Images, Stu Forster/Getty Images, Mike Hewitt/Getty Images, David Rogers/Getty Images; **t.195** David Rogers/Getty Images; **t.197** © Richard Wareham Fotografie/Alamy; **t.198** © Colin Underhill/ Alamy; **t.200** © Alvey & Towers Picture Library/Alamy; **t.201** © DBURKE/Alamy; **t.204** *ch* © Hugh Threlfall/Alamy, *d* © SHOUT/Alamy; **t.205** *t* Motoring Picture Library/Alamy, *g* © Alvey & Towers Picture Library/Alamy; **t.207** Pavel Vorobyev – Fotolia; **t.208** *t* TRL LTD./Science Photo Library, *gch* © F1online digitale Bildagentur GmbH/Alamy, *gd* © Art Directors & TRIP/Alamy; **t.210** Derek Knottenbelt; **t.211** *tch* & *td* Derek Knottenbelt, *g* © World History Archive/Alamy; **t.214** © Bildagentur-online/Alamy; **t.216** *ch* Oulette & Theroux, Publiphoto Diffusion/Science Photo Library, *d* Beranger/Science Photo Library; **t.217** © Sergio Azenha/Alamy; **t.218** © Steve Morgan/Alamy; **t.219** Lasse Kristensen – Fotolia; **t.220** GAMMA/Gamma-Rapho via Getty Images; **t.221** KeystoneUSA-ZUMA/Rex Features; **t.227** *t* Patrick Aventurier/GAMMA/Getty Images, *g* SOHO/ESA/NASA; **t.229** EFDA-JET/Science Photo Library.

t = top, *g* = gwaelod, *ch* = chwith, *d* = de, *c* = canol

Gwnaethpwyd pob ymdrech i olrhain pob deilydd hawlfraint, ond os oes unrhyw rai wedi'u hesgeuluso'n anfwriadol bydd y Cyhoeddwr yn falch o wneud y trefniadau priodol ar y cyfle cyntaf

Rhagarweiniad

Mae'r llyfr hwn wedi'i gynhyrchu i gefnogi'r fanyleb newydd, TGAU Gwyddoniaeth Ychwanegol 2011. Er bod llawer o gynnwys y fanyleb yn aros yr un fath, mae'r cwrs newydd, ac felly'r llyfr hwn, yn rhoi llawer mwy o bwyslais ar 'Sut mae Gwyddoniaeth yn Gweithio'. Bydd disgwyl hefyd i ymgeiswyr allu egluro cysyniadau gwyddonol yn glir. Mae llawer o'r ymarferion yn y llyfr hwn wedi'u cynllunio i ddatblygu a phrofi'r ddau beth hyn.

'Sut mae Gwyddoniaeth yn Gweithio'

Mae 'Sut mae Gwyddoniaeth yn Gweithio' yn cynnwys deall y dulliau y mae gwyddonwyr yn eu defnyddio i ymchwilio i broblemau, gan gynnwys cynllunio arbrofion, asesu risg, mesur yn ofalus, cyflwyno a dadansoddi canlyniadau, a gwerthuso'r dulliau sy'n cael eu defnyddio. Mae hefyd yn cynnwys deall sut mae syniadau gwreiddiol yn troi'n ddamcaniaethau safonol neu'n cael eu gwrthod o ganlyniad i dystiolaeth newydd. Mae angen ystyried materion moesegol hefyd, wrth i wyddoniaeth wneud pethau y bydd rhai pobl yn eu gweld yn annerbyniol am resymau moesol yn hytrach na rhesymau gwyddonol. Mae'r ymarferion a'r cwestiynau yn y llyfr hwn yn canolbwyntio'n arbennig ar sgiliau ymholi gwyddonol ac ar agweddau cyffredinol ar 'Sut mae Gwyddoniaeth yn Gweithio'.

Sgiliau cyfathrebu

Mae cyfathrebu'n hanfodol bwysig ym myd gwyddoniaeth. Does dim pwynt gallu deall natur problem wyddonol (neu'r ateb i'r broblem) os na allwch chi ei hegluro i bobl eraill. Mae rhai materion gwyddonol wedi cael eu camddeall gan y cyhoedd oherwydd i'r ffeithiau gael eu hegluro'n wael, naill ai gan wyddonwyr eu hunain neu gan y cyfryngau. Bydd y TGAU Gwyddoniaeth newydd yn profi sgiliau cyfathrebu ymgeiswyr, ac ni fydd gwybod y ffeithiau'n unig yn ddigon mwyach. Bydd yr arholiadau'n cynnwys cwestiynau sy'n mynnu gwaith ysgrifennu estynedig, ac mae ymarferion yn y llyfr sy'n rhoi cyfleoedd i ddatblygu ac i ymarfer sgiliau o'r fath.

Sut i ddefnyddio'r llyfr hwn

Mae cynnwys TGAU Gwyddoniaeth Ychwanegol CBAC yn cael sylw llawn yn y llyfr hwn, a hynny ar lefelau Sylfaenol ac Uwch. Hefyd, mae llawer o ymarferion o dan y categorïau canlynol:

Gwaith ymarferol

Mae'r ymarferion ymarferol wedi'u dewis i'ch helpu chi i ddeall cysyniadau, ond maen nhw hefyd yn cynnwys cwestiynau sy'n canolbwyntio ar y sgiliau ymholi gwyddonol sydd mor bwysig i lwyddo yn eich arholiadau TGAU.

Tasgau

Mae'r tasgau yn ymarferion sydd fel rheol yn cynnwys defnyddio gwybodaeth a data ail law nad ydyn nhw ar gael mewn labordy ysgol, ynghyd â chwestiynau sy'n ystyried pethau fel cynllunio arbrofion, dadansoddi data a phenderfynu pa mor gryf yw'r dystiolaeth.

Cwestiynau

Mae'r cwestiynau wedi'u gwasgaru drwy'r llyfr i brofi dealltwriaeth o gysyniadau ac o sut i gymhwyso'r cysyniadau hynny. Dydym ni ddim wedi cynnwys cwestiynau o bapurau arholiadau'r gorffennol am resymau'n ymwneud â lle ond hefyd oherwydd y bydd papurau arholiad y fanyleb newydd yn edrych yn eithaf gwahanol i rai'r gorffennol. Mae'n bosibl llwytho papurau'r gorffennol i lawr, os oes eu hangen, o wefan CBAC.

Pwyntiau trafod

Mae pwynt trafod yn fath o gwestiwn y gallai unigolyn ei ateb, ond byddai o fantais ei drafod mewn grŵp neu o dan arweiniad athro. Yn aml bydd mwy nag un farn neu ateb posibl yn cael eu cynnig.

I athrawon

Mae deunydd cyfarwyddyd a chymorth i athrawon sydd â dosbarthiadau sy'n defnyddio'r gwerslyfr hwn ar gael ar wefan CBAC sef http://www.cbac.co.uk/gwyddoniaethtgau.

Haenau

Mae bar gwyrdd wrth ochr testun, cwestiynau a ffigurau yn dynodi deunydd Haen Uwch. Mae deunydd heb far gwyrdd yn ofynnol i fyfyrwyr Haen Sylfaenol a Haen Uwch.

1 Datblygu sgiliau ymholi gwyddonol

Beth y dylwn ei wybod yn barod?

Cafodd y sgiliau ymholi canlynol sylw yn y gwerslyfr TGAU Gwyddoniaeth, a dydyn nhw ddim yn cael sylw pellach yn y bennod hon:

- gofyn cwestiynau gwyddonol
- profi teg
- mesur yn fanwl gywir
- barnu faint o ailadroddiadau i'w cynnal
- penderfynu sut i gyflwyno canlyniadau mewn tablau a graffiau
- sgiliau cyfathrebu
- asesu risg

Cafodd y sgiliau hyn sylw yn y gwerslyfr TGAU Gwyddoniaeth, a byddan nhw'n cael eu datblygu ymhellach yma:

- cynllunio arbrofion i brofi rhagdybiaethau
- dadansoddi canlyniadau
- barnu cryfder tystiolaeth.

Byddwn ni hefyd yn rhoi sylw i'r sgiliau newydd hyn:

- dyfeisio rhagdybiaethau gwyddonol
- dod i gasgliadau
- gwerthuso dulliau arbrofol

Beth yw rhagdybiaeth?

Mae gwyddonwyr yn ceisio egluro'r byd o'n cwmpas ni. Maen nhw'n gwneud arsylwadau ac yn ceisio eu hegluro drwy ddefnyddio'r dystiolaeth sydd ar gael. **Rhagdybiaeth** yw'r enw ar eglurhad sydd wedi'i awgrymu. Mae rhagdybiaeth yn fwy na dyfaliad, oherwydd mae'n bosibl ei chyfiawnhau â thystiolaeth wyddonol a/neu wybodaeth flaenorol. Dydy rhagdybiaeth ddim yr un fath â rhagfynegiad, ond gallwn ni ddefnyddio rhagdybiaeth i ragfynegi rhywbeth. Mae rhagfynegiad yn awgrymu beth fydd yn digwydd, ond dydy e ddim yn egluro pam; mae rhagdybiaeth, ar y llaw arall, yn rhoi eglurhad.

Does dim pwynt awgrymu rhagdybiaeth os na allwch chi ddod i wybod a yw hi'n gywir ai peidio, felly rhaid i ragdybiaeth wyddonol allu cael ei phrofi mewn arbrawf. Pan mae gwyddonwyr yn cynnal arbrofion i roi prawf ar ragdybiaeth, mae'r canlyniadau'n gallu rhoi tystiolaeth sy'n cefnogi (ategu) y rhagdybiaeth neu'n ei gwrthddweud. Fel rheol, caiff arbrofion eu cynllunio i geisio gwrthbrofi rhagdybiaeth, ac weithiau maen nhw'n gwneud hynny. Hyd yn oed os yw'r canlyniadau'n cefnogi'r rhagdybiaeth, dydy hyn ddim yn *profi* bod y rhagdybiaeth yn gywir. Os yw rhagdybiaeth yn cael ei chefnogi gan ddigon o dystiolaeth nes ei bod yn cael ei derbyn yn gyffredinol, yna caiff ei galw'n **ddamcaniaeth**.

1

I grynhoi, mae rhagdybiaeth wyddonol:

- yn awgrymu sut i egluro arsylw
- yn seiliedig ar dystiolaeth
- yn gallu cael ei phrofi mewn arbrawf.

CWESTIYNAU

1 Mae mam Siân yn dweud ei bod hi'n aml yn cael diffyg traul pan mae hi'n yfed gwin gwyn, ond ddim pan mae hi'n yfed gwin coch. Mae Siân, Dafydd, Aaron a Rebecca yn awgrymu rhagdybiaethau i egluro pam.

SIÂN
Mae gwin yn asidig ac mae gormod o asid yn y stumog yn achosi diffyg traul. Efallai fod gwin gwyn yn fwy asidig na gwin coch.

DAFYDD
Dydy pob gwin ddim yn cynnwys yr un cryfder o alcohol. Efallai fod mwy o alcohol yn y gwin gwyn nag yn y gwin coch.

AARON
Rydw i'n meddwl bod yfed alcohol yn achosi mwy o sgil effeithiau wrth i bobl fynd yn hŷn. Mae mam Siân yn 48.

REBECCA
Mae'n well gan fy mam i win coch hefyd. Efallai fod gwin gwyn yn waeth i'ch stumog.

Ffigur 1.1 Rhagdybiaethau sy'n cael eu hawgrymu i egluro diffyg traul mam Siân.

Ar gyfer pob unigolyn, dywedwch:

a A yw'r awgrym yn rhagdybiaeth wyddonol ddilys a

b Os ydyw, dywedwch a ydych chi'n meddwl ei bod hi'n rhagdybiaeth wyddonol *dda*.

2 Eglurwch y gwahaniaethau rhwng rhagdybiaeth, rhagfynegiad a damcaniaeth.

Sut mae dyfeisio rhagdybiaeth?

Rhaid i wyddonwyr allu awgrymu rhagdybiaethau i egluro pethau maen nhw'n eu harsylwi, cyn profi'r rhagdybiaethau hynny mewn arbrofion er mwyn cael gwybod sut a pham mae pethau'n digwydd yn y byd o'u cwmpas. Gwelsom ni yn yr adran flaenorol fod nifer o feini prawf ar gyfer rhagdybiaeth.

Mewn gwirionedd, rydych chi'n gwneud rhagdybiaethau drwy'r amser mewn bywyd pob dydd er mwyn datrys problemau. Gadewch i ni edrych ar enghraifft. Rydych chi'n ceisio defnyddio tortsh, ond dydy'r dortsh ddim yn gweithio. Rydych chi'n gwneud un neu fwy o ragdybiaethau ar unwaith (gweler Ffigur 1.2).

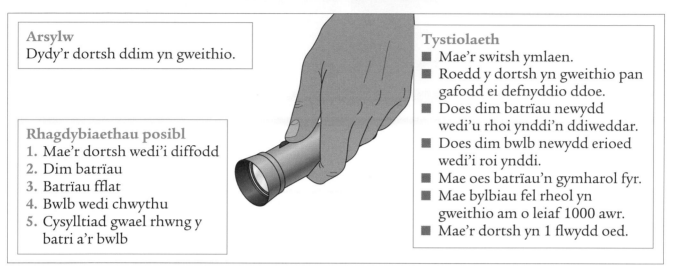

Arsylw
Dydy'r dortsh ddim yn gweithio.

Rhagdybiaethau posibl
1. Mae'r dortsh wedi'i diffodd
2. Dim batrïau
3. Batrïau fflat
4. Bwlb wedi chwythu
5. Cysylltiad gwael rhwng y batri a'r bwlb

Tystiolaeth
- Mae'r switsh ymlaen.
- Roedd y dortsh yn gweithio pan gafodd ei defnyddio ddoe.
- Does dim batrïau newydd wedi'u rhoi ynddi'n ddiweddar.
- Does dim bwlb newydd erioed wedi'i roi ynddi.
- Mae oes batrïau'n gymharol fyr.
- Mae bylbiau fel rheol yn gweithio am o leiaf 1000 awr.
- Mae'r dortsh yn 1 flwydd oed.

Ffigur 1.2 Rhagdybiaethau pam nad yw'r dortsh yn gweithio.

Nawr, rhaid i ni ystyried y pum rhagdybiaeth rydym ni wedi meddwl amdanyn nhw.

Tabl 1.1

	Rhagdybiaeth	Tystiolaeth	Derbyn/ gwrthod	Oes ffordd o'i phrofi?
1	Wedi'i ddiffodd	Switsh ymlaen.	Gwrthod	Dim angen
2	Dim batrïau	Cafodd y dortsh ei defnyddio ddoe ac mae'n annhebygol y byddai rhywun wedi tynnu'r batrïau allan ers hynny (ond ddim yn amhosibl).	Derbyn	Oes (edrych i weld a oes batrïau yn y dortsh)
3	Batrïau fflat	Does dim batrïau newydd wedi'u rhoi yn y dortsh yn ddiweddar ac mae oes batrïau'n eithaf byr.	Derbyn	Oes (rhoi batrïau newydd i mewn)
4	Bwlb wedi chwythu	Does dim bwlb newydd erioed wedi'i roi yn y dortsh, ond mae'n bell o gyrraedd diwedd oes bwlb.	Derbyn	Oes (rhoi bwlb newydd i mewn)
5	Cysylltiad gwael	Dim tystiolaeth o blaid nac yn erbyn	Derbyn	Oes (archwilio a glanhau'r cysylltiadau)

Nawr mae gennym ni bedair rhagdybiaeth ac mae'n bosibl rhoi prawf ar bob un ohonynt. O edrych ar gryfder y dystiolaeth, mae'n ymddangos mai rhagdybiaeth 3 (batrïau fflat) yw'r fwyaf tebygol, a byddai'n hawdd ei phrofi. Wrth geisio rhoi batrïau newydd i mewn, byddech chi hefyd yn profi rhagdybiaeth 2. Os rhowch chi fatrïau newydd i mewn a dydy'r dortsh ddim yn goleuo o hyd, byddech chi'n gwrthod rhagdybiaeth 3 ac yn symud ymlaen i brofi rhagdybiaeth 4 neu 5.

Rydych chi'n gwneud y math hwn o beth yn aml – ond efallai nad oeddech chi'n gwybod eich bod chi'n datblygu rhagdybiaeth!

Dewch i ni edrych ar arsylw a gweld a allwch chi ddyfeisio rhagdybiaeth i'w egluro.

Ffigur 1.3 Mae'r ci hwn wrth y ffenestr yn aros i'w berchennog gyrraedd.

Yn aml, bydd cŵn yn aros wrth ffenestr neu ddrws yn eu tŷ cyn i'w perchennog ddod adref o'r gwaith. Mae'n rhaid bod ffordd o egluro'r arsylw hwn os yw'n digwydd yn rheolaidd (ac mae perchenogion cŵn yn dweud ei fod). Mae angen i chi ddyfeisio rhagdybiaeth a fydd yn egluro'r ymddygiad hwn, ac yn cyd-fynd ag unrhyw dystiolaeth neu wybodaeth wyddonol.

Gadewch i ni ddechrau drwy gasglu gwybodaeth am yr arsylw. Mae gan Marc ac Ann gi o'r enw Gelert. Mae Marc yn gyrru adref o'r gwaith ac yn cyrraedd tua 6 pm. Mae Ann yn dweud bod Gelert yn mynd i eistedd wrth y ffenestr agosaf at ble mae'r car yn parcio tua 5.50 pm ac nad yw'n symud nes bod car Marc yn cyrraedd. Dydy Gelert bron byth yn eistedd wrth y ffenestr unrhyw bryd arall yn ystod y dydd.

Tystiolaeth a gwybodaeth wyddonol

- Mae Gelert yn mynd at y ffenestr tua 5.50 pm bob tro.
- Mae ei berchennog yn cyrraedd adref tua 6 pm bob tro.
- Dydy Gelert ddim yn eistedd wrth y ffenestr unrhyw bryd arall yn ystod y dydd.
- Mae synhwyrau arogli a chlywed cŵn yn llawer gwell na bodau dynol.
- Mae **biorhythm** gan bob mamolyn – hynny yw, maen nhw'n gwybod tua faint o'r gloch yw hi hyd yn oed os na allant ddarllen cloc.

Cwestiynau

1 Awgrymwch **o leiaf dwy** ragdybiaeth bosibl i egluro ymddygiad Gelert.
2 Dewiswch **un** o'ch rhagdybiaethau ac awgrymwch sut y gallech chi ei phrofi.

Arbrawf heb ragdybiaeth

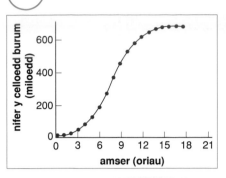

Ffigur 1.4 Poblogaeth celloedd burum dros amser.

Aeth gwyddonwyr ati i astudio sut mae poblogaethau celloedd burum yn tyfu dros amser drwy sefydlu poblogaeth ac yna cyfri'r celloedd ar wahanol adegau. Doedd ganddyn nhw ddim rhagdybiaeth ar gyfer beth fyddai'n digwydd.

Pan gawson nhw'r canlyniadau yn Ffigur 1.4, roedd rhaid iddyn nhw feddwl am ragdybiaeth i egluro'r gromlin.

Dod i gasgliadau – ydy fy rhagdybiaeth yn cael ei chefnogi?

Nid profi rhagdybiaeth yw nod pob arbrawf. Mae rhai'n cael eu gwneud heb wir syniad beth fydd yn digwydd – mae'r rhain yn arsylwadau sydd wedi'u llunio'n ofalus, a gallant arwain at ragdybiaeth. Os oes rhagdybiaeth, nod yr arbrawf yw ei phrofi, felly tri dewis sydd i'r casgliadau:

1 Mae'r dystiolaeth yn cefnogi'r rhagdybiaeth.
2 Dydy'r dystiolaeth ddim yn cefnogi'r rhagdybiaeth.
3 Dydy'r dystiolaeth ddim yn bendant y naill ffordd na'r llall.

Anaml iawn y gall arbrawf **brofi** (*prove*) bod rhagdybiaeth yn gywir.

Ganrifoedd yn ôl, roedd pobl Ewrop yn credu bod pob alarch yn wyn, oherwydd roedd pob alarch a welson nhw yn wyn. Eu rhagdybiaeth felly oedd 'mae pob alarch yn wyn'. Yn 1697, fodd bynnag, daeth fforwyr yn Awstralia o hyd i elyrch du (mae'r rhain wedi'u cyflwyno ym Mhrydain ers hyn). Roedd hyn yn gwrthbrofi'r rhagdybiaeth ar unwaith, oherwydd doedd dim amheuaeth o gwbl am y dystiolaeth. Faint bynnag o elyrch gwyn roedd pobl Ewrop wedi eu gweld, ni allai hynny byth profi bod pob alarch yn wyn. Hyd yn oed os nad oedd elyrch du wedi'u darganfod erioed, doedd hynny ddim yn golygu nad oedd alarch du yn rhywle yn y byd yn dal i aros i gael ei ddarganfod!

Ffigur 1.5 Mae'r alarch du hwn yn amlwg yn gwrthbrofi'r rhagdybiaeth 'mae pob alarch yn wyn'.

Os oes cyfres hir o arbrofion wedi cael ei chynnal a bod pob un o'r arbrofion yn cefnogi'r rhagdybiaeth, bydd gwyddonwyr yn trin y rhagdybiaeth fel ei bod yn wir (mae'n dod yn **ddamcaniaeth**) er na fydden nhw o hyd yn dweud ei bod wedi cael ei *phrofi*.

Wrth benderfynu a ydym ni'n mynd i barhau i dderbyn y rhagdybiaeth neu ei gwrthod, mae cryfder y dystiolaeth yn bwysig iawn.

Mae'r siart llif yn Ffigur 1.6 yn dangos sut mae gwyddonwyr yn dod i gasgliadau am ragdybiaeth.

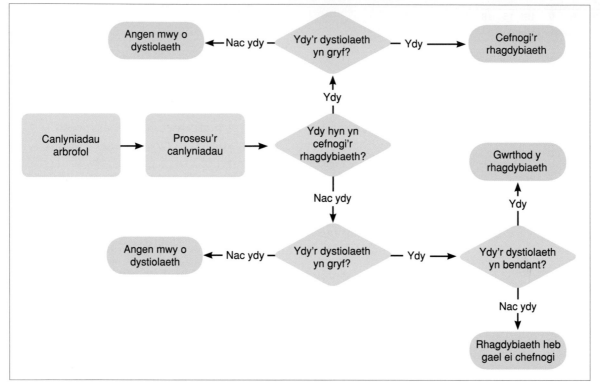

Ffigur 1.6 Siart llif gwneud penderfyniad am ragdybiaeth.

CWESTIYNAU

3 Roedd gan Nia ragdybiaeth bod papur gwlyb yn gallu dal llai o bwysau na phapur sych. Aeth hi ati i brofi bagiau papur, gan ychwanegu 10 g o bwysau ar y tro nes i'r bag dorri. Profodd hi 10 o fagiau, ac yna mwydodd hi 10 bag tebyg mewn dŵr a phrofi'r rheini. Ym mhob un achos, torrodd y bagiau gwlyb pan oedd llai o bwysau ynddyn nhw nag oedd yn y bagiau sych. Beth ddylai casgliad Nia fod?

   a Mae hi wedi profi bod ei rhagdybiaeth hi'n gywir.

   b Mae'r canlyniadau'n cefnogi'r rhagdybiaeth.

   c Mae yna amheuon am ei rhagdybiaeth hi.

   ch Dylai hi wrthod ei rhagdybiaeth.

4 Roedd gan Glyn ragdybiaeth nad oedd un brand penodol o fygiau wedi'u hynysu yn llwyddo i gadw diodydd yn gynhesach na mygiau ceramig arferol. Aeth ati i amseru pa mor hir roedd hi'n cymryd i ddŵr oeri 10°C yn y ddau fath o fwg. Cynhaliodd y prawf 50 gwaith. Ar gyfartaledd, roedd y dŵr yn cymryd 6 munud yn hirach i oeri yn y mwg wedi'i ynysu, ac oerodd y dŵr yn y mwg ceramig yn gynt ym mhob un o'r 50 prawf. Beth ddylai casgliad Glyn fod?

   a Mae ef wedi profi bod ei ragdybiaeth yn gywir.

   b Mae'r canlyniadau'n cefnogi'r rhagdybiaeth.

   c Mae amheuaeth ynglŷn â'i ragdybiaeth.

   ch Dylai wrthod ei ragdybiaeth.

TASG YDY POBL YN GALLU DWEUD Y GWAHANIAETH RHWNG MENYN A THAENIAD MENYN?

Dyma weithgaredd sy'n eich helpu i:
★ barnu cryfder tystiolaeth
★ dod i gasgliadau
★ asesu rhagdybiaeth.

Mae nifer o daeniadau menyn yn hawlio eu bod nhw'n blasu 'yn union fel menyn'.

Cynhaliodd Pedr a Bethan ymchwiliad i ddarganfod a oedd pobl yn gallu dweud y gwahaniaeth rhwng menyn go iawn a thaeniad menyn. Does dim llawer o dystiolaeth wirioneddol o hyn y naill ffordd na'r llall, ond gan fod cynhyrchwyr y taeniad menyn yn hawlio ei bod yn anodd dweud y gwahaniaeth, eu rhagdybiaeth oedd 'Dydy pobl ddim yn gallu dweud y gwahaniaeth rhwng menyn a thaeniad menyn'.

Aethon nhw ati i brofi sampl o 10 o bobl. Cafodd pob unigolyn ei brofi 10 gwaith. Ar bob achlysur roedden nhw'n blasu'r menyn a'r taeniad ar fisgedi cracer, heb wybod pa un oedd pa un, gan geisio dweud pa un oedd y menyn. Roedd rhaid i bob unigolyn benderfynu bob tro a oedd yn bwyta menyn neu daeniad menyn; doedden nhw ddim yn cael dweud nad oedden nhw'n gwybod.

Mae'r tabl yn dangos canlyniadau Pedr a Bethan. Mae tic yn dynodi penderfyniad cywir ac mae croes yn dynodi penderfyniad anghywir.

Ffigur 1.7 Ydy hi'n gallu dweud ai menyn mae hi'n ei fwyta?

Tabl 1.2 Canlyniadau Pedr a Bethan.

Unigolyn	Canlyniadau'r profion										% yn gywir
	Prawf 1	Prawf 2	Prawf 3	Prawf 4	Prawf 5	Prawf 6	Prawf 7	Prawf 8	Prawf 9	Prawf 10	
Pedr	✓	✓	✗	✓	✓	✓	✗	✓	✗	✓	70
Bethan	✓	✗	✓	✓	✗	✗	✓	✓	✓	✗	60
Ioan	✗	✓	✗	✗	✓	✓	✗	✓	✗	✗	40
Amira	✓	✗	✓	✗	✓	✗	✓	✓	✗	✓	60
Lois	✗	✓	✗	✓	✗	✓	✗	✗	✗	✗	30
Dan	✓	✗	✓	✓	✓	✓	✓	✓	✗	✓	80
Beca	✓	✗	✗	✗	✓	✗	✗	✓	✓	✗	40
Rhodri	✗	✓	✗	✓	✗	✓	✗	✓	✓	✓	60
Mohammed	✓	✓	✓	✓	✗	✓	✓	✗	✗	✓	70
Rhiain	✗	✓	✓	✗	✓	✗	✗	✓	✓	✗	50
Cymedr											56

1 Rhagdybiaeth Pedr a Bethan oedd 'Dydy pobl ddim yn gallu dweud y gwahaniaeth rhwng taeniad menyn a menyn'. Y dewis arall yw 'Mae pobl *yn gallu* dweud y gwahaniaeth rhwng taeniad menyn a menyn'. Rhowch sylwadau am y dystiolaeth o blaid y ddwy ragdybiaeth hyn.
2 Beth yw eich casgliad chi o'r canlyniadau hyn?

Sut mae gwyddonwyr yn gwerthuso eu dulliau?

Pan mae gwyddonwyr yn cael eu canlyniadau, maen nhw'n gwerthuso'r dull a ddefnyddiwyd ganddynt yng ngoleuni'r canlyniadau hynny er mwyn penderfynu a oedd y dull yn dderbyniol, neu a oes angen ei wella. Pan maen nhw'n fodlon, maen nhw'n cyhoeddi eu canlyniadau mewn cylchgronau gwyddonol er mwyn i wyddonwyr eraill hefyd gael gwerthuso eu dulliau a'u canlyniadau nhw.

Er mwyn i ddull gael ei dderbyn, rhaid iddo basio tri phrawf:

1 Oedd y dull **yn ddilys**? Mewn geiriau eraill, oedd y dull yn profi'r rhagdybiaeth roedd yn ceisio ei phrofi?
2 A roddodd y dull ganlyniadau **manwl gywir**?
3 A roddodd y dull ganlyniadau **ailadroddadwy**? Mae hyn yn golygu nad oedd llawer o amrywiad rhwng y canlyniadau wrth ailadrodd y dull.

Sylwch mai gwerthusiad o'r dull ei hun yw hwn, nid o sut cafodd ei ddefnyddio. Os yw gwyddonwyr yn teimlo y gallant fod wedi gwneud camgymeriadau wrth ddefnyddio'r dull, byddan nhw'n anwybyddu'r canlyniadau a gawsant ac yn dechrau eto.

Dilysrwydd

Arbrawf **dilys** yw un sy'n profi'r rhagdybiaeth y cafodd ei gynllunio i'w phrofi. Mae arbrawf annilys yn ddiwerth a byddai angen ei ailgynllunio. Mae arbrofion yn gallu bod yn annilys am nifer o resymau.

1. Dydy'r arbrawf ddim yn brawf teg

Os nad yw'r arbrawf yn deg, ni fydd yn brawf derbyniol o'r rhagdybiaeth. Er enghraifft, os ydych chi eisiau rhoi prawf ar effaith tymheredd ar gyfradd adwaith magnesiwm ac asid hydroclorig, ond nad ydych chi'n rheoli faint o fagnesiwm sy'n cael ei ddefnyddio, mae'r dull yn annilys oherwydd dydy'r canlyniadau ddim yn profi effaith tymheredd yn unig.

2. Mae'r dull mesur yn amhriodol

Weithiau, mae'r dull sy'n cael ei ddefnyddio i fesur rhywbeth mewn arbrawf yn amlwg yn dangos tuedd, neu'n amhriodol mewn rhyw ffordd arall. Er enghraifft, mewn arolygon i fesur defnyddio cyffuriau'n anghyfreithlon, bydd llawer o bobl sydd wedi defnyddio cyffuriau o'r fath yn gwrthod cyfaddef y peth. Os nad oes profion eraill yn cael eu defnyddio i fesur defnyddio cyffuriau, gall diffyg manwl gywirdeb y canlyniadau fod mor fawr nes eu bod yn gwneud y dull yn annilys. Weithiau, mae cyfradd y galon yn cael ei defnyddio i fesur lefel straen pobl. Mae nifer o bethau eraill heblaw straen yn gallu cynyddu cyfradd y galon, felly efallai na fydd hyn yn rhoi canlyniadau dilys.

3. Mae maint y sampl neu nifer yr ailadroddiadau'n rhy fach

Os yw'r canlyniadau'n amrywio cryn dipyn, mae angen sampl mawr neu lawer o ailadroddiadau. Weithiau, bydd gwyddonwyr yn ailadrodd eu harbrofion 100 gwaith neu fwy cyn y gallant fod yn siŵr am eu canlyniadau. Os ydyn nhw'n defnyddio sampl bach iawn neu nifer bach iawn o ailadroddiadau, mae'n annhebygol y bydd yr arbrawf yn arwain at gasgliadau dilys.

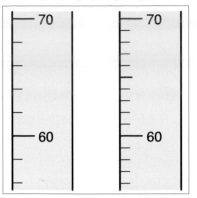

Ffigur 1.8 Mae'r graddfeydd ar y ddau silindr mesur hyn yn dangos cydraniadau gwahanol. Mae'r un ar y dde wedi'i graddnodi bob 1 cm³, ond dim ond bob 2 cm³ mae'r un ar y chwith wedi'i raddnodi, sy'n golygu bod rhaid amcangyfrif mesuriadau fel 61 cm³ neu 67 cm³, er enghraifft, yn hytrach na'u mesur. Felly, mae'r silindr mesur ar y dde'n fwy manwl gywir. Mae'n fanwl gywir i 1 cm³, ac mae'r silindr mesur ar y chwith yn fanwl gywir i 2 cm³.

Dydy dull annilys ddim o reidrwydd yn rhoi canlyniadau anghywir. Fodd bynnag, gan nad yw'n bosibl bod yn siŵr a yw'r canlyniadau'n gywir neu'n anghywir, mae'r arbrawf yn ddiwerth.

Manwl gywirdeb

Rydym ni'n ystyried bod canlyniad mesur yn fanwl gywir os yw'n agos at y **gwir werth**. Y broblem yw na all gwyddonwyr byth wybod beth yw'r 'gwir werth' mewn gwirionedd. Dydyn nhw byth yn gallu dweud yn bendant bod eu mesuriadau **yn fanwl gywir**, ond gallant chwilio am resymau posibl pam **nad** ydynt yn fanwl gywir. Os nad oes rhesymau o'r fath, byddan nhw'n tybio bod eu mesuriadau'n fanwl gywir. Dyma rai pethau a allai achosi diffyg manwl gywirdeb yn y canlyniadau:

- Anhawster wrth gymryd y mesuriad (e.e. ceisio cyfrif swigod, amseru newid lliw).
- Cydraniad gwael yr offeryn mesur. Mae sôn am gydraniad ym Mhennod 1 yn y llyfr TGAU Gwyddoniaeth.

Os nad yw'r canlyniadau'n fanwl gywir, dydy ailadrodd y mesuriadau ddim yn helpu.

1. Y dull mesur

Wrth gynllunio arbrawf, dylai'r gwyddonwyr ddewis yr offer a'r dulliau mwyaf manwl gywir sydd ar gael (gweler Ffigur 1.8).

Gallai'r ffordd o gymryd mesuriadau hefyd effeithio ar fanwl gywirdeb, os ydyn nhw'n debygol o arwain at wall. Mae Ffigur 1.9 yn dangos rhai enghreifftiau.

a) Os nad yw'r nodwydd ar ddeial analog yn aros yn llonydd, mae'n anodd dweud beth yw'r union ddarlleniad.

Ffigur 1.9

b) Wrth amseru newid lliw, mae'n aml yn anodd dweud pryd yn union y digwyddodd y newid.

c) Mae'r stopwatsh hwn yn fanwl gywir i 0.01 eiliad, ond mae amseroedd adweithio pobl sy'n pwyso'r botwm yn hirach na hynny, felly mae'r darlleniadau'n llai manwl gywir.

2. Cymedrau manwl gywir

Y mwyaf o ailadroddiadau a wnewch chi mewn arbrawf, neu'r mwyaf yw'r sampl a ddefnyddiwch chi, yna'r mwyaf manwl gywir fydd y cymedr. Bydd pwynt yn cyrraedd ym mhob arbrawf lle mae cymryd mwy o fesuriadau'n cael effaith mor fach ar y cymedr nes nad oes pwynt parhau.

Dewch i ni edrych ar rai darlleniadau.

1, 6, 2, 4, 2, 2, 2, 3, 1, 1, 3, 2, 2, 1, 2,
3, 4, 1, 1, 1, 2, 3, 2, 3, 1, 3, 1, 1, 2, 1 Cymedr = 2.1 (30 darlleniad)

Nawr edrychwch beth sy'n digwydd i'r un data wrth gymryd llai o ddarlleniadau.

1, 6, 2, 4, 2, 2, 2, 3, 1, 1, 3, 2, 2, 1, 2,
3, 4, 1, 1, 1   Cymedr = 2.2 (20 darlleniad)

1, 6, 2, 4, 2, 2, 2, 3, 1, 1   Cymedr = 2.4 (10 darlleniad)

1, 6, 2, 4, 2   Cymedr = 3.0 (5 darlleniad)

Mae pum darlleniad yn rhoi cymedr nad yw'n fanwl gywir oherwydd mae'n amlwg bod y ffigur 6 yn ganlyniad afreolaidd (*anomalous*) ac mae hyd yn oed 4 yn eithaf anarferol, fel y gallwch chi weld o ddata 30 darlleniad. Wrth i nifer y darlleniadau gynyddu, mae effaith y canlyniad afreolaidd yn lleihau, ac mae'r cymedr yn dod yn fwy manwl gywir.

CWESTIWN

5 Yn yr arbrawf sy'n cael ei ddisgrifio uchod, sawl darlleniad ydych chi'n meddwl y dylai'r sawl oedd yn cynnal yr arbrawf fod wedi'u cymryd?

Ailadroddadwyedd

Os ydych chi'n cynllunio arbrawf sy'n ddilys ac yn fanwl gywir, mae yna siawns dda y bydd eich canlyniadau'n eithaf cyson, h.y. byddan nhw'n **ailadroddadwy**. Canlyniadau ailadroddadwy yw rhai sydd ddim yn dangos llawer o amrywiad. Os na chaiff darlleniadau eu hailadrodd o gwbl, dydych chi ddim yn gallu dweud a yw'r arbrawf yn rhoi canlyniadau ailadroddadwy. Os oes amrywiad eang rhwng canlyniadau wrth eu hailadrodd, gallai hyn ddynodi bod problem yng nghynllun yr arbrawf, ac yna rhaid i wyddonwyr feddwl a allai rhyw agwedd ar gynllun yr arbrawf fod wedi achosi'r amrywiad hwnnw.

Weithiau, does dim ffordd osgoi amrywiadau mawr mewn canlyniadau, yn enwedig ym maes bioleg, gan fod pethau byw mor gymhleth. Er enghraifft, mae gwahanol bobl yn adweithio'n wahanol iawn i yfed caffein – mae rhai'n llawer mwy sensitif nag eraill. Os astudiwch chi effeithiau caffein ar fodau dynol, cewch chi gryn dipyn o amrywiad yn eich canlyniadau bob tro. Yr unig beth y gallwch chi ei wneud yw ailadrodd yr arbrawf llawer o weithiau, neu gael sampl mawr iawn er mwyn ceisio gweld a oes unrhyw duedd gyffredinol.

Atgynyrchadwyedd

Mae atgynyrchadwyedd yn golygu, os byddwch chi (neu rywun arall) yn cynnal yr arbrawf cyfan eto, y byddwch chi (neu nhw) yn cael canlyniadau tebyg. Os yw'r arbrawf yn ddilys, a bod y canlyniadau mor fanwl gywir â phosibl heb ddangos gormod o amrywiad, mae'n debygol bod yr arbrawf yn un **atgynyrchadwy**. Ni allwch chi fod yn sicr o hyn nes i'r arbrawf gael ei gynnal eto.

TASG — YDYCH CHI'N WYDDONYDD ETO?

Dyma weithgaredd sy'n eich helpu i:

★ rhoi eich holl sgiliau ymholi gwyddonol at ei gilydd i gwblhau ymchwiliad gwyddonol llawn.

Mae rhai arsylwadau isod. Dewiswch un, a dyfeisiwch a phrofwch ragdybiaeth wyddonol i geisio ei egluro.

- Mae pryfed lludw'n tueddu i gael eu canfod mewn mannau tywyll.
- Mae'n bwysig iawn bod pobl yn sylwi ar arwyddion rhybudd. Mae bron bob arwydd rhybudd yn goch.
- Mae'n ymddangos bod brandiau rhad o ddiodydd pop yn mynd yn 'fflat' yn gynt na brandiau drutach.

Crynodeb o'r bennod

○ Mae rhagdybiaeth yn awgrymu eglurhad i arsylw. Mae'n seiliedig ar dystiolaeth ac mae'n bosibl rhoi prawf arni mewn arbrawf.

○ Mae tystiolaeth yn gallu cefnogi rhagdybiaeth neu wrthddweud rhagdybiaeth, neu mae'n gallu bod yn amhendant.

○ Nid rhagfynegiad yw rhagdybiaeth, er ei bod yn bosibl ei defnyddio i wneud rhagfynegiadau.

○ Mae'n hawdd gwrthbrofi rhagdybiaeth, ond anaml y gellir profi bod rhagdybiaeth yn wir.

○ Os caiff rhagdybiaeth ei chefnogi gan lawer o dystiolaeth a bod pobl yn gyffredinol yn derbyn ei bod yn wir, mae'n troi'n ddamcaniaeth.

○ Mae gwyddonwyr yn gwerthuso eu harbrofion drwy benderfynu a oedd yr arbrawf yn ddilys, ac a oedd y canlyniadau'n fanwl gywir ac yn ailadroddadwy.

○ Dylai arbrofion hefyd fod yn atgynyrchadwy, hynny yw, yn rhoi canlyniadau tebyg bob tro y caiff yr arbrawf ei gynnal gan unrhyw un.

○ Mae gan wahanol offer mesur lefelau gwahanol o fanwl gywirdeb; mae hyn yn gysylltiedig â'u cydraniad.

○ Mae ailadrodd darlleniadau'n gwneud cymedrau'n fwy manwl gywir, ac yn ein galluogi i asesu ailadroddadwyedd.

○ Y mwyaf amrywiol yw canlyniadau, y mwyaf o weithiau mae angen ailadrodd arbrawf (neu'r mwyaf mae angen i'r sampl fod).

2 Celloedd a phrosesau celloedd

Beth yw celloedd?

Ffigur 2.1 Microsgop cynnar a ddefnyddiodd Robert Hooke i ddarganfod celloedd.

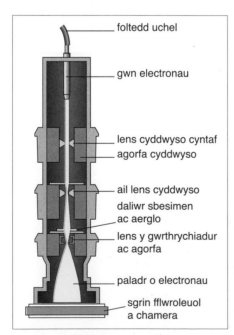

- foltedd uchel
- gwn electronau
- lens cyddwyso cyntaf
- agorfa cyddwyso
- ail lens cyddwyso
- daliwr sbesimen ac aerglo
- lens y gwrthrychiadur ac agorfa
- paladr o electronau
- sgrin fflwroleuol a chamera

Ffigur 2.2 Electronmicrosgop. Caiff paladr o electronau ei saethu drwy'r sbesimen, ac mae sgrin fflwroleuol yn canfod y paladr.

Rydym ni'n gwybod nawr mai celloedd yw 'uned' sylfaenol pob peth byw. Y person cyntaf i ddisgrifio celloedd oedd y gwyddonydd enwog Robert Hooke, yn 1665, ond ar y pryd doedd ganddo ddim syniad bod celloedd i'w cael ym mhob peth byw. Y cyntaf i awgrymu'r syniad hwnnw, fel rhan o'r hyn rydym ni'n ei galw'n ddamcaniaeth celloedd, oedd y gwyddonwyr o'r Almaen Theodor Schwann (yn gweithio ar anifeiliaid) a Matthias Schleiden (yn gweithio ar blanhigion) yn yr 1830au.

Mae'r ddamcaniaeth celloedd a gynigiodd Schwann a Schleiden yn dal i fod yn sail i ddamcaniaeth celloedd heddiw, er ei bod wedi cael ei datblygu wrth i ni ddod i wybod mwy am gelloedd.

Mae damcaniaeth celloedd heddiw'n datgan:

1 Mae pob organeb fyw wedi'i gwneud o gelloedd. Gallant fod yn **ungellog** (un gell) neu'n **amlgellog** (llawer o gelloedd).
2 Y gell yw 'uned' sylfaenol bywyd.
3 Caiff celloedd eu ffurfio o gelloedd sy'n bodoli eisoes drwy gellraniad.
4 Mae llif egni (yr adweithiau cemegol sy'n creu bywyd) yn digwydd mewn celloedd.
5 Caiff gwybodaeth etifeddol (**asid deocsiriboniwcleig, DNA**) ei phasio o gell i gell yn ystod cellraniad.
6 Yr un cyfansoddiad cemegol sylfaenol sydd gan bob cell.

Cafodd pwyntiau 1 a 2 eu hawgrymu gan Schwann a Schleiden. Mae pwyntiau 3–6 wedi cael eu hychwanegu gan wyddonwyr diweddarach. Fel llawer o ddamcaniaethau gwyddonol, mae'r ddamcaniaeth celloedd wedi cael ei haddasu o bryd i'w gilydd wrth i bethau newydd gael eu darganfod. Roedd Schleiden a Schwann yn defnyddio microsgop golau. Ers hynny, mae ansawdd microsgopau golau wedi gwella'n gyson, ond mae priodweddau golau'n golygu ei bod yn amhosibl chwyddo delwedd yn fwy na × 1000.

Yn yr 1930au, cafodd electronmicrosgop ei ddatblygu. Mae'r math hwn o ficrosgop yn defnyddio electronau yn lle golau, ac mae'n bosibl cael chwyddadau llawer mwy – mae'r mathau modern gorau yn gallu chwyddo cymaint â 50 miliwn gwaith. Dydych chi ddim yn 'edrych i mewn' i electronmicrosgop, oherwydd dydym ni ddim yn gallu gweld electronau. Yn lle hynny, caiff y ddelwedd ei dangos ar fonitor (gweler Ffigur 2.2). Anfanteision defnyddio electronmicrosgopau yw nad ydych chi'n gallu gweld lliw nag arsylwi sbesimenau byw (rhaid prosesu'r sbesimenau cyn edrych arnynt).

Mae'r lluniau a gafodd eu cynhyrchu gan electronmicrosgop wedi galluogi gwyddonwyr i ddarganfod adeiledd mewnol celloedd, gan ddangos nodweddion a oedd yn anweladwy gynt (gweler Ffigur 2.3).

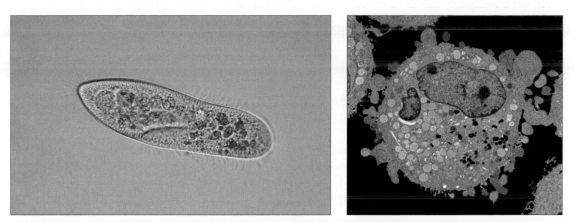

Ffigur 2.3 Dan y microsgop golau (chwith) mae'n amlwg bod y gell yn cynnwys ffurfiadau, ond dydyn nhw ddim yn eglur iawn. Dan yr electronmicrosgop (de) gallwn ni weld llawer mwy o fanylion, hyd yn oed ar chwyddhad cymharol isel.

Un datblygiad modern ym maes microsgopeg yw defnyddio laserau a chyfrifiadur i adeiladu delwedd drwy sganio gwrthrych yn y microsgop. Yr enw ar hyn yw **microsgopeg sganio laser cydffocal**, a gallwn ni ddefnyddio'r dechneg hon i adeiladu delweddau manwl iawn (gweler Ffigur 2.4). Er nad yw'r dechneg yn rhoi chwyddhad mor uchel ag electronmicrosgop, mae'n rhoi delweddau cliriach na microsgop golau.

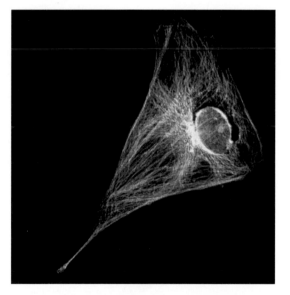

Ffigur 2.4 Delwedd o gell asgwrn ddynol yn defnyddio microsgopeg sganio cydffocal.

Ydy celloedd yr un fath mewn planhigion ac anifeiliaid?

Mae celloedd yn dod mewn amrywiaeth o siapiau a meintiau, ac mae rhai'n edrych yn wahanol iawn i'w gilydd. Fodd bynnag, mae holl gelloedd planhigion ac anifeiliaid yn rhannu rhai nodweddion cyffredin.

- Maen nhw i gyd yn cynnwys **cytoplasm**, math o 'jeli byw', lle mae'r rhan fwyaf o'r adweithiau cemegol sy'n gwneud bywyd yn digwydd.
- Mae **cellbilen** yn amgylchynu'r cytoplasm, ac yn rheoli beth sy'n mynd i mewn ac allan o'r gell.
- Mae **cnewyllyn** ym mhob cell; dyma ble mae'r DNA, y cemegyn sy'n rheoli gweithgareddau'r gell.

Serch hynny, mae celloedd planhigion yn wahanol i gelloedd anifeiliaid, gan fod ganddynt rai nodweddion sydd ddim i'w cael yng nghelloedd anifeiliaid. Y rhain yw:

- **Cellfur**, wedi'i wneud o gellwlos, sy'n amgylchynu'r celloedd mewn planhigion.
- **Gwagolyn** canolog mawr parhaol, sef gwagle yn llawn cellnodd hylifol.
- **Cloroplastau**, sy'n amsugno'r golau sydd ei angen ar blanhigion i wneud eu bwyd drwy ffotosynthesis. Dydy cloroplastau ddim i'w cael ym mhob cell planhigyn, ond dydyn nhw byth i'w cael yng nghelloedd anifeiliaid.

Mae Ffigur 2.5 yn dangos enghraifft o gell planhigyn ac enghraifft o gell anifail, ac mae'n nodi'r gwahaniaethau rhyngddynt.

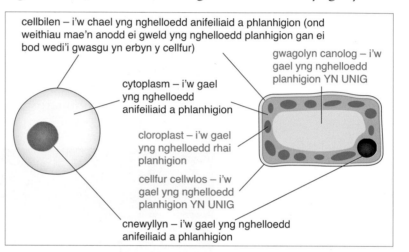

cellbilen – i'w chael yng nghelloedd anifeiliaid a phlanhigion (ond weithiau mae'n anodd ei gweld yng nghelloedd planhigion gan ei bod wedi'i gwasgu yn erbyn y cellfur)

cytoplasm – i'w gael yng nghelloedd anifeiliaid a phlanhigion

gwagolyn canolog – i'w gael yng nghelloedd planhigion YN UNIG

cloroplast – i'w gael yng nghelloedd rhai planhigion

cellfur cellwlos – i'w gael yng nghelloedd planhigion YN UNIG

cnewyllyn – i'w gael yng nghelloedd anifeiliaid a phlanhigion

Ffigur 2.5 Enghreifftiau o gell anifail (chwith) a chell planhigyn (de) yn dangos y gwahaniaethau mewn adeiledd.

Yn union fel organebau cyfan, mae celloedd wedi esblygu dros amser i arbenigo yn eu 'swyddi' penodol eu hunain. Weithiau, gall hyn arwain at gelloedd sy'n edrych yn wahanol iawn i'r enghreifftiau yn Ffigur 2.5 (gweler Ffigur 2.6).

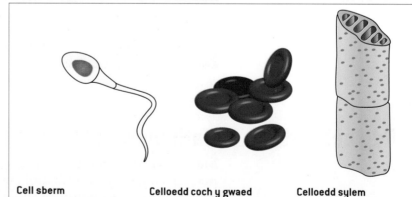

Cell sberm
Ychydig iawn o gytoplasm sydd gan y gell, ac mae ganddi gynffon i'w helpu i nofio'n gyflym at yr wy

Celloedd coch y gwaed
Mae'r celloedd wedi colli eu cnewyll ac wedi llenwi â phigment coch, haemoglobin, sy'n cludo ocsigen o gwmpas y corff

Celloedd sylem
Mae'r celloedd sylem yn ffurfio tiwbiau sy'n cludo dŵr i fyny planhigyn, a hefyd yn ei gryfhau. I wneud hyn, mae tyllau yn waliau pen y celloedd, mae'r cellfur yn drwchus iawn, ac mae'r cytoplasm wedi marw i adael tiwb gwag.

Ffigur 2.6

GWAITH YMARFEROL | ALLWCH CHI GANFOD CELLOEDD?

Dyma weithgaredd sy'n eich helpu i:
★ defnyddio microsgop
★ paratoi sleid
★ deall y cysylltiad rhwng adeiledd a swyddogaeth mewn celloedd.

Yn y gweithgaredd hwn, bydd rhaid i chi baratoi sleidiau i edrych arnynt o dan y microsgop. Mae Ffigur 2.7 yn dangos y dechneg.

Dull

1 Edrychwch ar sleidiau sydd wedi'u paratoi eisoes o wahanol gelloedd a meinweoedd anifeiliaid a phlanhigion.

2 Arwchiliwch y celloedd mewn darn o seleri.
   a Gallwch chi dynnu'r 'llinynnau' seleri i ffwrdd a'u mowntio ar sleid. Maen nhw wedi'u gwneud o gelloedd sylem.
   b Gallwch chi wneud toriadau tenau iawn o goesyn y seleri ac edrych arnynt o dan y microsgop.
   c Os rhwygwch chi ddail y seleri, efallai y gallwch chi weld celloedd yn y rhannau teneuaf yn agos at rwyg.

3 Rhwbiwch y tu mewn i'ch boch yn ofalus ag ochr fflat ffon gwlân cotwm. Bydd hyn yn crafu ychydig o gelloedd arwyneb y foch i ffwrdd gan nad ydyn nhw'n sownd iawn. Taenwch y celloedd ar sleid a'u mowntio gan ddefnyddio staen methylen glas. Os edrychwch chi'n ofalus dan y microsgop, gallwch chi weld eich celloedd eich hun.

4 Ymchwiliwch i un o'r celloedd canlynol ar y rhyngrwyd: cell ffloem, cell wen y gwaed, cell balis deilen, cell wy ddynol (ofwm). Tynnwch lun o enghraifft, ac eglurwch sut mae'r gell yn addas i'w swyddogaeth.

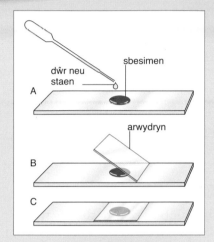

Ffigur 2.7 Paratoi sleid

○ Oes celloedd gan ficro-organebau?

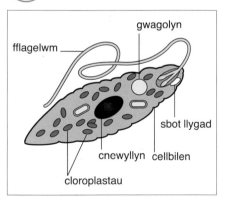

Ffigur 2.8 *Euglena.*

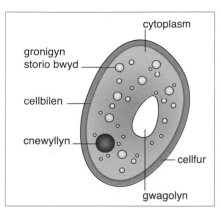

Ffigur 2.9 Cell burum

Mae llawer o wahanol fathau o ficro-organebau – mae bacteria, algaû ungellog, protista, rhai ffyngau, a firysau i gyd yn cael eu galw'n ficro-organebau. Dydy firysau ddim yn dilyn y patrwm cyffredinol (byddwn ni'n rhoi mwy o sylw iddyn nhw yn nes ymlaen), ond un gell yn unig sydd ym mhob un o'r lleill.

Organebau ungellog yw protista. Mae gan rai ohonynt adeiledd sy'n debycach i gell planhigyn, ac mae eraill yn debycach i gell anifail. Mae Ffigur 2.8 yn dangos un protist, *Euglena*. Cell algaidd yw hon ac mae'n dangos cymysgedd o nodweddion cell planhigyn a chell anifail. Mae ganddo gloroplastau, ond dim cellfur. Mae ganddo hefyd ffurfiadau cell anarferol fel fflagelwm (sy'n cael ei symud o gwmpas er mwyn iddo allu nofio drwy'r dŵr), 'sbot llygad' sy'n gallu canfod golau, a gwagolyn 'cyfangol' sy'n ei helpu i gael gwared â gormodedd o ddŵr.

Mae gan ffyngau gelloedd sy'n wahanol i gelloedd anifeiliaid a phlanhigion. Mae burum yn enghraifft o ficro-organeb ffwngaidd ungellog. Mae Ffigur 2.9 yn dangos adeiledd cell burum. Ar yr olwg gyntaf, mae'n edrych fel cell planhigyn heb gloroplastau, ond er bod ganddi gellfur mae'n wahanol i gell planhigyn, gan nad yw'r cellfur wedi'i wneud o gellwlos. Mae cellfur burum wedi'i wneud o gemegion o'r enw citin a glwcanau. (Nodwch nad yw rhai ffyngau, e.e. madarch, yn ficro-organebau gan eu bod yn amlgellog.)

Celloedd yw bacteria, ond mae nifer o wahaniaethau rhwng celloedd bacteria a chelloedd anifeiliaid a phlanhigion. Mae Ffigur 2.10 yn rhoi crynodeb o'r gwahaniaethau hyn. Mae gwyddonwyr yn meddwl ei bod hi'n debygol mai bacteria oedd y mathau cyntaf erioed o fywyd.

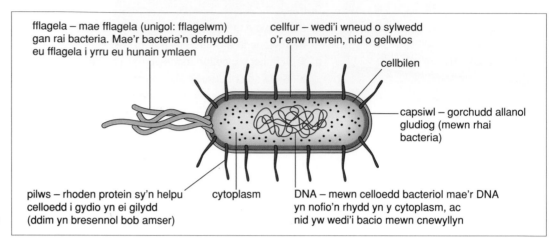

fflagela – mae fflagela (unigol: fflagelwm) gan rai bacteria. Mae'r bacteria'n defnyddio eu fflagela i yrru eu hunain ymlaen

cellfur – wedi'i wneud o sylwedd o'r enw mwrein, nid o gellwlos

cellbilen

capsiwl – gorchudd allanol gludiog (mewn rhai bacteria)

pilws – rhoden protein sy'n helpu celloedd i gydio yn ei gilydd (ddim yn bresennol bob amser)

cytoplasm

DNA – mewn celloedd bacteriol mae'r DNA yn nofio'n rhydd yn y cytoplasm, ac nid yw wedi'i bacio mewn cnewyllyn

Ffigur 2.10 Nodweddion cell facteriol.

Ydym ni'n gallu galw firysau yn organebau byw?

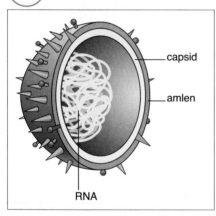

capsid

amlen

RNA

Ffigur 2.11 Adeiledd firws y ffliw, wedi'i ddangos mewn trawstoriad.

Mae'r ddamcaniaeth celloedd yn datgan bod pob peth byw wedi'i wneud o un neu fwy o gelloedd. Mae adeiledd firws mor wahanol i'r celloedd a welsom ni hyd yn hyn fel ei bod yn anodd ei alw'n gell o gwbl. Mae Ffigur 2.11 yn dangos adeiledd firws y ffliw.

Yr unig beth yw firws mewn gwirionedd yw ychydig o **asid niwclëig** (DNA, neu'r moleciwl cysylltiedig RNA) mewn 'pecyn' o brotein o'r enw **capsid**. Does dim cytoplasm na chellbilen.

Mae firysau'n llai na bacteria hyd yn oed, ac ni chafodd y ddelwedd gyntaf o firws ei gweld tan 1931. Mae'r rhan fwyaf o wyddonwyr yn credu nad yw firysau'n organebau byw go iawn, am y rhesymau canlynol:

■ Maen nhw'n gallu cael eu grisialu. Mae hyn yn fwy nodweddiadol o gemegion nag o organebau byw.
■ Dim ond drwy ddefnyddio adnoddau cell letyol y gall firysau atgenhedlu.
■ Mae'n rhaid iddynt fod y tu mewn i gell letyol i oroesi – does ganddyn nhw ddim eu 'metabolaeth' eu hunain.

Ar y llaw arall, maen nhw'n cynnwys genynnau ac maen nhw'n gallu atgenhedlu eu hunain, hyd yn oed os oes rhaid iddynt fod y tu mewn i gell fyw arall er mwyn gwneud hynny. Ar ôl iddynt atgenhedlu, caiff y firysau newydd eu rhyddhau (sy'n dinistrio'r gell letyol) i heintio celloedd eraill. Mae un gwyddonydd wedi eu galw nhw'n 'organebau ar gyrion bywyd', ac mae'n debyg bod hwn yn ddisgrifiad da.

CWESTIWN

1 Mae'r ddamcaniaeth celloedd yn dweud bod pob organeb fyw wedi'i gwneud o gelloedd. Dydy firysau ddim wedi'u gwneud o gelloedd, ond mae'r ddamcaniaeth celloedd yn dal i gael ei derbyn. Awgrymwch pam.

Sut mae gweithgareddau cell yn cael eu rheoli?

Mae holl weithgareddau cell yn dibynnu ar adweithiau cemegol sy'n cael eu rheoli gan foleciwlau arbennig o'r enw **ensymau**. Moleciwl arall, **asid deocsiriboniwcleig (DNA)**, sy'n rheoli pa ensymau mae celloedd yn eu cynhyrchu. Mae'r DNA i'w gael yng nghnewyllyn y gell.

Ensymau

Moleciwlau protein â swyddogaeth benodol yw ensymau. Maen nhw'n gweithredu fel **catalyddion**. Catalydd yw rhywbeth sy'n cyflymu adwaith cemegol. Dydy'r catalydd ei hun ddim yn adweithio, ond mae'n cyflymu'r adwaith mae'n ei gatalyddu. Dyma rai ffeithiau pwysig am ensymau:

- Mae ensymau'n gweithredu fel catalyddion, gan gyflymu adweithiau cemegol.
- Mae ensymau'n benodol, sy'n golygu y bydd ensym arbennig yn catalyddu un adwaith neu un math o adwaith.
- Mae ensymau'n gweithio'n well wrth i'r tymheredd gynyddu, ond os bydd y tymheredd yn rhy uchel byddan nhw'n cael eu dinistrio (dadnatureiddio). Mae ensymau gwahanol yn cael eu dadnatureiddio ar dymereddau gwahanol.
- Mae ensymau'n gweithio orau ar werth pH penodol, ond mae'r 'pH optimwm' hwn yn amrywio rhwng gwahanol ensymau.

Swbstrad(au) yw enw'r cemegyn neu'r cemegion mae ensymau'n gweithio arnynt. Er mwyn catalyddu adwaith, rhaid i'r ensym 'gloi' gyda'i swbstrad. Rhaid i siapiau'r ensym a'r swbstrad(au) gyfateb i'w gilydd, fel eu bod nhw'n ffitio fel clo ac allwedd. Dyna pam mae ensymau'n benodol – dim ond gyda sylweddau sy'n ffitio i siâp yr ensym maen nhw'n gallu gweithio.

Mae Ffigur 2.12 yn dangos sut mae'r model 'clo ac allwedd' hwn yn gweithio.

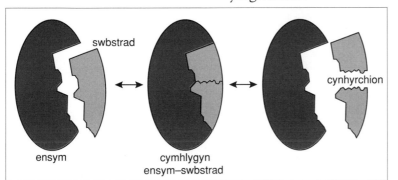

Ffigur 2.12 Model gweithredu 'clo ac allwedd' ensymau. Sylwch y gall yr adwaith fynd i'r naill gyfeiriad neu'r llall.

Gallwn ni weld o'r model 'clo ac allwedd' fod siâp yr ensym yn bwysig er mwyn iddo weithio. Y rheswm pam na fydd ensymau'n gweithio ar y pH anghywir neu ar dymheredd rhy uchel yw oherwydd bod eu siâp yn newid o dan y fath amodau a dydyn nhw ddim yn ffitio'r swbstrad mwyach. Mae cynhesu ensym yn gwneud iddo weithio'n gyflymach (os nad yw'r tymheredd yn ddigon uchel i ddadnatureiddio'r ensym), oherwydd bydd moleciwlau'r ensym a'r swbstrad yn symud o gwmpas yn gyflymach ac felly'n cyfarfod ac yn uno'n amlach. Byddwn ni'n dysgu mwy am ensymau ym Mhennod 6.

Enw'r rhan o ensym sy'n clymu wrth swbstrad yw'r **safle actif**, ac mae bondiau cemegol yn dal y siâp at ei gilydd. Mae tymheredd uchel ac amodau pH anaddas yn gallu torri'r bondiau hyn.

Caiff ensymau eu defnyddio at nifer o ddibenion masnachol a diwydiannol, gan gynnwys powdrau golchi 'biolegol'. Prif gynnwys llawer o'r staeniau anoddaf cael gwared â nhw yw lipidau (olewau a menyn) neu brotein (gwaed a gwair). Mae cynnwys ensymau sy'n treulio lipidau (lipasau) a phroteinau (proteasau) mewn powdrau golchi biolegol yn helpu i dorri'r staeniau hyn i lawr. Mae'r ensymau sy'n cael eu defnyddio yn well na llawer am wrthsefyll tymheredd uchel, ond maen nhw'n dal yn gallu dadnatureiddio.

Mae melynwy'n staen da i'w brofi, gan fod melynwy wedi'i wneud o brotein yn bennaf gydag ychydig bach o lipid. Cynlluniwch ac yna cynhaliwch arbrawf i brofi pa dymheredd sy'n gweithio orau gyda brand penodol o lanedydd biolegol (dim ots pa ffurf). Wrth gynllunio'r arbrawf, ystyriwch y canlynol:

- Sut byddwch chi'n 'mesur' pa mor llwyddiannus oedd y glanedydd?
- Sut rydych chi'n mynd i wneud y prawf yn un teg?
- Sut byddwch chi'n sicrhau eich bod chi'n mesur effaith y glanedydd, yn hytrach na dim ond tymheredd y dŵr y mae ynddo?
- **Ni** fydd yr arbrawf yn ddilys heblaw eich bod chi'n cadw'r glanedydd yn agos iawn at ei dymheredd dynodedig drwy gydol yr arbrawf.
- Rhaid i chi gynnal asesiad risg o'ch arbrawf.

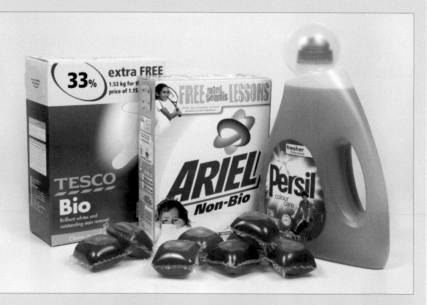

Ffigur 2.13 Mae glanedyddion biolegol yn cynnwys cymysgedd o ensymau i dorri staeniau i lawr.

Gweithiwch drwy'r cwestiynau hyn ar ôl i chi gwblhau eich arbrawf.

Dadansoddi a gwerthuso eich arbrawf
1 Beth yw eich casgliad o'r arbrawf?
2 Pa mor gryf yw'r dystiolaeth o blaid eich casgliad? Eglurwch eich ateb.
3 Os gallech chi ailgynllunio eich arbrawf, fyddech chi'n newid unrhyw beth?
4 Pa ffactorau eraill, heblaw effeithiolrwydd cael gwared â staeniau, allai ddylanwadu ar benderfyniad am ba dymheredd i'w ddefnyddio i olchi eich dillad?
5 Eglurwch pam mae ensymau'n ei gwneud hi'n bosibl golchi ar dymheredd is na glanedyddion anfiolegol.

Sut mae'r cnewyllyn yn rheoli'r gell?

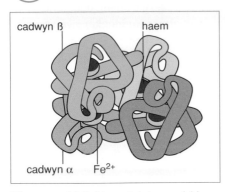

Ffigur 2.14 Adeiledd y protein haemoglobin. Mae pob un o'r rhannau lliw gwahanol wedi'i gwneud o gadwyn wedi'i phlygu o wahanol foleciwlau asid amino. Mae moleciwlau haearn (Fe²⁺) hefyd wedi'u mewnblannu mewn haemoglobin. Sylwch, dydy'r moleciwl go iawn ddim yn lliwgar!

Rydym ni wedi gweld eisoes fod ensymau'n rheoli'r holl weithgareddau cemegol mewn celloedd. Proteinau yw ensymau, ac mae'r 'cyfarwyddiadau' i wneud yr ensymau (a phroteinau eraill) wedi'u storio yn y cnewyllyn ar ffurf cemegyn o'r enw DNA (asid deocsiriboniwcleig).

DNA yw'r cemegyn sy'n gwneud eich genynnau. Mae'n rheoli adeiledd a gweithredoedd eich corff drwy reoli cynhyrchu proteinau. Ar wahân i ensymau, mae moleciwlau pwysig eraill yn y corff wedi'u gwneud o brotein – hormonau a gwrthgyrff. Proteinau hefyd yw prif gyfansoddion holl feinweoedd y corff (e.e. cyhyr).

Mae pob protein wedi'i wneud o gadwynau hir o foleciwlau o'r enw asidau amino. Mae'r cadwynau'n cael eu torchi a'u plygu i roi siâp penodol i bob protein, ac rydym ni eisoes wedi gweld pa mor bwysig yw hyn mewn ensymau.

Mae DNA yn cynnwys math o god cemegol sy'n dweud wrth y gell pa asidau amino i'w gosod gyda'i gilydd er mwyn gwneud protein. Mae DNA yn foleciwl rhyfedd iawn, oherwydd mae'n gallu gwneud copïau ohono'i hun. Pan gaiff cell newydd ei chreu, rhaid iddi gael set o enynnau. Felly mae'r DNA yn dyblygu ei hun, a chaiff set o enynnau ei phasio i'r gell newydd.

Mae DNA wedi'i wneud o ddwy gadwyn hir sy'n cynnwys moleciwlau siwgr a ffosffad bob yn ail. Parau o fasau sy'n cysylltu'r cadwynau, ac mae'r adeiledd hwn, sy'n debyg i ysgol, wedi'i ddirdroi i ffurfio 'helics dwbl' (math o sbiral yw helics). Mae pedwar bas mewn DNA: mae adenin (A) yn cysylltu â thymin (T), ac mae gwanin (G) yn cysylltu â cytosin (C). Mae trefn y basau hyn ar hyd yr asgwrn cefn siwgr-ffosffad yn amrywio mewn moleciwlau DNA gwahanol. Y gyfres hon o fasau sy'n rhoi'r cyfarwyddiadau, mewn math o god, i gynhyrchu proteinau. Mae'n pennu pa asidau amino sy'n cael eu defnyddio i wneud protein penodol, ac ym mha drefn. Mae Ffigur 2.15 yn dangos adeiledd DNA.

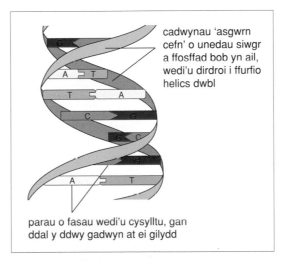

cadwynau 'asgwrn cefn' o unedau siwgr a ffosffad bob yn ail, wedi'u dirdroi i ffurfio helics dwbl

parau o fasau wedi'u cysylltu, gan ddal y ddwy gadwyn at ei gilydd

Ffigur 2.15 Adeiledd DNA.

Mae'r 'cod' yn cynnwys **tripledi** (grwpiau o dri) o fasau ar hyd y DNA. Mae pob tripled yn cynnwys cod un asid amino yn y protein.

DARGANFOD ADEILEDD DNA

Y gwyddonwyr Francis Crick a James Watson sy'n cael y clod am ddarganfod adeiledd DNA yn 1953. Mae hwn yn sicr yn un o'r darganfyddiadau gwyddonol pwysicaf erioed. Mae wedi galluogi gwyddonwyr i adnabod a dadansoddi genynnau, ac wedi arwain at gynnydd aruthrol o ran deall clefydau a'u trin. Fodd bynnag, ni wnaeth Watson a Crick y darganfyddiad hwn ar eu pennau eu hunain. Cyfrannodd gwyddonwyr eraill, naill ai'n uniongyrchol neu drwy fod wedi gwneud gwaith paratoi.

Ymchwiliwch i gyfraniad y gwyddonwyr canlynol mewn darganfod DNA:

a) Francis Crick

b) James Watson

c) Rosalind Franklin

ch) Maurice Wilkins

d) Linus Pauling

Pwynt Trafod

Fel rheol, rydym ni'n cyfeirio at Watson a Crick fel 'darganfyddwyr' adeiledd DNA. Mae rhai pobl yn credu bod Wilkins, ac yn enwedig Franklin, heb gael eu clod haeddiannol. Cafodd Watson, Crick a Wilkins Wobr Nobel am y gwaith yn 1962, ond erbyn hynny roedd Rosalind Franklin wedi marw (yn 1958). Ydych chi'n meddwl bod y clod a gafodd Watson a Crick yn deg?

Sut mae celloedd newydd yn ffurfio?

Mae tua 50–100 triliwn o gelloedd mewn corff dynol (gan ddibynnu ar ei faint). Ac eto, dechreuodd pob bod dynol fel un gell yng nghorff ei fam. Mae'r celloedd yn y corff yn cael eu hamnewid yn gyson. Er enghraifft, mae tua 2 filiwn o gelloedd coch y gwaed yn cael eu ffurfio (a 2 filiwn arall yn cael eu dinistrio) bob eiliad! Mae pob cell newydd yn cael ei ffurfio wrth i gelloedd sy'n bodoli eisoes ymrannu, fel y gwelsom ni wrth ddarllen am y ddamcaniaeth celloedd. Mae bacteria'n atgenhedlu eu hunain drwy gellraniad, oherwydd mai dim ond un gell ydynt beth bynnag. Mae celloedd burum hefyd yn atgenhedlu drwy fath o gellraniad o'r enw 'blaguro' (gweler Ffigur 2.16). Gan mai dim ond un gell sydd yno, mae'r math hwn o atgenhedlu'n anrhywiol (h.y. does dim 'gwryw' a 'benyw').

Ffigur 2.16 Cell burum yn rhannu i ffurfio 'blaguryn' llai sydd wedyn yn tyfu. Creithiau o flaguro blaenorol yw'r marciau crwn ar y celloedd mwy.

Mae cellraniad yn galluogi organebau amlgellog i dyfu, i gael celloedd newydd yn lle rhai hen, ac i atgyweirio celloedd sydd wedi'u niweidio. Enw'r math o gellraniad sy'n digwydd yn y prosesau hyn yw **mitosis**, lle mae un gell (y 'famgell') yn rhannu i ffurfio dwy gell newydd ('epilgelloedd'). Mae'r epilgelloedd yn enetig unfath â'r famgell. Mae'r genynnau i'w cael ar gromosomau, ac mae nifer y cromosomau'r un fath yn yr epilgelloedd ag yn y famgell. Cyn i'r famgell ymrannu mae'n dyblygu ei chromosomau, felly mae set yr un gan y ddwy gell newydd (gweler Ffigur 2.17).

Mitosis yw'r math arferol o gellraniad, ond mae math arall hefyd. Enw hwn yw **meiosis**, a dim ond pan gaiff celloedd rhyw (gametau) eu ffurfio y mae'n digwydd. Mewn bodau dynol, mae 46 cromosom ym mhob corffgell, ac mae mitosis yn cynhyrchu celloedd newydd sydd â 46 cromosom. Wrth ffurfio gametau, fodd bynnag, mae'n bwysig nad oes 46 cromosom gan y celloedd sberm ac wy. Pe bai hynny'n digwydd, pan fyddai'r sberm yn ffrwythloni'r wy, byddai 92 cromosom gan y sygot sy'n cael ei ffurfio ac ni fyddai hyn yn cynhyrchu bod dynol normal.

Mewn meiosis, er bod y DNA a'r cromosomau'n dyblygu yn yr un ffordd ag mewn mitosis, caiff pedair cell newydd eu ffurfio yn lle dwy, ac mae pob cell yn cael hanner set o gromosomau'n unig. Mewn bodau dynol, felly, mae 23 cromosom yr un gan gelloedd sberm ac wy, a bydd y baban newydd yn cael 46 cromosom fel y dylai. Mae'r cromosomau'n dod mewn parau sydd ddim yn unfath, ac mae'r gametau'n cael un cromosom o bob pâr. Felly, yn wahanol i fitosis, dydy'r celloedd newydd mewn meiosis ddim yn enetig unfath. Mae Ffigur 2.18 yn dangos meiosis.

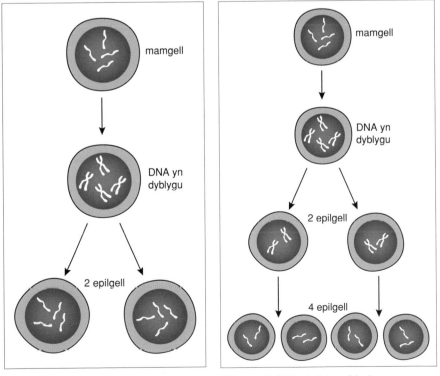

Ffigur 2.17 Cellraniad drwy fitosis.

Ffigur 2.18 Cellraniad drwy feiosis.

Mae Tabl 2.1 yn dangos y gwahaniaethau rhwng y ddau fath o gellraniad.

Tabl 2.1

Mitosis	Meiosis
Yn digwydd ym mhob corffgell HEBLAW y rhai sy'n ffurfio gametau	Yn digwydd mewn celloedd sy'n ffurfio gametau'n unig
Epilgelloedd yn enetig unfath	Epilgelloedd yn enetig wahanol
Yn ffurfio dwy epilgell	Yn ffurfio pedair epilgell
Mae gan epilgelloedd set lawn o gromosomau	Mae gan epilgelloedd hanner set o gromosomau

CWESTIYNAU

2 Mae gan gathod 38 cromosom, mae gan gŵn 78 ac mae gan wenith 42. Faint o gromosomau fyddech chi'n disgwyl eu canfod mewn:

   a cell wy ci?

   b cell aren cath?

   c cell paill gwenith?

3 Pam na fyddai meiosis yn gweithio fel y dull 'arferol' o gellraniad yn y corff?

GWAITH YMARFEROL ARSYLWI CELLRANIAD

Dyma weithgaredd sy'n eich helpu i:

★ dilyn cyfarwyddiadau

★ trin cyfarpar gwyddonol

★ defnyddio microsgop.

Cyfarpar a chemegion

* gwreiddiau garlleg neu nionyn
* staen ethano-orcein
* asid hydroclorig 1M
* alcohol ethanöig
* gwydryn oriawr gyda gorchudd
* sleid microsgop
* arwydryn
* cyllell llawfeddyg
* llosgydd Bunsen
* gefel
* piped diferu
* papur hidlo
* nodwydd wedi'i mowntio
* baddon dŵr ar 60°C
* 2 x bicer 100 cm³
* microsgop

Mewn planhigion, mae mitosis yn digwydd mewn mannau tyfu arbennig yn y coesynnau, y blagur a'r gwreiddiau. Pan gaiff y celloedd eu staenio â staen ethano-orcein, gallwn ni weld y cromosomau mewn celloedd sy'n rhannu. I baratoi ar gyfer yr arbrawf hwn, rhaid cadw nionod (neu glofau garlleg) gyda'u gwaelod prin yn cyffwrdd â'r dŵr mewn bicer, yn y tywyllwch, am sawl diwrnod (gweler Ffigur 2.19). Mae'n rhaid i hyd y gwreiddiau fod tua 2–3 cm.

Ffigur 2.19 Tyfu gwreiddiau nionyn mewn bicer o ddŵr.

Asesiad risg

Bydd eich athro/athrawes yn rhoi asesiad risg i chi.

Dull

1 Torrwch tua 5 mm oddi ar y blaenwreiddiau a'u rhoi mewn gwydryn oriawr.

2 Ychwanegwch ddigon o alcohol ethanöig i'w gorchuddio a gadewch nhw am 10 munud.

3 Gwresogwch 10–25 cm³ o asid hydroclorig yn un o'r biceri yn y baddon dŵr.

4 Rhowch y blaenwreiddiau mewn bicer o ddŵr oer i'w golchi am 4–5 munud a sychwch nhw ar bapur hidlo.

GWAITH YMARFEROL *parhad*

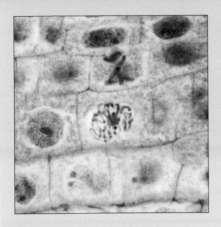

Ffigur 2.20 Celloedd gwreiddyn nionyn wedi'u staenio yn dangos cellraniad.

5 Defnyddiwch efel i drosglwyddo'r blaenwreiddiau i'r asid hydroclorig poeth a gadewch nhw am 5 munud.

6 Golchwch y blaenwreiddiau mewn dŵr eto am 4–5 munud, a'u sychu yn yr un modd eto.

7 Rhowch un blaenwreiddyn ar sleid microsgop. Torrwch y blaenwreiddyn i adael dim ond yr 1mm ar y diwedd. Taflwch y gweddill.

8 Ychwanegwch ddiferyn o staen ethano-orcein, a gadewch am 2 funud.

9 'Stwnsiwch' y blaenwreiddyn yn ysgafn â nodwydd wedi'i mowntio.

10 Gorchuddiwch y blaenwreiddyn ag arwydryn.

11 Gwasgwch y blaenwreiddyn yn ysgafn drwy ei dapio â phen ôl pensil neu nodwydd wedi'i mowntio tuag 20 gwaith. Y ffordd orau o wneud hyn yw gollwng y pensil yn fertigol ar yr arwydryn o uchder o tua 5 cm.

12 Edrychwch ar y sleid dan y microsgop a cheisiwch ddod o hyd i'r man sy'n tyfu, lle bydd y cromosomau i'w gweld yn y celloedd. Gweler yr enghraifft yn Ffigur 2.20.

13 Tynnwch ddiagram dwy neu dair o gelloedd sy'n rhannu.

Ydy anifeiliaid a phlanhigion yn tyfu yn yr un ffordd?

Yn y gweithgaredd diwethaf, roeddech chi'n edrych ar fitosis ym meinwe planhigyn. Mae'n llawer haws dod o hyd i gelloedd sy'n rhannu mewn planhigion nag mewn anifeiliaid, oherwydd mewn anifeiliaid mae twf (ac felly cellraniad) yn digwydd ym mhob meinwe bron. Mewn planhigion, dim ond mewn rhai mannau penodol (o'r enw **meristemau**) mae twf yn digwydd. Mae'r rhain i'w cael ym mlaenau eu cyffion a'u gwreiddiau, mewn blagur, ac mewn meinwe arbennig y tu mewn i goesynnau a gwreiddiau o'r enw'r **cambiwm** (sy'n achosi i goesynnau a gwreiddiau ledu).

Mae gan blanhigion batrwm twf gwahanol i anifeiliaid hefyd. Mae anifeiliaid yn tueddu i dyfu i faint penodol ac yna stopio tyfu, ond mae planhigion yn tyfu drwy gydol eu bywydau. Wrth i blanhigion dyfu, maen nhw'n ffurfio canghennau ac yn lledaenu, ond mae anifeiliaid yn aros yn siâp cryno.

Pwyntiau Trafod

1 Beth yw manteision tyfu ar ffurf ganghennog i blanhigyn? Pam gallai siâp cryno fod yn well i anifeiliaid?

2 Pam mae gallu tyfu drwy gydol bywyd yn fantais benodol i blanhigion, a pham na fyddai'n gymaint o fantais i anifeiliaid?

Mae Ffigur 2.21 yn dangos sut mae'r gyfradd twf yn amrywio yn ystod 20 mlynedd cyntaf bywyd bod dynol.

4 Disgrifiwch y patrwm mae'r graff yn ei ddangos.

5 Awgrymwch eglurhad am siâp y graff rhwng 12 a 14 oed.

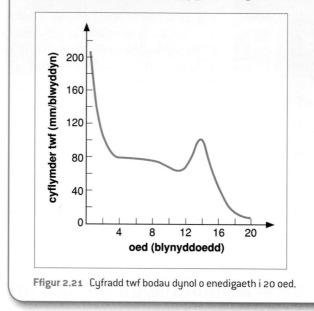

Ffigur 2.21 Cyfradd twf bodau dynol o enedigaeth i 20 oed.

Beth yw celloedd bonyn?

Dros y blynyddoedd diwethaf, mae llawer o ddadlau wedi bod ynglŷn â defnyddio celloedd bonyn. Celloedd diwahaniaeth yw celloedd bonyn, ond beth mae hynny'n ei feddwl?

Pan gaiff embryo planhigyn neu anifail ei ffurfio ac mae'n dechrau tyfu, mae'r celloedd i gyd yn edrych yr un fath. Yn y pen draw, mae'r celloedd yn dechrau **gwahaniaethu** – sef arbenigo mewn rhyw ffordd, e.e. cell afu/iau, nerfgell, cell epidermaidd ac ati. Os bydd cell yn rhannu ar ôl iddi wahaniaethu, yna dim ond celloedd tebyg iddi hi ei hun a all gael eu ffurfio. Dydy cell afu/iau byth yn troi yn nerfgell. Fodd bynnag, mae'r celloedd sydd heb wahaniaethu yn yr embryo – y celloedd bonyn – yn gallu troi'n unrhyw gell o gwbl. Mae gwyddonwyr yn gallu cymryd celloedd bonyn o embryo a'u tyfu yn fathau o gelloedd y gallant eu defnyddio i atgyweirio neu amnewid meinweoedd sydd wedi'u niweidio. Yn y pen draw, gallai hyn ein galluogi i drin clefydau a chyflyrau fel canser, diabetes math 1, niwed i'r ymennydd, anaf i fadruddyn y cefn ac yn y blaen. Yr unig broblem yw fod yr embryo, a fyddai'n gallu tyfu i fod yn fod dynol, yn cael ei ddinistrio yn y broses. Mae'r embryonau sy'n cael eu defnyddio mewn ymchwil yn dod o embryonau sydd dros ben ar ôl triniaeth ffrwythloni *in vitro* (h.y. y rhai sydd ddim yn cael eu rhoi yng nghroth y fam yn ystod triniaeth 'beichiogi tiwb profi'), ond mae yna bosiblrwydd o greu embryonau'n unswydd i gyflenwi celloedd bonyn, ac mae rhai pobl yn teimlo bod hynny'n anghywir.

Fodd bynnag, mae yna ddewisiadau eraill. Mae celloedd bonyn yn ymddangos mewn oedolion (er enghraifft, ym mêr esgyrn).

Gallwn ni hefyd gasglu celloedd bonyn o'r gwaed o'r llinyn bogail adeg genedigaeth.

Mae'r rhannau o blanhigion sy'n tyfu, y meristemau, hefyd yn cynhyrchu celloedd sy'n gallu troi'n gelloedd eraill (ond dim ond celloedd y planhigyn hwnnw, felly does dim defnydd meddygol iddynt).

TASG — SUT DYLEM NI DDEFNYDDIO CELLOEDD BONYN, OS O GWBL?

Isod mae gwahanol bobl yn lleisio barn am gelloedd bonyn. Ymchwiliwch i gelloedd bonyn, yna dewiswch **un** farn (un rydych chi'n cytuno â hi) ac ysgrifennwch lythyr at bapur newydd yn egluro eich barn, gan ddefnyddio tystiolaeth i'w chefnogi.

Dyma weithgaredd sy'n eich helpu i:
* ★ deall safbwyntiau gwahanol am ymchwil i gelloedd bonyn
* ★ dod i benderfyniadau cymhleth am faterion gwyddonol
* ★ deall sut gall pryderon moesegol ddylanwadu ar gynnydd gwyddonol
* ★ barnu cryfder tystiolaeth
* ★ ymarfer sgiliau cyfathrebu ysgrifenedig.

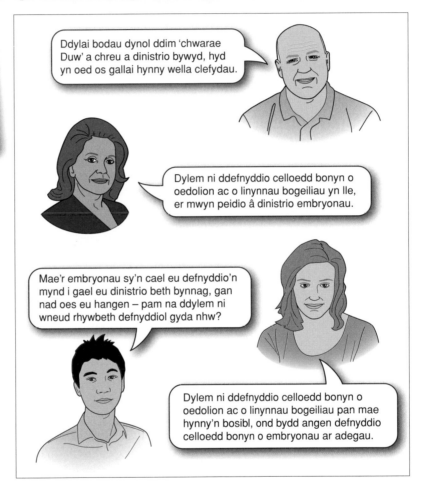

Ffigur 2.22

Crynodeb o'r bennod

○ Cafodd damcaniaeth celloedd ei hawgrymu gyntaf gan Schwann a Schleiden, ac mae gwyddonwyr eraill wedi'i datblygu wrth i'n gwybodaeth gynyddu.

○ Mae microbau'n cynnwys bacteria, firysau, ffyngau ac algâu ungellog.

○ Mae celloedd bacteria a burum yn wahanol mewn sawl ffordd i gelloedd anifeiliaid a phlanhigion nodweddiadol.

○ Mae bacteria'n atgenhedlu'n anrhywiol drwy rannu'n ddau.

- Mae burum yn atgenhedlu'n anrhywiol drwy 'flaguro'.
- Efallai mai bacteria oedd y ffurf gynharaf oll ar fywyd.
- Mae celloedd anifeiliaid a phlanhigion yn rhannu rhai nodweddion penodol (cnewyllyn, cytoplasm, cellbilen) ond mae yna wahaniaethau rhyngddynt hefyd. Mae cellfur a gwagolyn canolog gan gelloedd planhigion, ac mae cloroplastau gan rai ohonynt.
- Mae gan firysau adeiledd tebyg, maen nhw'n llai na bacteria a dim ond y tu mewn i gell letyol y gallant atgenhedlu. Mae rhyddhau firysau newydd yn dinistrio'r gell letyol.
- Yn gyffredinol, dydym ni ddim yn ystyried bod firysau'n organebau byw go iawn.
- Mae proteinau'n cynnwys cadwyn o foleciwlau asid amino wedi'i phlygu i ffurfio siâp penodol.
- Mae siâp moleciwl ensym yn ei alluogi i uno â'i swbstrad(au) ac felly mae'r siâp yn bwysig er mwyn iddo weithio'n iawn.
- Mae ensymau'n rheoli adweithiau cemegol mewn celloedd drwy weithredu fel catalyddion.
- Mae gan bob ensym ei pH a'i dymheredd optimwm ei hun.
- Mae berwi'n dadnatureiddio'r rhan fwyaf o ensymau drwy newid eu siâp moleciwlaidd.
- Mae powdrau golchi biolegol yn cynnwys ensymau treulio (lipasau, proteasau a charbohydrasau) sy'n helpu i dorri staeniau i lawr ac i alluogi golchi ar dymheredd is.
- Mae DNA wedi'i wneud o ddwy gadwyn hir sy'n cynnwys moleciwlau siwgr a ffosffad bob yn ail. Basau sy'n cysylltu'r cadwynau, ac mae'r adeiledd hwn wedi'i ddirdroi i ffurfio helics dwbl.
- Mae pedwar bas (A, C, G, T) ac mae trefn y basau hyn yn ffurfio cod sy'n pennu ym mha drefn mae asidau amino'n uno â'i gilydd i ffurfio gwahanol broteinau.
- Cydweithredodd llawer o wahanol wyddonwyr er mwyn darganfod adeiledd DNA.
- Mae cellraniad drwy gyfrwng mitosis yn galluogi organeb i dyfu, i gael celloedd newydd yn lle rhai hen ac i atgyweirio celloedd sydd wedi'u niweidio.
- Mewn mitosis, mae nifer y cromosomau'n aros yn gyson ac mae'r epilgelloedd yn enetig unfath â'r famgell.
- Caiff celloedd rhyw (gametau) eu ffurfio drwy fath gwahanol o gellraniad o'r enw meiosis.
- Mewn meiosis, caiff nifer y cromosomau ei haneru a dydy'r epilgelloedd ddim yn enetig unfath.
- Mae mitosis yn cynhyrchu dwy epilgell ac mae meiosis yn cynhyrchu pedair.
- Mae patrymau twf gwahanol gan blanhigion ac anifeiliaid.
- Mae anifeiliaid fel rheol yn tyfu hyd at faint penodol, ond mae planhigion yn tueddu i dyfu drwy gydol eu hoes.
- Mae planhigion yn tueddu i ledaenu a changhennu wrth dyfu, ac mae gan anifeiliaid siâp cryno.
- Mewn meinweoedd aeddfed, mae'r celloedd fel arfer wedi colli'r gallu i wahaniaethu i ffurfio mathau gwahanol o gelloedd.
- Mewn planhigion ac anifeiliaid, mae rhai celloedd penodol, sef celloedd bonyn, yn gallu gwahaniaethu i ffurfio mathau gwahanol o gelloedd.
- Mae gan gelloedd bonyn dynol botensial i gymryd lle meinwe sydd wedi'i niweidio a gallent fod yn sail i drin amrywiaeth o glefydau a chyflyrau.
- Mae celloedd bonyn dynol yn dod o embryonau ac o feinweoedd oedolion.
- Mae gan blanhigion gelloedd bonyn ym mlaenau eu cyffion a'u gwreiddiau.

3 Cludiant i mewn ac allan o gelloedd

Sut mae sylweddau'n mynd i mewn ac allan o gelloedd?

Er mwyn i sylweddau fynd i mewn ac allan o gelloedd rhaid iddynt fynd drwy'r gellbilen. Mae'r gellbilen yn athraidd ddetholus, sy'n golygu ei bod yn gadael rhai moleciwlau drwyddi ond nid eraill. Yn gyffredinol, dydy moleciwlau mawr ddim yn gallu mynd drwy'r bilen, ond gall moleciwlau llai wneud hynny. Fel y gwelwn ni, mae nifer o ffactorau'n penderfynu a ydy moleciwlau'n mynd drwy'r bilen, i ba gyfeiriad maen nhw'n symud, a pha mor gyflym.

Mae sylweddau'n symud drwy bilenni mewn un o dair ffordd:

1 **Trylediad**, lle mae moleciwlau'n 'drifftio' drwy'r bilen.
2 **Osmosis**, sy'n fath arbennig o drylediad, sy'n digwydd gyda dŵr yn unig.
3 **Cludiant actif**, pan fydd cell yn defnyddio egni i 'bwmpio' moleciwlau drwy'r bilen i gyfeiriad penodol.

Nawr mae angen i ni ystyried pob un o'r prosesau hyn yn fwy manwl.

Beth yw trylediad?

Trylediad yw gwasgariad moleciwlau o ardal â chrynodiad uwch i ardal â chrynodiad is, o ganlyniad i symud ar hap. Rydym ni'n dweud bod moleciwlau'n symud i lawr **graddiant crynodiad** (gweler Ffigur 3.1).

Mae trylediad yn broses naturiol sy'n digwydd oherwydd bod pob moleciwl yn symud drwy'r amser. Does dim angen egni er mwyn i hyn ddigwydd. Mae'r symud yn digwydd ar hap – mae'n amhosibl i'r moleciwlau 'wybod' i ba gyfeiriad maen nhw'n symud. Bydd y moleciwlau'n symud i bob cyfeiriad, ond mae'r symudiad *cyffredinol* (net) bob amser o ardal â chrynodiad uchel i ardal â chrynodiad isel. Dau o'r sylweddau pwysicaf sy'n mynd i mewn ac allan o gelloedd drwy drylediad yw ocsigen a charbon deuocsid.

Mae'n bosibl cynyddu buanedd trylediad drwy gynyddu'r tymheredd (sy'n golygu y bydd y moleciwlau'n symud yn gyflymach), neu drwy gynyddu'r graddiant crynodiad (y gwahaniaeth rhwng y crynodiadau uchel ac isel).

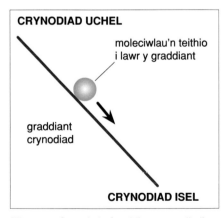

CRYNODIAD UCHEL

moleciwlau'n teithio i lawr y graddiant

graddiant crynodiad

CRYNODIAD ISEL

Ffigur 3.1 Cysyniad y 'graddiant crynodiad'.

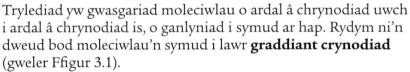

CWESTIYNAU

1 Pam mae ocsigen a charbon deuocsid yn bwysig mewn pethau byw?
2 Pa mor dda yw Ffigur 3.1 fel model o drylediad yn eich barn chi? Ydy'r model yn fanwl gywir, ac os nad yw, ym mha ffyrdd?

'MODELU' TRYLEDIAD

Dull

1 Rhowch tua 10 o farblis mewn grŵp ar fainc y labordy. Gofalwch eu bod nhw'n aros mewn grŵp ac nad ydyn nhw'n rholio oddi wrth ei gilydd. Mae'r rhain yn cynrychioli moleciwlau mewn crynodiad uchel. Mae'r ardaloedd o'u cwmpas nhw, heb ddim marblis, yn cynrychioli crynodiad isel.

2 Tarwch eich dyrnau'n galed ar y fainc ar y ddwy ochr i'r grŵp o farblis. Bydd hyn yn rhoi egni i'r marblis a dylent symud. Arsylwch sut maen nhw'n symud.

3 Dylech chi weld bod y marblis yn gwasgaru oddi wrth y grŵp. Mewn geiriau eraill, maen nhw'n symud o ardal â chrynodiad uchel i ardal â chrynodiad isel.

Cwestiynau

1 Dydy'r marblis byth yn aros mewn grŵp, maen nhw'n gwasgaru bob amser. Eglurwch pam mae hyn yn digwydd.

2 Ym mha ffordd/ffyrdd **nad** yw'r model hwn yn ffordd fanwl gywir o gynrychioli symudiad moleciwlau?

Dyma weithgaredd sy'n eich helpu i:
★ deall trylediad
★ dehongli arsylwadau
★ datblygu sgiliau cyfathrebu
★ barnu manwl gywirdeb modelau.

SUT MAE'R GELLBILEN YN EFFEITHIO AR DRYLEDIAD?

Mae moleciwlau bach yn gallu mynd drwy'r gellbilen, ond dydy moleciwlau mawr ddim yn gallu. Yn yr arbrawf hwn, byddwch chi'n defnyddio startsh (moleciwl mawr), ïodin (moleciwl bach) a thiwbin Visking, sef math o seloffen â'r un priodweddau â chellbilen. Mae ganddo fandyllau sy'n gadael moleciwlau bach yn unig drwyddynt. Mae ïodin yn staenio startsh yn ddu-las pan mae'n dod i gysylltiad ag ef.

Dyma weithgaredd sy'n eich helpu i:
★ dadansoddi a dehongli canlyniadau arbrofol.

Cyfarpar
* Tiwb berwi
* Hyd o diwbin Visking, wedi'i glymu yn un pen
* Piped diferu
* Band elastig
* Ïodin mewn hydoddiant potasiwm ïodid
* Hydoddiant startsh 1%
* Rhesel tiwbiau profi

ⓘ Asesiad risg

Bydd eich athro/athrawes yn rhoi asesiad risg i chi ar gyfer yr arbrawf hwn.

Dull

1 Cydosodwch y cyfarpar fel yn y diagram (Ffigur 3.2). Defnyddiwch biped diferu i lenwi'r tiwbin Visking â hydoddiant startsh. Byddwch yn ofalus nad oes dim startsh yn diferu i lawr ochr allanol y tiwbin.

2 Rhowch y tiwb mewn rhesel tiwbiau profi a'i adael am tua 10 munud.

3 Arsylwch y canlyniad.

4 Eglurwch y lliwiau a welwch chi ar ôl 10 munud yn y tiwbin Visking a'r tu allan iddo.

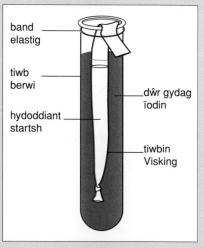

band elastig
tiwb berwi
dŵr gydag ïodin
hydoddiant startsh
tiwbin Visking

Ffigur 3.2 Cydosodiad yr arbrawf.

Weithiau, mae'r gellbilen yn cael ei galw'n 'rhannol athraidd' neu'n 'lledathraidd' yn hytrach nag yn 'athraidd ddetholus'. Peidiwch â phoeni – mae'r rhain i gyd yr un peth.

Beth yw osmosis?

Math penodol o drylediad yw osmosis, sef trylediad **moleciwlau dŵr drwy bilen athraidd ddetholus**. Mae trylediad unrhyw sylwedd arall drwy bilen athraidd ddetholus yn cael ei alw'n drylediad. Mae trylediad dŵr, ond *nid* drwy bilen, hefyd yn cael ei alw'n drylediad. Er mwyn cael ei galw'n osmosis, rhaid i'r broses gynnwys dŵr *a* philen.

Mewn osmosis, rydym ni'n dweud bod **dŵr yn symud o hydoddiant gwanedig** (a fydd yn cynnwys mwy o ddŵr) **i hydoddiant crynodedig** (a fydd yn cynnwys llai o ddŵr) **drwy bilen athraidd ddetholus**.

Sylwch fod y sylwedd (dŵr) sy'n tryledu'n dal i fynd i lawr graddiant crynodiad. Byddai gan hydoddiant crynodedig o halen, er enghraifft, grynodiad isel o ddŵr, a byddai gan hydoddiant gwanedig grynodiad uchel o ddŵr.

Mae'r dŵr yn symud gan fod y bilen yn athraidd i ddŵr (hynny yw, mae'n gadael i ddŵr fynd drwyddi), ond nid yw'n athraidd i'r hydoddyn. Mae Ffigur 3.3 yn dangos proses osmosis.

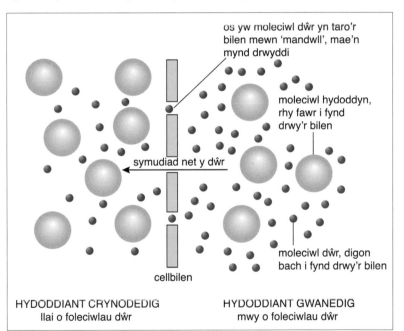

os yw moleciwl dŵr yn taro'r bilen mewn 'mandwll', mae'n mynd drwyddi

moleciwl hydoddyn, rhy fawr i fynd drwy'r bilen

symudiad net y dŵr

moleciwl dŵr, digon bach i fynd drwy'r bilen

cellbilen

HYDODDIANT CRYNODEDIG
llai o foleciwlau dŵr

HYDODDIANT GWANEDIG
mwy o foleciwlau dŵr

Ffigur 3.3 Proses osmosis.

Mae'r holl foleciwlau ar ddwy ochr y bilen yn symud. Weithiau, bydd moleciwl yn taro 'mandwll' yn y bilen. Bydd moleciwlau dŵr yn mynd drwy'r bilen, ond ni fydd moleciwlau'r hydoddyn. Gan fod cyfran fwy o foleciwlau dŵr yn yr hydoddiant gwanedig, bydd mwy'n symud o'r hydoddiant gwanedig i'r hydoddiant crynodedig nag i'r cyfeiriad arall. Er bod rhai moleciwlau dŵr yn symud i'r ddau gyfeiriad, mae yna **symudiad net** o'r hydoddiant gwanedig i'r hydoddiant mwy crynodedig.

Os yw crynodiadau'r hydoddiannau'r un fath ar y ddwy ochr i'r bilen, bydd yr un faint o ddŵr yn symud i'r ddau gyfeiriad – rydym ni'n dweud bod hydoddiannau o'r fath **mewn ecwilibriwm**.

CWESTIWN

3 Dyma ddau ateb a gafodd eu rhoi mewn arholiad. Ni chafodd yr un o'r ddau unrhyw farciau.
  a 'Mewn osmosis, mae dŵr yn teithio i'r cyfeiriad dirgroes i drylediad, hynny yw, o hydoddiant gwanedig i hydoddiant crynodedig.'
  b 'Pan mae'r crynodiadau y tu mewn a'r tu allan i gell yn hafal, mae dŵr yn stopio symud.'
  Beth sydd o'i le ar y ddau ateb hyn?

Pam mae osmosis yn bwysig?

Mae osmosis yn bwysig oherwydd mae gormod neu rhy ychydig o ddŵr mewn celloedd yn gallu cael effeithiau trychinebus. Os caiff cell anifail ei rhoi mewn hydoddiant sy'n fwy gwanedig na'i chytoplasm, bydd dŵr yn mynd i mewn iddi drwy osmosis a bydd y gell yn byrstio. Os oes angen mwy o hylif ar glaf, yn aml caiff y claf ei roi ar 'drip halwynog'. Mae hwn yn hydoddiant o halwynau ar yr un crynodiad â'r gwaed. Os dim ond dŵr fyddai'n cael ei roi, byddai'r gwaed yn gwanedu gormod a byddai osmosis yn gwneud i'r celloedd gwaed fyrstio.

Dydy rhoi celloedd planhigion mewn dŵr ddim yn eu niweidio. Maen nhw'n chwyddo wrth i ddŵr fynd i mewn iddynt, ond mae'r cellfur yn eu hatal rhag byrstio. Fodd bynnag, maen nhw'n gallu cael eu niweidio (fel celloedd anifail) mewn hydoddiant cryf. Bydd dŵr yn gadael y gell drwy osmosis, a bydd y cytoplasm yn crebachu. Yng nghelloedd planhigion, mae'r cytoplasm yn tynnu oddi wrth y cellfur, sef cyflwr o'r enw **plasmolysis** (Ffigur 3.5). Mae plasmolysis yn gallu lladd y gell.

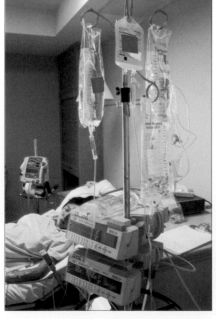

Ffigur 3.4 Oherwydd effaith osmosis, mae'r claf hwn yn cael hydoddiant halwynog, nid dŵr pur.

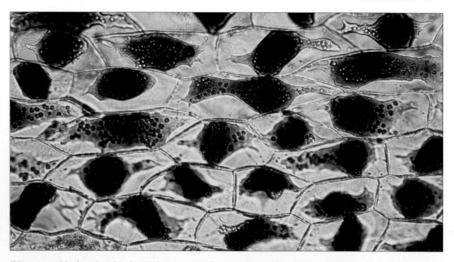

Ffigur 3.5 Mae'r celloedd planhigion hyn wedi plasmolysu. Mae dŵr wedi gadael y celloedd drwy osmosis ac mae'r cytoplasm wedi crebachu a thynnu oddi wrth y cellfur.

GWAITH YMARFEROL OSMOSIS MEWN TATWS

Yn yr arbrawf hwn, fe welwch chi'r newidiadau mae osmosis yn eu hachosi ym meinwe taten. Byddwch chi'n rhoi'r darnau o daten mewn hydoddiannau siwgr sydd â gwahanol gryfderau, ac yna byddwch chi'n mesur y gwahaniaethau mewn màs.

Dull

1 Labelwch gaeadau pum dysgl Petri fel y mae Ffigur 3.6 yn ei ddangos.
2 Rhowch 30 cm³ o ddŵr distyll yn un o'r dysglau, ac yna 30 cm³ o hydoddiant swcros yn y crynodiad sydd wedi'i farcio ar y caead ym mhob un o'r dysglau eraill (gweler Ffigur 3.6).
3 Rhowch y caeadau ar y dysglau.
4 Gan ddefnyddio tyllwr corcyn yn ofalus, torrwch bum silindr allan o daten fel bod hyd pob un yn 50 mm a diamedr pob un yn 5 mm (gweler Ffigur 3.7).
5 Pwyswch y sglodion hyn yn fanwl gywir ar glorian, a chofnodwch y màs mewn tabl canlyniadau.
6 Rhowch y sglodion hyn yn y ddysgl Petri wedi'i marcio 'dŵr distyll', a rhowch y caead yn ôl ar y ddysgl.
7 Ailadroddwch gamau 4–6 ar gyfer pob un o'r dysglau eraill.
8 Gadewch y dysglau am 20 munud.
9 Tynnwch y sglodion o ddysgl 1. Blotiwch nhw'n ysgafn â thywel papur. Pwyswch nhw'n fanwl gywir a chofnodwch y màs yn y tabl canlyniadau (Tabl 3.1).

Cyfarpar
* 5 dysgl Petri
* Silindr mesur 100 cm³
* Tyllwr corcyn, diamedr 5 mm
* Cyllell llawfeddyg
* Taten
* Clorian
* Hydoddiannau swcros – 0.1 M, 0.2 M, 0.5 M, 1.0 M
* Dŵr distyll

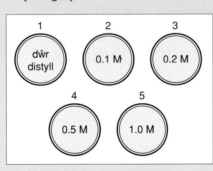

Ffigur 3.6 Dysglau Petri wedi'u labelu.

Ffigur 3.7 Silindr taten.

Tabl 3.1

Hydoddiant yn y ddysgl Petri	Màs ar y dechrau/g	Màs ar y diwedd/g (ar ôl 20 munud)	Newid mewn màs/g (+/-)	Newid/% (+/−)
Dŵr distyll				
Swcros 0.1 M				
Swcros 0.2 M				
Swcros 0.5 M				
Swcros 1.0 M				

$$\text{newid canrannol mewn màs} = \frac{\text{newid mewn màs}}{\text{màs gwreiddiol}} \times 100$$

10 Ailadroddwch gam 9 gyda'r sglodion yn y dysglau eraill.
11 Lluniwch graff o'r newid canrannol mewn màs yn erbyn crynodiad y swcros. Lluniadwch yr echelinau fel mae Ffigur 3.8 yn ei ddangos.

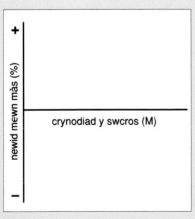

Ffigur 3.8

parhad...

Dadansoddi eich canlyniadau

1 Disgrifiwch y duedd sy'n ymddangos yn eich canlyniadau, ac eglurwch beth sy'n achosi'r duedd.

2 Mae'n bosibl gwneud yr arbrawf hefyd drwy fesur newid yn hyd y silindrau tatws. Eglurwch pam mae mesur màs yn well.

3 Pam roedd hi'n bwysig sychu'r silindrau tatws cyn eu pwyso nhw yng ngham 9?

4 Pam roedd yr arbrawf yn gofyn i chi gofnodi newid % mewn màs a phlotio hwnnw yn y graff, yn hytrach na dim ond newid mewn màs?

Beth yw cludiant actif?

Mae trylediad, a'r math arbennig ohono o'r enw osmosis, yn cludo sylweddau i lawr graddiant crynodiad. Dyna'r ffordd 'naturiol' i foleciwlau symud. Weithiau, fodd bynnag, mae angen i gelloedd symud moleciwlau i mewn neu allan o'r cytoplasm yn erbyn y graddiant crynodiad. Mewn geiriau eraill, rhaid iddynt gael eu symud o ardal â chrynodiad is i ardal â chrynodiad uwch. Ni fydd hyn yn digwydd drwy drylediad – er mwyn symud y moleciwlau rhaid i'r gell ddefnyddio egni i 'bwmpio' y moleciwlau i'r cyfeiriad y mae angen iddynt fynd. Gan fod angen egni ar y math hwn o gludo, **cludiant actif** yw'r term sy'n cael ei ddefnyddio.

Cymharu cludiant actif, trylediad ac osmosis

Mae Ffigur 3.9 yn dangos beth sy'n debyg a beth sy'n wahanol yn y tair proses o gludo sydd gan gelloedd.

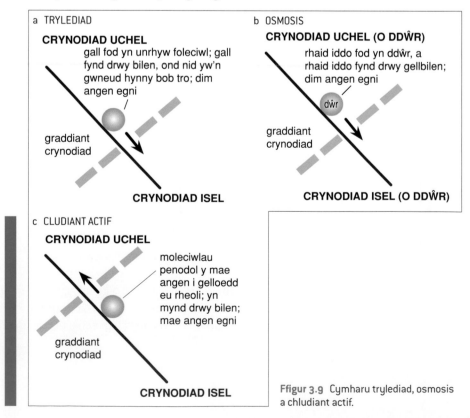

a TRYLEDIAD

CRYNODIAD UCHEL

gall fod yn unrhyw foleciwl; gall fynd drwy bilen, ond nid yw'n gwneud hynny bob tro; dim angen egni

graddiant crynodiad

CRYNODIAD ISEL

b OSMOSIS

CRYNODIAD UCHEL (O DDŴR)

rhaid iddo fod yn ddŵr, a rhaid iddo fynd drwy gellbilen; dim angen egni

dŵr

graddiant crynodiad

CRYNODIAD ISEL (O DDŴR)

c CLUDIANT ACTIF

CRYNODIAD UCHEL

moleciwlau penodol y mae angen i gelloedd eu rheoli; yn mynd drwy bilen; mae angen egni

graddiant crynodiad

CRYNODIAD ISEL

Ffigur 3.9 Cymharu trylediad, osmosis a chludiant actif.

Crynodeb o'r bennod

- Trylediad yw symudiad sylweddau i lawr graddiant crynodiad.
- Does dim angen egni ar gyfer trylediad.
- Mae'r gellbilen yn athraidd ddetholus – dim ond rhai sylweddau penodol sy'n cael eu gadael drwyddi.
- Moleciwlau bach sy'n mynd drwy'r gellbilen; dydy moleciwlau mawr ddim yn gallu mynd drwyddi.
- Mae osmosis yn fath arbennig o drylediad. Mae bob tro yn ymwneud â dŵr yn symud drwy gellbilen.
- Mewn osmosis, mae symudiad net o ddŵr o hydoddiant gwanedig (crynodiad uchel o ddŵr) i hydoddiant mwy crynodedig (crynodiad isel o ddŵr).
- Mae osmosis a thrylediad yn brosesau dwy ffordd; mae moleciwlau'n symud i'r ddau gyfeiriad, ond mae mwy'n symud i un cyfeiriad na'r llall.
- Caiff cludiant actif ei ddefnyddio pan mae angen cludo sylweddau yn erbyn graddiant crynodiad; mae angen egni ar y broses hon.

Ffotosynthesis a resbiradaeth

Ffotosynthesis a resbiradaeth yw dwy o brosesau mwyaf sylfaenol bywyd. Mae angen egni ar bob math o fywyd, ac mae'r egni hwnnw'n dod o resbiradaeth. Bwyd yw ffynhonnell egni resbiradaeth, a chaiff bwyd ei wneud drwy ffotosynthesis, gan ddefnyddio egni o'r Haul.

Pam astudio ffotosynthesis?

Er mai dim ond mewn planhigion mae'n digwydd, mae'r holl fywyd ar y Ddaear yn dibynnu ar ffotosynthesis. Dyma'r broses sy'n trawsnewid egni golau sy'n cyrraedd y blaned yn fwyd – i blanhigion ac i'r anifeiliaid sy'n ffurfio'r cadwynau bwyd sy'n deillio o'r planhigion hynny. Mae hefyd yn cynhyrchu ocsigen fel cynnyrch gwastraff, sy'n galluogi ein hatmosffer i gynnal bywyd aerobig. Mae gwyddonwyr yn ceisio deall cymaint â phosibl am broses ffotosynthesis, yn y gobaith o allu rhoi hwb i'r dasg o gynhyrchu bwyd ar gyfer poblogaeth sy'n cynyddu drwy'r byd.

Beth sydd ei angen ar blanhigion er mwyn iddynt oroesi?

Er mwyn i blanhigion gyflawni ffotosynthesis a'u prosesau bywyd eraill, rhaid iddynt gael rhai defnyddiau penodol o'u hamgylchedd. Mae Ffigur 4.1 yn rhoi crynodeb o'u hanghenion.

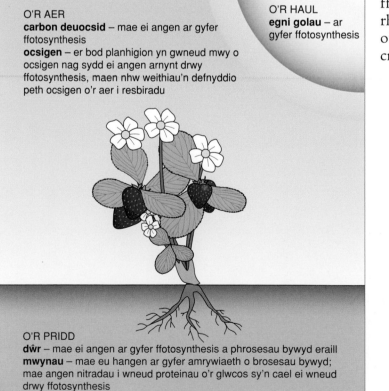

O'R AER
carbon deuocsid – mae ei angen ar gyfer ffotosynthesis
ocsigen – er bod planhigion yn gwneud mwy o ocsigen nag sydd ei angen arnynt drwy ffotosynthesis, maen nhw weithiau'n defnyddio peth ocsigen o'r aer i resbiradu

O'R HAUL
egni golau – ar gyfer ffotosynthesis

O'R PRIDD
dŵr – mae ei angen ar gyfer ffotosynthesis a phrosesau bywyd eraill
mwynau – mae eu hangen ar gyfer amrywiaeth o brosesau bywyd; mae angen nitradau i wneud proteinau o'r glwcos sy'n cael ei wneud drwy ffotosynthesis

Ffigur 4.1 Anghenion planhigion.

Sut mae ffotosynthesis yn gweithio?

Mae ffotosynthesis yn gyfres gymhleth o adweithiau cemegol yng nghelloedd planhigyn, ond gallwn ni ei grynhoi â'r hafaliad geiriau canlynol:

$$\text{carbon deuocsid} + \text{dŵr} \xrightarrow[\text{golau}]{\text{cloroffyl}} \text{glwcos} + \text{ocsigen}$$

Mae angen pedwar peth er mwyn i'r broses weithio:

- **Carbon deuocsid**. Mae glwcos wedi'i wneud o garbon, hydrogen ac ocsigen. Carbon deuocsid sy'n darparu'r carbon a'r ocsigen.
- **Dŵr**. Mae dŵr yn darparu'r hydrogen sydd ei angen i wneud glwcos. Does dim angen yr ocsigen sydd yn y moleciwlau dŵr, a chaiff hwn ei ryddhau fel cynnyrch gwastraff.
- **Golau**. Mae golau'n darparu'r egni ar gyfer adweithiau cemegol ffotosynthesis.
- **Cloroffyl**. Cloroffyl yw'r pigment gwyrdd mewn cloroplastau, ac mae'n amsugno'r golau i roi'r egni ar gyfer ffotosynthesis.

Mae holl adweithiau cemegol ffotosynthesis yn cael eu rheoli gan ensymau, sydd ar gael yng nghytoplasm y celloedd sy'n cymryd rhan ym mhroses ffotosynthesis.

GWAITH YMARFEROL — YMCHWILIO I'R FFACTORAU ANGENRHEIDIOL AR GYFER FFOTOSYNTHESIS

Yn yr arbrofion canlynol, byddwn ni'n profi a yw ffotosynthesis wedi digwydd mewn planhigyn drwy brofi ei ddail am startsh. Ar ôl i glwcos gael ei gynhyrchu mewn deilen, gall gael ei ddefnyddio, ei gludo i rannau eraill o'r planhigyn, neu ei storio ar ffurf startsh. Am y rheswm hwnnw, mae'n well chwilio am startsh yn hytrach na glwcos mewn deilen wrth brofi am ffotosynthesis.

Mae hydoddiant ïodin yn staenio startsh yn ddu-las, ond mae'r lliwiau gwyrdd mewn deilen yn gallu ei gwneud yn anodd gweld y staen, felly rhaid i ni gael gwared â'r cloroffyl yn gyntaf.

Dyma weithgaredd sy'n eich helpu i:
- ★ trin cyfarpar
- ★ deall y ffactorau angenrheidiol ar gyfer ffotosynthesis

Cyfarpar
- * Deilen
- * Tiwb berwi
- * Bicer 250 cm³
- * Llosgydd Bunsen
- * Mat gwrth-wres
- * Trybedd
- * Rhwyllen
- * Gefel fach
- * Teilsen wen
- * Ethanol
- * Hydoddiant ïodin

Profi deilen am startsh

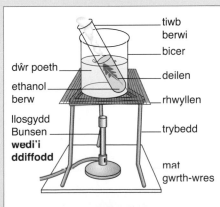

Ffigur 4.2 Cael gwared â chloroffyl o ddeilen.

parhad...

Asesiad risg

Bydd eich athro/athrawes yn rhoi asesiad risg i chi ar gyfer yr arbrawf hwn.

Dull

1. Llenwch tua hanner bicer 250 cm³ â dŵr. Gwresogwch y dŵr â'r llosgydd Bunsen nes ei fod yn berwi.

2. Defnyddiwch yr efel fach i ddipio'r ddeilen yn y dŵr berw am hyd at ddwy funud. Bydd hyn yn lladd y ddeilen ac yn ei gwneud yn athraidd i'r cemegion y byddwn ni'n eu defnyddio'n nes ymlaen.

3. **Diffoddwch y llosgydd Bunsen** (rhag ofn i'r ethanol y byddwch chi'n ei ddefnyddio yn y cam nesaf fynd ar dân).

4. Rhowch y ddeilen yn y tiwb berwi a'i gorchuddio ag ethanol.

5. Rhowch y tiwb berwi yn y bicer o ddŵr poeth a'i adael am 5 munud. Dylai'r ethanol ferwi, a bydd y ddeilen yn colli ei lliw'n raddol, gan droi'r ethanol yn wyrdd.

6. Gan ddefnyddio daliwr tiwbiau profi, tynnwch y tiwb berwi o'r baddon dŵr ac arllwys yr ethanol i ffwrdd.

7. Tynnwch y ddeilen o'r tiwb berwi. Ffordd hawdd o wneud hyn yw llenwi'r tiwb â dŵr; bydd y ddeilen yn arnofio.

8. Lledaenwch y ddeilen ar y deilsen a gorchuddiwch hi ag ïodin. Gadewch hi am tua munud.

9. Rinsiwch yr ïodin i ffwrdd yn ysgafn. Bydd y rhannau sy'n cynnwys startsh wedi'u staenio'n ddu-las.

Nawr, byddwn ni'n defnyddio'r dechneg hon i ymchwilio i'r ffactorau amrywiol sydd eu hangen ar gyfer ffotosynthesis. Wrth gynnal yr arbrofion hyn, mae'n bwysig sicrhau bod unrhyw startsh sy'n cael ei ganfod wedi cael ei wneud yn ystod yr arbrawf, ac nad oedd yno eisoes. I wneud hyn, mae'r planhigion sy'n cael eu defnyddio (heblaw'r planhigyn braith sy'n cael ei ddefnyddio yn yr arbrawf cloroffyl) yn cael eu cadw yn y tywyllwch am 48 awr cyn yr arbrawf. Does dim ffotosynthesis yn gallu digwydd yn y tywyllwch, felly mae'r planhigyn yn cael ei orfodi i ddefnyddio'r startsh y mae wedi'i storio i gael bwyd.

Arbrawf 1 – Dangos bod angen golau

Caiff deilen o blanhigyn wedi'i ddadstartsio ei gorchuddio'n rhannol â ffoil alwminiwm i atal golau rhag cyrraedd yr arwyneb. Yna, caiff y planhigyn ei adael mewn golau am o leiaf 24 awr cyn i'r ddeilen gael ei phrofi am startsh. Bydd y rhan o'r ddeilen a gafodd ei gorchuddio'n aros yn frown, a bydd y gweddill yn cynnwys startsh ac felly'n troi'n ddu-las.

deilen wedi'i dadstartsio

stribed o ffoil alwminiwm wedi'i osod yn dynn at y ddeilen

Ffigur 4.3 Trin deilen ar gyfer arbrawf 1.

Arbrawf 2 – Dangos bod angen cloroffyl

Caiff deilen fraith (gwyrdd a gwyn) mynawyd y bugail (*geranium*) ei phrofi am startsh. Dim ond yn y rhannau gwyrdd, sy'n cynnwys cloroffyl, y mae startsh yn bresennol. Dylai'r planhigyn gael ei gadw mewn man wedi'i oleuo'n dda cyn yr arbrawf.

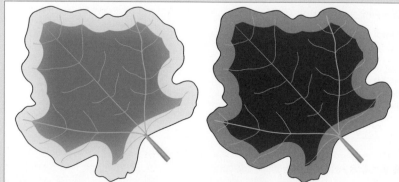

Ffigur 4.4 Deilen cyn ac ar ôl y driniaeth yn arbrawf 2.

GWAITH YMARFEROL *parhad*

Arbrawf 3 – Dangos bod angen carbon deuocsid

Caiff planhigyn wedi'i ddadstartsio ei osod yn y golau am 48 awr, fel yn Ffigur 4.5. Mae'r hydoddiant sodiwm hydrocsid yn amsugno carbon deuocsid, felly mae deilen A yn cael carbon deuocsid, ond dydy deilen B ddim yn ei gael.

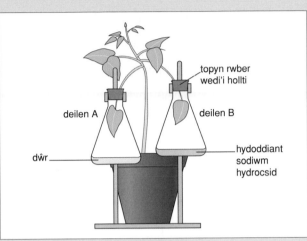

Ffigur 4.5 Cyfarpar i brofi bod angen carbon deuocsid ar ffotosynthesis.

Profwch y ddwy ddeilen am startsh. Bydd deilen A yn cynnwys startsh, ond ni fydd deilen B.

Cwestiynau

1 Pam nad oedd angen dadstartsio'r dail yn arbrawf 2?
2 Yn arbrawf 3, pam cafodd deilen A ei rhoi mewn fflasg yn cynnwys dŵr?

Pwynt Trafod

Mae sodiwm hydrocsid yn gyrydol iawn. Ar wahân i unrhyw berygl diogelwch, pam gallai hyn fod yn anfantais yn yr arbrawf hwn? Sut gallwn ni leihau neu oresgyn yr anfantais hon?

Sut gallwn ni newid cyfradd ffotosynthesis?

Mae ffotosynthesis yn gwneud bwyd. Y mwyaf o ffotosynthesis sy'n digwydd mewn planhigyn, y mwyaf o fwyd mae'n ei wneud. Mae tyfwyr planhigion masnachol yn amlwg eisiau i ffotosynthesis ddigwydd mor gyflym â phosibl yn eu planhigion, oherwydd bydd hynny'n golygu y bydd eu planhigion yn tyfu'n gynt, neu'n tyfu'n fwy neu'n iachach. Drwy dyfu planhigion mewn tai gwydr, gallwn ni reoli'r amodau amgylcheddol er mwyn cael cymaint â phosibl o ffotosynthesis. Rydym ni'n gwybod mai'r ffactorau allanol sydd eu hangen ar gyfer ffotosynthesis yw golau, carbon deuocsid, dŵr a thymheredd addas. Felly, mae'n ymddangos yn rhesymegol hawlio bod rhoi mwy o'r rhain i blanhigyn yn golygu y bydd mwy o ffotosynthesis yn digwydd. Fodd bynnag, mae pethau ychydig yn fwy cymhleth na hynny.

Golau

Mae'n wir bod cynyddu arddwysedd golau'n cyflymu cyfradd ffotosynthesis, ond dim ond i raddau. Dydy hi ddim yn bosibl newid faint o gloroffyl sydd mewn planhigyn. Os yw arddwysedd y golau'n fwy na'r hyn y gall y cloroffyl ei amsugno, ni fydd cynnydd pellach yn cael unrhyw effaith.

Carbon deuocsid

Fel yn achos golau, bydd cynyddu lefelau carbon deuocsid yn cynyddu cyfradd ffotosynthesis hyd at lefel benodol, ond ni fydd cynnydd pellach yn cael unrhyw effaith. Mae'r un ddadl yn wir ag ar gyfer golau – pan fydd gan y cloroplastau'r holl garbon deuocsid sydd ei angen arnynt, does dim budd yn dod o'i gynyddu.

Dŵr

Er bod angen dŵr ar gyfer ffotosynthesis, dydy cynyddu faint o ddŵr mae planhigyn yn ei gael **ddim** yn cynyddu cyfradd ffotosynthesis. Mae angen dŵr ar gyfer llawer mwy na ffotosynthesis mewn planhigion, ac os oes digon o ddŵr i gadw'r planhigyn yn fyw, bydd hynny'n ddigon i ffotosynthesis. Mae gormod o ddŵr yn gallu lladd planhigion, gan ei fod yn lleihau'r ocsigen sydd yn y pridd ac yn achosi i'r gwreiddiau farw.

Tymheredd

Mae adweithiau cemegol ffotosynthesis i gyd yn cael eu rheoli gan ensymau, ac mae effaith tymheredd ar gyfradd ffotosynthesis yn cael ei hachosi gan effaith tymheredd ar yr ensymau hynny. Mae'n fuddiol codi'r tymheredd i tua 40 °C, ar yr amod na fyddwch chi'n dadhydradu'r planhigyn yn y broses. Wrth i'r tymheredd fynd yn uwch na hyn, fodd bynnag, bydd yn dinistrio (dadnatureiddio) yr ensymau a bydd ffotosynthesis yn stopio.

Ffactorau cyfyngol

Ym mhob set o amgylchiadau, bydd un ffactor yn bwysicach na'r lleill o ran pennu cyfradd ffotosynthesis. Rydym ni'n galw'r ffactor hon yn **ffactor gyfyngol**. O dan amodau gwahanol, gall unrhyw un o'r ffactorau sydd wedi'u rhestru uchod – golau, carbon deuocsid neu dymheredd – fod yn ffactor gyfyngol.

TASG

BETH YW EFFAITH CYNYDDU ARDDWYSEDD GOLAU AR GYFRADD FFOTOSYNTHESIS?

Dyma weithgaredd sy'n eich helpu i:

★ deall pwysigrwydd cydraniad mesuriadau

★ deall agweddau ar gynllunio arbrawf

★ llunio barn am ailadroddadwyedd canlyniadau

★ asesu'r angen i ailadrodd prawf

★ barnu arwyddocâd gwahaniaethau

★ ffurfio casgliadau o ganlyniadau arbrawf

Mae'r arbrawf hwn yn defnyddio disgiau dail – cylchoedd bach wedi'u torri o ddeilen. Cawsant eu rhoi mewn chwistrell yn cynnwys hydoddiant sodiwm bicarbonad (sy'n darparu'r carbon deuocsid sydd ei angen ar gyfer ffotosynthesis). Pan mae ffotosynthesis yn digwydd, mae ocsigen yn ffurfio yn y disgiau dail. Mae hyn yn cynyddu eu hynofedd ac mae'r disgiau'n codi i'r arwyneb. Cafodd y cyfarpar ei osod mewn amgylchedd tywyll, a chafodd lamp ei rhoi ar bellteroedd gwahanol oddi wrtho (gweler Ffigur 4.6). Cafodd yr amser a gymerodd i 50% o'r disgiau godi i'r arwyneb ei gofnodi ar gyfer pob pellter. Cafodd hwn ei ddefnyddio fel mesur o gyfradd ffotosynthesis.

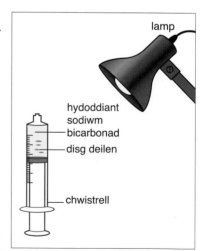

Ffigur 4.6 Cyfarpar disg deilen.

TASG *parhad*

Mae Tabl 4.1 yn dangos y canlyniadau a gafwyd.

Tabl 4.1 Tabl canlyniadau.

Pellter y lamp (cm)	Amser a gymerir i 50% o'r disgiau arnofio (eiliadau)			
	Arbrawf 1	Arbrawf 2	Arbrawf 3	Cymedr
40	848	1029	748	875.0
35	737	788	794	773.0
30	602	628	640	623.3
25	594	588	521	567.7
20	580	530	544	551.3

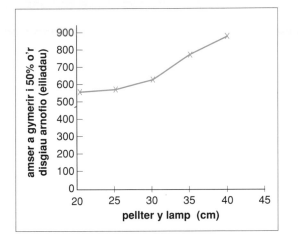

Ffigur 4.7 Effaith arddwysedd golau ar gyfradd ffotosynthesis — graff o'r canlyniadau.

1 Pam rydych chi'n meddwl eich bod wedi mesur yr amser i 50% o'r disgiau arnofio mewn eiliadau ac nid mewn munudau ac eiliadau?

2 Y syniad oedd y byddai mesur yr amser i 50% o'r disgiau deilen arnofio yn rhoi mesur mwy manwl gywir o ffotosynthesis nag aros i'r disgiau i gyd arnofio. Pam hynny, yn eich barn chi?

3 Ydych chi'n meddwl bod yr amrywiad yn y canlyniadau'n dderbyniol i allu llunio casgliad ohono? Eglurwch eich ateb.

4 Ydych chi'n meddwl bod ailadrodd yr arbrawf hwn i gael tri chanlyniad yn ddigon? Eglurwch eich ateb.

5 Ydych chi'n meddwl bod y gwahaniaeth rhwng canlyniadau'r gwahanol bellteroedd yn arwyddocaol? Eglurwch eich ateb.

6 Beth fyddai eich casgliad chi o'r canlyniadau hyn?

Beth sy'n digwydd i'r glwcos sy'n cael ei greu gan ffotosynthesis?

Yn union fel anifeiliaid, mae ar blanhigion angen 'deiet' cytbwys sy'n cynnwys amrywiaeth o faetholion. Y gwahaniaeth yw fod rhaid iddynt wneud y maetholion eu hunain, heblaw am fwynau sy'n cael eu hamsugno o'r pridd. Mae angen amrywiaeth o garbohydradau a phroteinau arnynt. Mae angen llai o lipidau arnynt, er bod rhai hadau'n defnyddio olewau fel stôr bwyd. Mae'n bosibl gwneud carbohydradau a lipidau o glwcos, gan eu bod nhw'n cynnwys yr un elfennau cemegol (carbon, hydrogen ac ocsigen). Mae angen nitrogen ar blanhigion hefyd, ond caiff hwnnw ei amsugno o'r pridd ar ffurf nitradau.

Mae Ffigur 4.8 yn dangos y prif ffyrdd y caiff glwcos ei ddefnyddio mewn planhigion ar ôl cael ei ffurfio mewn dail.

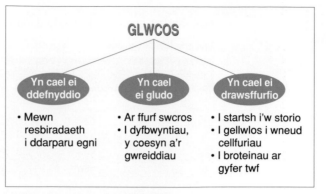

Ffigur 4.8 Beth sy'n digwydd i'r glwcos sy'n cael ei greu mewn ffotosynthesis.

Pam astudio resbiradaeth?

Mae angen egni ar bob cell ym mhob organ ym mhob organeb fyw ar y blaned. Caiff yr egni ei gynhyrchu drwy ymddatodiad (torri i lawr) moleciwlau bwyd, sy'n storio egni cemegol. Proses resbiradaeth yw'r ffordd mae'r bwyd yn cael ei dorri i lawr a'r egni yn cael ei ryddhau. Os yw cell yn stopio resbiradu, mae'n marw. Mae angen llawer o brosesau eraill er mwyn cynnal bywyd, ond rhaid i resbiradaeth barhau am 24 awr y dydd, 7 dydd yr wythnos, drwy gydol bywyd yr organeb.

Mae resbiradaeth yn digwydd ym mhob cell fyw. Fel rheol, glwcos yw'r moleciwl bwyd sy'n cael ei ddefnyddio wrth resbiradu (er ei bod yn bosibl defnyddio rhai eraill), a chaiff ocsigen ei ddefnyddio yn y broses os yw'r resbiradu'n **aerobig** (sef y math arferol). Mae'r broses yn cynhyrchu carbon deuocsid a dŵr fel defnyddiau gwastraff. Yr hafaliad geiriau ar gyfer resbiradaeth aerobig yw:

glwcos + ocsigen → carbon deuocsid + dŵr + EGNI

Efallai y gwnewch chi sylwi mai'r hafaliad hwn yw'r gwrthwyneb i hafaliad ffotosynthesis. Yn union fel ffotosynthesis, mae resbiradaeth aerobig yn gyfres o adweithiau cemegol, ac mae ensym gwahanol yn rheoli pob un.

GWAITH YMARFEROL · SUT GALLWN NI FESUR RESBIRADAETH?

Dyma weithgaredd sy'n eich helpu i:
★ deall agweddau ar gynllunio arbrawf
★ deall arbrofion cymharu.

Mae gwyddonwyr yn gallu mesur resbiradaeth mewn nifer o ffyrdd.
- Maen nhw'n gallu mesur faint o ocsigen sy'n cael ei gymryd i mewn (posibl ond anodd).
- Maen nhw'n gallu mesur faint o garbon deuocsid sy'n cael ei gynhyrchu (mae hyn yn hawdd).
- Maen nhw'n gallu mesur yr egni sy'n cael ei ryddhau ar ffurf gwres yn ystod resbiradaeth. Egni cemegol yw'r egni defnyddiol sy'n cael ei gynhyrchu gan resbiradaeth, nid yr egni gwres hwn. Fodd bynnag, pryd bynnag mae newid egni'n digwydd, caiff rhyfaint o egni ei golli ar ffurf gwres. Bydd cysylltiad rhwng faint o wres sy'n cael ei golli a faint o resbiradaeth sy'n digwydd.

GWAITH YMARFEROL *parhad*

Mae'r arbrawf hwn yn mesur y gwres sy'n cael ei ryddhau gan hadau eginol. Mae hadau eginol yn tyfu'n gyflym, felly mae llawer o resbiradu'n digwydd i gynhyrchu'r egni sydd ei angen ar y celloedd i dyfu.

Cyfarpar
* 2 × fflasg thermos
* Ffa mwng wedi'u mwydo mewn dŵr ymlaen llaw
* 2 × thermomedr
* Gwlân cotwm
* Diheintydd

Asesiad risg

Bydd eich athro/athrawes yn rhoi asesiad risg i chi ar gyfer yr arbrawf hwn.

Dull

1 Cydosodwch y ddwy fflasg thermos fel yn Ffigur 4.9. Fflasg A yw'r fflasg arbrofol; rheolydd yw fflasg B sy'n defnyddio hadau wedi'u berwi (yn farw).
2 Cofnodwch dymheredd y ddwy fflasg.
3 Gadewch nhw am 24 awr.
4 Cofnodwch y tymereddau eto.
5 Cofnodwch y canlyniadau.

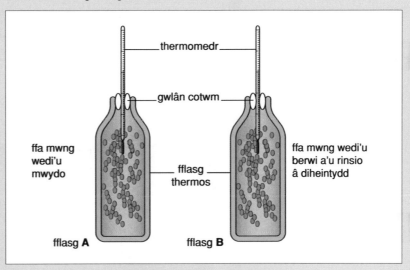

Ffigur 4.9 Cydosodiad yr arbrawf.

Dadansoddi eich canlyniadau

1 Eglurwch ganlyniadau fflasg A.
2 Eglurwch bwrpas fflasg B.
3 Pam cafodd yr hadau yn fflasg B eu rinsio â diheintydd? (Meddyliwch beth sy'n debygol o ddigwydd i hadau sydd wedi marw.)
4 Pam na chafodd yr hadau yn fflasg A eu rinsio â diheintydd?
5 Er bod tua'r un nifer o hadau yn fflasg A a fflasg B, does dim rhaid cael yr un nifer (na'r un màs) o ffa yn y ddwy fflasg. Pam ddim?
6 Awgrymwch reswm pam na fyddai'n syniad da gadael yr hadau am lawer mwy na 24 awr cyn gwneud yr ail ddarlleniad.

Sut mae organebau'n goroesi mewn mannau heb lawer o ocsigen?

Does dim cyflenwad parod o ocsigen ar gael i gelloedd bob amser. Mae rhai organebau'n byw mewn mannau **anaerobig** (heb ocsigen) neu lle mae lefelau ocsigen yn isel iawn. Hyd yn oed mewn bodau dynol a mamolion eraill, mae lefelau ocsigen rhai meinweoedd yn gallu mynd yn isel iawn (e.e. meinwe cyhyrau yn ystod ymarfer corff dwys). Ac eto, yn y tymor byr neu'r hirdymor, mae'r celloedd hyn yn goroesi.

Maen nhw'n goroesi am eu bod nhw'n gallu resbiradu'n **anaerobig**. Hyd yn oed heb ocsigen, mae rhai celloedd yn gallu torri glwcos i lawr yn rhannol a rhyddhau rhywfaint o'r egni ohono. Mae hyn yn rhyddhau llai o egni na resbiradaeth aerobig, ond o leiaf mae'n well na dim.

Pan mae **anifeiliaid** yn resbiradu'n anaerobig, mae glwcos yn cael ei dorri i lawr i roi asid lactig, ac mae'r hafaliad geiriau'n syml:

glwcos → asid lactig + EGNI

Mewn celloedd **burum**, mae resbiradaeth anaerobig yn creu cynhyrchion gwahanol:

glwcos → ethanol + carbon deuocsid + EGNI

Mae pobl yn defnyddio'r adwaith hwn i fragu diodydd alcoholig drwy dyfu burum mewn amodau anaerobig.

Ffigur 4.10 Yn ystod ras wibio, dydy celloedd cyhyrau'r athletwr ddim yn gallu cael yr holl ocsigen sydd ei angen arnynt oherwydd y galw enfawr am egni. Mae'r cyhyrau'n resbiradu'n anaerobig er mwyn i goesau'r gwibiwr allu dal i symud.

GWAITH YMARFEROL | SUT GALLWN NI FESUR RESBIRADAETH ANAEROBIG MEWN BURUM?

Cyfarpar
* Meithriniad o gelloedd burum mewn hydoddiant glwcos
* Tiwb berwi
* Tiwb profi
* Topyn rwber
* Tiwbin gwydr
* Olew
* Stopwatsh

Mae'r arbrawf hwn yn rhoi meithriniad o gelloedd burum mewn amodau anaerobig ac yna'n mesur y carbon deuocsid sy'n cael ei ryddhau fel ffordd o fesur resbiradaeth. Cyn rhoi'r celloedd burum yn yr hydoddiant glwcos, rhaid berwi'r hydoddiant glwcos a'i oeri. Mae hyn yn cael gwared ag unrhyw ocsigen sy'n bresennol. Yna, caiff y meithriniad burum ei orchuddio â haen o olew i atal unrhyw ocsigen rhag mynd i mewn, fel bod yr amodau'n aros yn anaerobig.

🛈 **Asesiad risg**

Bydd eich athro/athrawes yn rhoi asesiad risg i chi ar gyfer yr arbrawf hwn.

Ffigur 4.11 Cydosodiad cyfarpar i fesur resbiradaeth anaerobig mewn burum.

Dull
1 Cydosodwch y cyfarpar fel yn Ffigur 4.11.
2 Gadewch y cyfarpar nes bod byrlymu rheolaidd yn dod o ben y tiwbin gwydr.
3 Dechreuwch y stopwatsh a chyfrwch nifer y swigod sy'n cael eu rhyddhau bob munud.
4 Ailadroddwch hyn am 5 munud.
5 Cofnodwch eich canlyniadau.

Dadansoddi eich canlyniadau
1 Dydy cyfrif nifer y swigod bob munud ddim yn ffordd fanwl gywir iawn o fesur cynhyrchu carbon deuocsid (ac felly resbiradaeth). Pam ddim?
2 Sut gallech chi wella'r manwl gywirdeb?
3 O'ch canlyniadau chi, ydych chi'n meddwl bod ailadrodd bum gwaith yn ddigon? Eglurwch eich ateb.
4 Cynlluniwch arbrawf i brofi effaith tymheredd ar resbiradaeth anaerobig mewn burum. Gwnewch yn sicr fod yr arbrawf yn deg, mor fanwl gywir â phosibl ac mor ailadroddadwy â phosibl. Dylech gynnwys asesiad risg i'ch arbrawf.

GWAITH YMARFEROL | BETH YW EFFAITH RESBIRADAETH A FFOTOSYNTHESIS AR YR ATMOSFFER?

Mae resbiradaeth a ffotosynthesis yn cael effeithiau croes ar yr aer o'u cwmpas. Mae ffotosynthesis yn ychwanegu ocsigen ac yn tynnu carbon deuocsid, ac mae resbiradaeth yn ychwanegu carbon deuocsid ac yn tynnu ocsigen. Gallwn ni ddangos yr effeithiau ar lefelau carbon deuocsid drwy gynnal arbrawf syml yn defnyddio organebau dyfrol a dangosydd hydrogen carbonad. Gallwn ni ddefnyddio dangosydd hydrogen carbonad fel prawf am garbon deuocsid, sy'n nwy asidig. Mae'r dangosydd yn canfod newidiadau bach mewn asidedd, gweler isod:

ALCALI (tynnu carbon deuocsid)	NIWTRAL	ASID (ychwanegu carbon deuocsid)
COCH TYWYLL	OREN	MELYN

parhad...

Cyfarpar

* 5 × tiwb profi, wedi'u labelu A–D
* Dangosydd hydrogen carbonad
* Ffoil
* Gwlân cotwm
* Rhesel tiwbiau profi
* Dyfrllys
* Malwod dŵr croyw

🛈 Asesiad risg

Ni ddylai fod unrhyw risgiau'n gysylltiedig â'r arbrawf hwn.

Dull

1 Cydosodwch y pum tiwb profi fel y mae Ffigur 4.12 yn ei ddangos.
2 Gadewch nhw mewn lle golau am o leiaf 24 awr.
3 Cofnodwch liw'r dangosydd ym mhob tiwb.

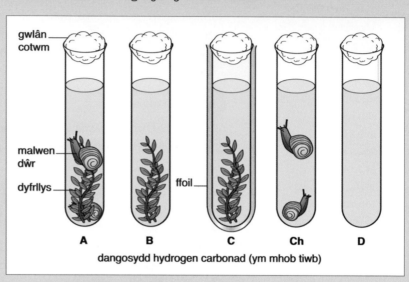

Ffigur 4.12 Cydosodiad tiwbiau A–D.

Dadansoddi eich canlyniadau

1 Eglurwch y lliw terfynol welsoch chi ym mhob tiwb.
2 Beth oedd pwrpas:
   a tiwb C?
   b tiwb D?
3 Pam cafodd y tiwbiau eu selio â gwlân cotwm yn hytrach na chorcyn neu dopyn?

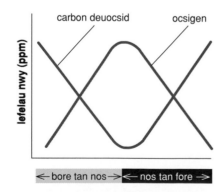

Ffigur 4.13 Lefelau nwyon mewn tŷ gwydr mewn cyfnod 24 awr.

Arbrawf **ansoddol** yw hwn. Nid yw'n *mesur* dim byd. Dim ond monitro lefelau carbon deuocsid y mae'r dangosydd – dydym ni ddim yn cael gwybodaeth am lefelau ocsigen. I gael mesur **meintiol** o ocsigen a charbon deuocsid, byddai angen i ni ddefnyddio canfodyddion trydanol wedi'u cysylltu â chofnodwr data. Cafodd y dechnoleg hon ei defnyddio i fonitro lefelau carbon deuocsid ac ocsigen mewn man caeedig (tŷ gwydr) am 24 awr. Mae Ffigur 4.13 yn dangos y canlyniadau.

CWESTIYNAU

1 Eglurwch y tueddiadau sydd i'w gweld yn y graff (Ffigur 4.13).
2 Does dim llawer o anifeiliaid o gwbl yn y tŷ gwydr. Pa newidiadau y byddech chi'n disgwyl eu gweld yn y graff hwn pe bai poblogaeth gymysg o anifeiliaid a planhigion?

Crynodeb o'r bennod

- ○ Mae angen golau, dŵr a charbon deuocsid ar blanhigion ar gyfer ffotosynthesis.
- ○ Mae angen ocsigen ar blanhigion ar gyfer resbiradaeth, ond fel rheol maen nhw'n gwneud mwy nag sydd ei angen arnynt drwy ffotosynthesis.
- ○ Mae ar blanhigion angen mwynau o'u hamgylchedd at ddibenion penodol.
- ○ Mae'r golau sy'n cael ei ddefnyddio ar gyfer ffotosynthesis yn cael ei amsugno gan gloroffyl (yng nghloroplastau rhai celloedd penodol mewn planhigion).
- ○ Mae tymheredd a lefelau golau a charbon deuocsid i gyd yn effeithio ar gyfradd ffotosynthesis.
- ○ Y ffactor gyfyngol yw'r enw ar y ffactor bwysicaf sy'n cyfyngu ar gyfradd ffotosynthesis.
- ○ Mae adweithiau cemegol ffotosynthesis yn cael eu rheoli gan ensymau.
- ○ Mae'r glwcos sy'n cael ei gynhyrchu mewn ffotosynthesis yn gallu cael ei drawsnewid yn startsh, cellwlos a phroteinau.
- ○ Mae angen cyflenwad egni cyson ar gelloedd i gyflawni prosesau bywyd.
- ○ Resbiradaeth sy'n cyflenwi'r egni hwn.
- ○ Yn ystod resbiradaeth, caiff gwres ei ryddhau.
- ○ Mae resbiradaeth aerobig (pan mae ocsigen yn bresennol) yn cynnwys trawsffurfio glwcos ac ocsigen i wneud carbon deuocsid a dŵr.
- ○ Mae resbiradaeth yn gyfres o adweithiau sy'n cael eu rheoli gan ensymau.
- ○ Yn absenoldeb ocsigen, mae resbiradaeth anaerobig yn gallu digwydd.
- ○ Mewn anifeiliaid, mae resbiradaeth anaerobig glwcos yn arwain at ffurfio asid lactig.
- ○ Mewn burum, mae resbiradaeth anaerobig glwcos yn arwain at ffurfio ethanol a charbon deuocsid.
- ○ Mae resbiradaeth anaerobig yn cynhyrchu llai o egni na resbiradaeth aerobig.

5 Y system resbiradol

Ym Mhennod 4 gwelsom ni fod resbiradaeth yn hanfodol i bob peth byw, a bod y broses hon yn defnyddio ocsigen fel rheol. Mae'r bennod hon yn edrych ar y system sy'n cael ocsigen o'r aer ac yn ei drosglwyddo i waed mamolion. Dyma'r system resbiradol.

Beth yw'r gwahaniaeth rhwng resbiradaeth ac anadlu?

Weithiau, bydd pobl yn drysu rhwng resbiradaeth ac anadlu, gan feddwl eu bod nhw'n ddau air am yr un peth. Dydy hyn ddim yn wir. Dydy'r ffaith fod yr organau a ddefnyddiwn ni i anadlu yn rhan o'r system resbiradol ddim yn helpu pethau ychwaith!

Resbiradaeth yw'r broses sy'n digwydd ym mhob cell fyw. Mae'n rhyddhau egni o foleciwlau bwyd (glwcos fel rheol) i gyflenwi anghenion egni'r gell. Yn gyffredinol, mae angen ocsigen i wneud hyn.

Anadlu yw'r ffordd mae rhai anifeiliaid yn cael yr ocsigen sydd ei angen arnynt i resbiradu. Dydy planhigion ddim yn anadlu ac, mewn gwirionedd, dydy llawer o anifeiliaid ddim ychwaith. Gall llawer o anifeiliaid bach amsugno ocsigen drwy arwyneb eu cyrff.

Pam mae angen system resbiradol arnom ni?

Fel y nodwyd uchod, swyddogaeth y system resbiradol yw tynnu ocsigen o'r aer a'i roi yn y gwaed, lle gall deithio i'r holl gelloedd yn y corff. Mae'r system resbiradol hefyd yn cael gwared â charbon deuocsid, sy'n un o gynhyrchion gwastraff resbiradaeth. Ond pam mae angen system resbiradol arnom ni pan mae rhai anifeiliaid yn gallu byw heb un?

Mae'r anifeiliaid sydd heb system resbiradol yn rhai eithaf bach. Maen nhw'n amsugno ocsigen drwy eu croen (neu drwy bilen, yn achos anifeiliaid ungellog). O'r arwyneb, mae'r ocsigen yn tryledu i holl gelloedd yr anifail. Gan fod yr anifeiliaid hyn yn fach, does dim llawer o gelloedd i'w cyflenwi ag ocsigen, a does dim yr un ohonynt yn bell iawn o'r arwyneb. Mae trylediad yn broses araf, ond mewn anifeiliaid mor fach â hyn mae'n ddigon cyflym, oherwydd y pellter byr y bydd yr ocsigen yn teithio.

Ni fyddai hyn yn gweithio mewn anifeiliaid mwy. Pe byddem ni'n amsugno ocsigen drwy ein croen, byddai'r celloedd sy'n ddwfn yn ein cyrff yn marw cyn i unrhyw ocsigen gael cyfle i'w cyrraedd.

Felly, mae gan bob anifail mawr system resbiradol o ryw fath, ac mae gan y rhain i gyd nodweddion tebyg:

1 Mae ganddynt **arwynebedd arwyneb mawr** iawn am eu maint. Gan fod ocsigen yn mynd i mewn drwy arwyneb yr organau resbiradol, y mwyaf o arwyneb sydd, y mwyaf o ocsigen all fynd i mewn.
2 Mae'r arwyneb resbiradol **yn denau**, fel ei bod yn hawdd i ocsigen dryledu drwyddo.

3 Mae'r arwyneb yn **llaith**, oherwydd mae angen i'r ocsigen hydoddi er mwyn mynd drwyddo i'r gwaed. Yn y gaeaf, efallai eich bod chi wedi gweld canlyniad y lleithder hwn pan ydych chi'n anadlu allan i aer oer ac mae eich anadl yn edrych fel rhyw fath o niwl.

4 Mae **cyflenwad da o bibellau gwaed** gan yr organau resbiradol, oherwydd bod yr ocsigen sydd wedi'i amsugno yn cael ei gludo yn y gwaed i'r meinweoedd.

Beth sydd yn y system resbiradol?

Mae Ffigur 5.1 yn dangos system resbiradol bod dynol:

Ffigur 5.1 System resbiradol bodau dynol.

Mae aer yn mynd i mewn i'r corff wrth i ni anadlu i mewn drwy'r trwyn a'r geg. Mae'n mynd i'r ysgyfaint drwy'r tracea, sy'n rhannu'n ddau froncws (lluosog: bronci), un yn mynd i bob ysgyfant. Mae'r ddau froncws yn rhannu'n nifer o diwbiau llai, y bronciolynnau, sydd yn y pen draw'n arwain at alfeolws (lluosog: alfeoli).

Mae'r asennau'n amddiffyn y system resbiradol. Rydym ni'n defnyddio cyhyrau i enchwythu (llenwi) ac i ddadchwythu (gwagio) yr ysgyfaint – y cyhyrau rhyngasennol a'r llengig (gweler 'Sut rydym ni'n anadlu?')

Ffigur 5.2 Trawstoriad microsgop o feinwe ysgyfant: mae'r ysgyfaint yn debyg i sbwng – maen nhw'n cynnwys aer yn bennaf.

Sut rydym ni'n anadlu?

Pan mae'r ysgyfaint yn ehangu, maen nhw'n sugno aer i mewn; pan maen nhw'n cyfangu, maen nhw'n gwthio aer allan eto. Does dim cyhyrau yn yr ysgyfaint, fodd bynnag, felly dydyn nhw ddim yn gallu symud ar eu pennau eu hunain. Mae mecanwaith anadlu'n dibynnu ar y **llengig**, sef llen o gyhyr o dan y cawell asennau, ac ar y cawell asennau ei hun, sy'n cael ei symud gan y **cyhyrau rhyngasennol** rhwng yr asennau. Hefyd, mae'n bwysig deall bod yr ysgyfaint yn **elastig**.

Mae anadlu allan yn eithaf hawdd ei ddeall. Pan ydym ni'n anadlu allan, mae'r cyhyrau rhyngasennol yn symud y cawell asennau **i lawr ac i mewn**, ac mae'r llengig yn symud **i fyny**. Mae hyn yn lleihau cyfaint y thoracs ac yn gwasgu ar yr ysgyfaint, fel bod yr aer sydd ynddynt yn cael ei 'wthio' allan.

Mae anadlu i mewn yn broses sy'n groes i hyn. Caiff y cawell asennau ei symud **i fyny ac allan**, ac mae'r llengig yn **mynd yn wastad**. Mae hyn yn cynyddu cyfaint y thoracs, a bydd yr ysgyfaint, gan eu bod nhw'n elastig, yn ehangu'n naturiol. Mae ehangu'r ysgyfaint yn sugno aer i mewn drwy'r tracea.

Mae Ffigur 5.3 yn rhoi crynodeb o'r mecanwaith anadlu. Sylwch, wrth fewnanadlu (anadlu i mewn), fod y cyhyrau rhyngasennol a'r llengig yn cyfangu, ac wrth allanadlu (anadlu allan) mae'r cyhyrau i gyd yn llaesu.

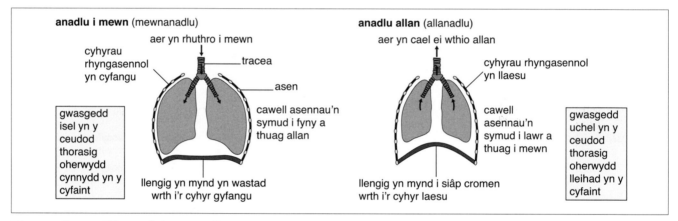

Ffigur 5.3 Mecanweithiau anadlu i mewn ac allan.

Gallwn ni ddangos y mecanwaith hwn drwy ddefnyddio'r model artiffisial o'r system resbiradol sydd i'w weld yn Ffigur 5.4. Mae'r balwnau'n cynrychioli'r ysgyfaint, mae'r glochen yn cynrychioli'r cawell asennau, ac mae'r llen rwber yn cynrychioli'r llengig. I bob diben, mae hwn yn ddau fodel mewn un. Mae'n fodel o'r system resbiradol ac yn fodel o'r mecanwaith resbiradol.

CWESTIYNAU

1 Eglurwch pam mae'r balwnau'n enchwythu (llenwi) pan gaiff y llen ei thynnu i lawr, ac yn dadchwythu (gwagio) pan gaiff ei gwthio i fyny.

2 Rhestrwch ym mha ffyrdd **nad** yw'r model hwn o'r system resbiradol yn fanwl gywir.

3 Ydy'r enghreifftiau hyn o ddiffyg manwl gywirdeb yn golygu nad yw hwn yn fodel defnyddiol o'r *mecanwaith* resbiradol? Eglurwch eich ateb.

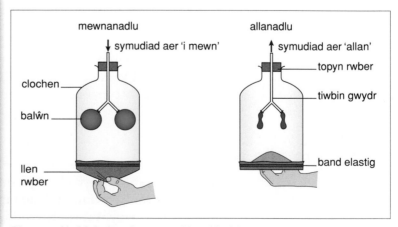

Ffigur 5.4 Model clochen o'r mecanwaith resbiradol.

Sut caiff nwyon eu cyfnewid yn yr ysgyfaint?

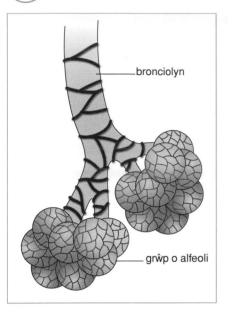

Wrth i chi fynd yn ddyfnach i'r ysgyfaint, mae'r tiwbiau'n mynd yn gulach a'u waliau'n deneuach. Mae diamedr cymharol fawr gan y tracea a'r bronci, ac felly mae angen cylchoedd o gartilag i'w cynnal. Mae'r tiwbiau llai, y bronciolynnau, yn gul a does dim angen y cynhaliad hwn arnynt. Mae pob bronciolyn yn diweddu mewn grŵp o godennau â waliau tenau, neu alfeoli (unigol: alfeolws). Yn yr alfeoli, a dim ond yn yr alfeoli, mae nwyon yn cael eu cyfnewid – mae ocsigen yn mynd allan o'r alfeoli ac i mewn i'r gwaed, ac mae carbon deuocsid yn mynd o'r gwaed ac i mewn i'r alfeoli.

Mae alfeoli'n ddelfrydol ar gyfer cyfnewid nwyon. Mae cyfanswm eu harwynebedd arwyneb yn enfawr (mae arwynebedd arwyneb ysgyfaint dynol tua'r un maint â chwrt tennis), mae ganddynt waliau llaith tenau iawn ac maen nhw wedi'u hamgylchynu gan gapilarïau gwaed.

Mae cyfnewid nwyon yn digwydd drwy wal yr alfeolws drwy gyfrwng trylediad. Mae ocsigen yn tryledu o'r aer (lle mae'n fwy crynodedig) i'r gwaed (lle mae'n llai crynodedig). Mae'r gwaed yn cludo'r ocsigen o'r alfeolws, ac mae cynnwys aer yr alfeolws yn cael ei adnewyddu gyda phob anadl, felly mae'r graddiant crynodiad yn cael ei gynnal drwy'r amser. Y gwrthwyneb sy'n digwydd i garbon deuocsid, sy'n symud o'r gwaed i'r alfeolws.

Ffigur 5.5 Clwstwr o alfeoli ar ddiwedd bronciolyn. Mae'r miliynau o alfeoli bach iawn yn rhoi arwynebedd enfawr i'r ysgyfaint ar gyfer cyfnewid nwyon.

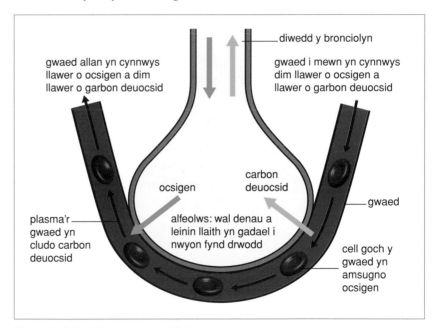

Ffigur 5.6 Cyfnewid nwyon mewn alfeolws.

Beth yw'r gwahaniaeth rhwng yr aer rydym ni'n ei anadlu i mewn a'r aer rydym ni'n ei anadlu allan?

Dydy hi ddim yn wir dweud ein bod ni'n anadlu ocsigen i mewn ac yn anadlu carbon deuocsid allan. Rydym ni'n anadlu aer i mewn, ac yn anadlu aer allan, ond mae cyfansoddiad yr aer hwnnw'n wahanol. Mae Tabl 5.1 yn crynhoi hyn.

Tabl 5.1 Cyfansoddiad aer sy'n cael ei fewnanadlu a'i allanadlu.

Nwy	% mewn aer sy'n cael ei fewnanadlu	% mewn aer sy'n cael ei allanadlu
Ocsigen	20.6	16.0
Carbon deuocsid	0.04	4.0
Nitrogen	78.5	75.2
Anwedd dŵr	0.5	4.4
Nwyon eraill	0.4	0.4

Yn ogystal â'r newid yn ei gyfansoddiad, mae'r aer rydym ni'n ei anadlu allan hefyd yn gynhesach na'r aer rydym ni'n ei anadlu i mewn.

CWESTIYNAU

4 Pam mae'r aer sy'n cael ei allanadlu'n fwy cynnes na'r aer sy'n cael ei fewnanadlu?

5 Pam mae mwy o anwedd dŵr mewn aer sy'n cael ei allanadlu?

6 Eglurwch y newid yng nghanran y nitrogen yn yr aer sy'n cael ei allanadlu (sylwch: dydy'r corff ddim yn amsugno nitrogen nac yn ei ryddhau).

GWAITH YMARFEROL

DANGOS Y GWAHANIAETH RHWNG CYNNWYS CARBON DEUOCSID AER SY'N CAEL EI FEWNANADLU AC AER SY'N CAEL EI ALLANADLU

Dyma weithgaredd sy'n eich helpu i:
★ ffurfio casgliadau
★ cynllunio arbrofion dilys.

Mae'r cyfarpar yn Ffigur 5.7 yn eich galluogi i anadlu i mewn drwy un o'r tiwbiau (A) ac allan drwy'r llall (B). Rhoddir dŵr calch yn y ddau diwb i brofi am garbon deuocsid. Mae carbon deuocsid yn troi dŵr calch yn llaethog, ond dydy'r prawf ddim yn sensitif i symiau bach o garbon deuocsid.

Asesiad risg

Does dim risgiau os caiff yr arbrawf ei gynnal yn gywir. Mae dŵr calch (calsiwm hydrocsid) yn niweidiol os caiff ei lyncu. Rhaid cymryd gofal wrth anadlu, yn enwedig wrth anadlu i mewn.

Dull

1 Rhowch y ddau ddarn o diwbin rwber yn eich ceg ac anadlwch i mewn ac allan yn ysgafn drwy eich ceg. Pan fyddwch chi'n anadlu i mewn, fe welwch chi swigod yn nhiwb A. Pan fyddwch chi'n anadlu allan, fe welwch chi swigod yn nhiwb B.

2 Parhewch i anadlu i mewn ac allan yn ofalus ac arsylwch y dŵr calch i weld pryd mae'n troi'n llaethog.

Dadansoddi eich canlyniadau

1 Beth yw eich casgliadau o'r arbrawf hwn?

2 Cyflwynodd un myfyriwr y rhagdybiaeth 'Mae carbon deuocsid mewn aer sy'n cael ei allanadlu ond does dim carbon deuocsid mewn aer sy'n cael ei fewnanadlu'.

   a Eglurwch pam nad yw tystiolaeth yr arbrawf hwn yn gallu ategu'r rhagdybiaeth hon.

   b Awgrymwch sut gallech chi addasu'r dull i brofi'r rhagdybiaeth hon.

Pwynt Trafod

Pam mae aer sy'n cael ei fewnanadlu'n dod i mewn drwy diwb A ac aer sy'n cael ei allanadlu'n mynd allan drwy diwb B?

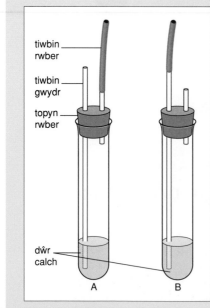

Ffigur 5.7 Cyfarpar i ganfod carbon deuocsid mewn aer sy'n cael ei fewnanadlu ac aer sy'n cael ei allanadlu.

tiwbin rwber
tiwbin gwydr
topyn rwber
dŵr calch
A   B

Sut mae ysmygu'n niweidio'r ysgyfaint?

Ysmygu yw'r peth gwaethaf y gallwch chi ei wneud i'ch system resbiradol. Pan fydd rhywun yn ymysgu, bydd yn mewnanadlu cymysgedd o dros 4,000 o gemegion o'r tybaco, ac mae llawer o'r rhain yn niweidiol. Maen nhw'n cynnwys:

- 43 o gemegion rydym ni'n gwybod eu bod nhw'n achosi canser (**carsinogenau**).
- **Tar**, sylwedd gludiog sy'n tagu'r llwybrau aer bach a'r alfeoli yn yr ysgyfaint.
- **Nicotin**, sylwedd caethiwus iawn.
- **Carbon monocsid**, nwy gwenwynig sy'n ei gwneud yn anoddach i gelloedd coch y gwaed gludo ocsigen.
- Amrywiaeth o sylweddau niweidiol eraill, gan gynnwys amonia, fformaldehyd, hydrogen cyanid ac arsenig.

Mae ysmygu'n gysylltiedig ag amrywiaeth eang o glefydau, gan gynnwys llawer sydd heb gysylltiad â'r system resbiradol, fel clefyd y galon, strôc a chanserau'r geg, y bledren, yr oesoffagws, yr aren, y pancreas a gwddf y groth. Rydym ni hefyd yn gwybod bod ysmygu'n achosi clefydau'r system resbiradol, fel:

- **Canser yr ysgyfaint:** Rydym ni'n meddwl bod 90% o achosion canser yr ysgyfaint yn cael eu hachosi gan ysmygu. Mae un o bob deg ysmygwr cymedrol, ac un o bob pump o ysmygwyr trwm, yn marw o'r clefyd.
- **Emffysema:** Mae'r cemegion mewn mwg tybaco'n niweidio waliau'r alfeoli, ac yn y pen draw byddan nhw'n chwalu. Mae hyn yn golygu nad yw'r alfeolws yn gallu cael ei ddefnyddio i gyfnewid nwyon rhagor, ac mae'r corff yn dioddef o lefelau ocsigen isel. Mae hyn yn achosi anawsterau anadlu ac mae'n gallu arwain at farwolaeth.

Ffigur 5.8 Meinwe ysgyfant sydd wedi'i niweidio gan emffysema. Ceudodau yw'r smotiau tywyll, wedi'u hachosi gan alfeoli'n byrstio. Mae eu lliw'n dywyll oherwydd dyddodion tar.

Yn ogystal ag achosi clefydau, mae'r cemegion yn y mwg yn atal mecanweithiau amddiffyn y system resbiradol rhag gweithio.

Mae'r tracea a'r bronci wedi'u leinio â mwcws, sy'n eu cadw'n llaith ac yn dal unrhyw ronynnau, fel llwch. Er mwyn rhwystro'r

Ffigur 5.9 Cilia ar arwyneb y celloedd sy'n leinio'r tiwbiau resbiradol.

mwcws rhag suddo'n raddol i mewn i'r ysgyfaint, mae'r mwcws yn cael ei symud i fyny'n gyson (i gael ei lyncu i'r oesoffagws yn y pen draw) gan ffurfiadau bach tebyg i flew ar arwyneb y celloedd sy'n leinio'r tiwbiau. Enw'r ffurfiadau hyn yw **cilia**, ac mae'r cemegion mewn mwg sigaréts yn eu parlysu nhw.

Mae'r parlys hwn yn golygu bod sylweddau niweidiol, gan gynnwys tar o fwg tybaco, nawr yn gallu mynd i'r bronciolynnau llai a'r alfeoli. Un mecanwaith amddiffyn arall yw pesychu i geisio 'chwythu'r' sylweddau llidus allan o'r ysgyfaint, a dyma pam mae ysmygwyr yn pesychu. Fodd bynnag, mae pesychu hefyd yn gallu niweidio'r alfeoli.

Mae'r cilia'n cael eu parlysu am ryw 20 munud, ac os caiff sigaréts eu hysmygu mor aml â hyn dros gyfnod hir, bydd y cilia'n aros wedi'u parlysu, ac yn y pen draw byddan nhw'n marw. Bydd rhaid i'r ysmygwr roi'r gorau i ysmygu er mwyn iddynt atffurfio (*regenerate*).

Y dystiolaeth sy'n cysylltu ysmygu a chanser yr ysgyfaint

Mae tystiolaeth am y cysylltiadau rhwng ysmygu a chanser yr ysgyfaint wedi cael ei chasglu dros y 60 mlynedd diwethaf. Rydym ni'n gwybod bod canser yr ysgyfaint yn llawer mwy cyffredin ymysg ysmygwyr, ac y gall ysmygwyr leihau eu risg o ganser yr ysgyfaint drwy roi'r gorau i ysmygu (gweler Ffigur 5.10).

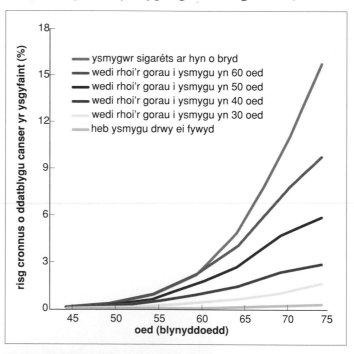

Ffigur 5.10 Effeithiau rhoi'r gorau i ysmygu ar wahanol oedrannau ar y risg cronnus (%) o ddatblgu canser yr ysgyfaint erbyn 75 oed i ddynion.

Pwynt Trafod

Ar y cyfan, mae ysmygwyr tua 15 gwaith yn fwy tebygol o gael canser yr ysgyfaint na phobl sydd ddim yn ysmygu. Fodd bynnag, dydy hynny ynddo'i hun ddim yn profi bod ysmygu'n *achosi* canser yr ysgyfaint. Pam ddim, a pha dystiolaeth ychwanegol sydd ei hangen i ddangos cysylltiad achosol?

CWESTIYNAU

7 Cymharwch ddata rhywun sydd ddim yn ysmygu â rhywun sy'n rhoi'r gorau iddi yn 30 oed. Tua faint yn fwy tebygol yw'r ysmygwr o ddatblygu canser yr ysgyfaint cyn bod yn 65 oed?

8 Awgrymwch reswm pam, os ydych chi'n ysmygu, mae'n well rhoi'r gorau iddi cyn cyrraedd 40 oed.

GWAITH YMARFEROL BETH SYDD MEWN MWG SIGARÉTS?

Bydd eich athro/athrawes yn arddangos y gweithgaredd hwn mewn cwpwrdd gwyntyllu.

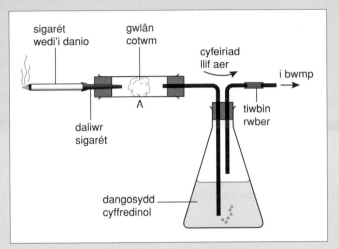

Ffigur 5.11 Y 'peiriant sigarét'.

Caiff aer ei sugno drwy'r sigarét wedi'i danio. Arsylwch y newidiadau yn y gwlân cotwm a'r dangosydd cyffredinol.

Cwestiynau

1 Awgrymwch reswm dros y newid lliw yn y dangosydd.
2 Mae'n arfer da yn yr arbrawf hwn i sugno aer drwy sigarét heb ei danio am 10 munud yn gyntaf. Awgrymwch reswm dros hyn.
3 Mae lliw ac arogl y gwlân cotwm yn dangos bod tar yn bresennol. Mae'n anodd mesur lliw ac arogl. Awgrymwch sut gallai'r dull gael ei addasu er mwyn gallu cymharu faint o dar sydd mewn dau fath gwahanol o sigarét.

Sut mae agweddau at ysmygu wedi newid?

Cafodd ysmygu ei wahardd ym mhob man cyhoeddus caeedig a phob gweithle yng Nghymru, Lloegr a Gogledd Iwerddon yn 2007. Roedd eisoes wedi cael ei wahardd yn yr Alban yn 2006. Roedd hyn dros 50 mlynedd ar ôl i'r papurau gwyddonol cyntaf awgrymu cysylltiad rhwng ysmygu a chanser yr ysgyfaint. Felly pam cymerodd hyn mor hir?

Am gyfnod eithaf hir, roedd y dystiolaeth bod ysmygu'n achosi canser yr ysgyfaint yn cael ei herio, yn enwedig gan y diwydiant tybaco. Roedden nhw'n wynebu colli llawer o arian pe bai pobl yn rhoi'r gorau i ysmygu, ac roedden nhw'n gallu buddsoddi symiau mawr o arian yn herio'r gyfraith ac mewn cyhoeddusrwydd.

Fodd bynnag, yn raddol, cronnodd y dystiolaeth wyddonol, ac mae hyn yn enghraifft dda o sut mae gwyddoniaeth yn gweithio.

■ Daeth llawer iawn o astudiaethau o hyd i gysylltiad clir rhwng ysmygu a'r tebygolrwydd o gael canser yr ysgyfaint. Cafodd yr astudiaethau hyn eu cyhoeddi mewn cylchgronau gwyddonol a'u **hadolygu gan gymheiriaid** (eu gwirio gan wyddonwyr eraill i sicrhau bod y dechneg arbrofol yn **ddilys** a bod y dystiolaeth o ansawdd da).

- Roedd y nifer mawr o astudiaethau'n golygu bod cadarnhad da i'r cysylltiad (hynny yw, nid dim ond casgliad un astudiaeth oedd yn sail i hyn; cafodd y dystiolaeth ei chefnogi dro ar ôl tro).
- Cynyddodd nifer y sampl o bobl a gafodd eu profi yn ogystal â hyd cyfnod yr astudiaethau. Er enghraifft, cafodd un astudiaeth ei chynnal am dros 40 mlynedd.
- Roedd gwahaniaeth mawr rhwng nifer yr achosion o ganser yr ysgyfaint mewn ysmygwyr a phobl oedd ddim yn ysmygu. Roedd yn amlwg bod y gwahaniaeth hwn yn **arwyddocaol**.
- Daeth mwy a mwy o wybodaeth i'r amlwg am y cemegion oedd mewn mwg tybaco a'u heffeithiau. Heddiw, rydym ni'n gwybod bod y mwg yn cynnwys 43 o gemegion sy'n achosi canser, felly yn ogystal â chysylltiad rhwng ysmygu a chanser, mae **mecanwaith** sy'n gallu egluro *pam* mae ysmygu'n achosi canser.
- Mae pobl sydd o gwmpas ysmygwr hefyd yn mewnanadlu rhywfaint o fwg ('ysmygu goddefol'). Mae tystiolaeth gynyddol bod hyn yn codi eu risg nhw o gael canser hefyd. Mae rhai pobl yn dal i amau effeithiau hyn, a faint mae'r risg yn codi, ond mae'r gymuned wyddonol yn gyffredinol yn derbyn bod ysmygu goddefol yn gallu bod yn niweidiol i iechyd (gweler y Dasg isod).

TASG: BETH YW PERYGLON YSMYGU GODDEFOL?

Dyma weithgaredd sy'n eich helpu i:
★ barnu dilysrwydd casgliadau
★ asesu tuedd mewn ffynonellau.

Mae'r gweithgaredd hwn yn gofyn i chi edrych ar duedd bosibl mewn adroddiadau ymchwil gwyddonol. Er ei bod yn rhesymegol meddwl bod mewnanadlu mwg ail-law, sy'n cynnwys llawer o gemegion niweidiol, yn ddrwg i iechyd, dydym ni ddim yn deall effeithiau'r peryglon yn llawn ar hyn o bryd. Edrychwch ar ddeunydd ar ysmygu goddefol sydd wedi'i gynhyrchu gan dri grŵp, a gweld i ba raddau mae'r adroddiadau'n dangos tuedd. Y tri grŵp yw:

- Cancer Research UK. Gallwn ni ystyried bod y grŵp hwn yn ddiduedd.
- Forest. Grŵp o'r DU sydd o blaid ysmygu.
- ASH (*Action on Smoking and Health*). Mae'r grŵp hwn yn ymgyrchu yn erbyn ysmygu.

Chwiliwch am enghreifftiau o duedd yn y deunyddiau. Dyma rai pethau i cdrych amdanynt:

- **Adroddiadau detholus.** Anwybyddu tystiolaeth sy'n mynd yn erbyn safbwynt un grŵp.
- **Dyfyniadau detholus.** Dewis datganiadau unigol sy'n cefnogi safbwynt grŵp, hyd yn oed os yw'r adroddiad hefyd yn cynnwys sylwadau eraill sy'n cyflwyno safbwynt gwahanol.
- **Gorliwio** honiadau gwrthwynebwyr, ac yna eu gwawdio nhw.
- Dewis **enghreifftiau unigol** neu **astudiaethau sengl** sy'n dilysu barn y grŵp, hyd yn oed pan mae'r ystadegau cyffredinol neu'r rhan fwyaf o astudiaethau'n anghytuno.
- Dydy tystiolaeth unrhyw un arbrawf gwyddonol byth yn berffaith. Mae'n ddyletswydd ar wyddonwyr i adrodd am gryfderau a gwendidau tystiolaeth. Gall grwpiau sy'n dangos tuedd ddefnyddio datganiadau o wendid posibl mewn tystiolaeth i awgrymu bod y casgliadau'n annilys.

Edrychwch ar y deunyddiau ac ysgrifennwch adroddiad am eu dilysrwydd a'u tuedd. Mae Cancer Research UK yn rhan o'r astudiaeth fel math o reolydd. Gallwch gymryd bod eu deunydd nhw'n gywir ac yn ddibynadwy, gan nad ydyn nhw o blaid nac yn erbyn ysmygu fel y cyfryw. Dydy hyn ddim yn golygu ei bod yn sicr bod deunydd y ddau grŵp arall yn dangos tuedd — eich lle chi yw barnu hynny.

Crynodeb o'r bennod

○ Mae angen system resbiradol arbenigol ar y rhan fwyaf o anifeiliaid i amsugno ocsigen o'r aer i'w gwaed, ac i gael gwared â'r carbon deuocsid gwastraff o'u gwaed i'r aer.

○ Mae'r system resbiradol yn cynnwys y ceudod trwynol, y tracea, y bronci, y bronciolynnau, yr alfeoli, yr ysgyfaint, y llengig, yr asennau a'r cyhyrau rhyngasennol.

○ Mae mewnanadlu'n digwydd pan mae'r asennau'n symud i fyny ac allan a'r llengig yn symud i lawr, gan gynyddu'r cyfaint thorasig a lleihau'r gwasgedd yn y thoracs. Wrth allanadlu, mae'r gwrthwyneb i hyn yn digwydd.

○ Mae angen i arwynebau resbiradol fod yn denau ac yn llaith, ac mae arnynt angen arwynebedd arwyneb mawr a chyflenwad gwaed da.

○ Mae cyfnewid nwyon mewn mamolion yn digwydd yn yr alfeoli, drwy drylediad.

○ Mae mwy o ocsigen, llai o garbon deuocsid a llai o anwedd dŵr mewn aer sy'n cael ei fewnanadlu nag mewn aer sy'n cael ei allanadlu. Mae hefyd yn oerach nag aer sy'n cael ei allanadlu.

○ Caiff llwch a chorffynnau estron eu hatal rhag mynd i'r ysgyfaint oherwydd y leinin mwcws a'r cilia yn y tracea a'r bronci.

○ Mae ysmygu'n parlysu'r cilia, ac yn y pen draw, yn eu dinistrio.

○ Mae canser yr ysgyfaint ac emffysema yn ddau glefyd difrifol ar yr ysgyfaint sy'n gallu cael eu hachosi gan ysmygu.

○ Mae mwg sigaréts yn cynnwys carsinogenau, tar a nicotin. Mae'r rhain i gyd yn niweidiol i'r corff.

6 Treuliad

Pam rydym ni'n treulio bwyd?

Gwelsom ni yn y bennod ddiwethaf fod anifeiliaid yn cael eu hegni o fwyd. Fodd bynnag, pan ydym ni'n bwyta bwyd, mae'n mynd i'r coludd, sef tiwb sy'n mynd drwy'r corff. I fod yn ddefnyddiol, rhaid i'r bwyd hwnnw fynd allan o'r coludd ac i'r system waed, sy'n gallu ei gludo i unrhyw ran o'r corff. Rhaid i'r rhan fwyaf o'r bwyd rydym ni'n ei fwyta gael ei newid er mwyn iddo allu mynd o'r coludd ac i'r system waed. Mae dwy ffordd o wneud hyn:

1 Rhaid i'r moleciwlau mawr yn y bwyd gael eu torri i lawr i greu **moleciwlau bach**, sy'n gallu cael eu hamsugno drwy wal y coludd.
2 Rhaid troi'r moleciwlau anhydawdd yn y bwyd yn rhai sy'n hydawdd mewn dŵr, fel eu bod nhw'n gallu hydoddi yn y gwaed a chael eu cludo o gwmpas.

Proses treuliad sy'n gwneud y newidiadau hyn, gan dorri moleciwlau bwyd cymhleth i lawr i greu rhai bach, hydawdd. Mae'n werth nodi nad oes angen treulio rhai o'r moleciwlau rydym ni'n eu bwyta – maen nhw'n fach ac yn hydawdd yn barod (e.e. glwcos a fitaminau), ond eithriadau yw'r rhain; mae angen treulio'r rhan fwyaf o'n bwyd.

GWAITH YMARFEROL — DEFNYDDIO 'MODEL COLUDD'

Mae gan diwbin Visking briodweddau tebyg i leinin y coludd, felly gallwn ni ei ddefnyddio fel 'model coludd'. Yn yr arbrawf hwn, mae'r dŵr y byddwch chi'n rhoi'r tiwbin Visking ynddo'n cynrychioli'r gwaed.

Dyma weithgaredd sy'n eich helpu i:
★ cynllunio arbrofion
★ dehongli canlyniadau.

⚠ Asesiad risg

Bydd eich athro/athrawes yn rhoi asesiad risg i chi ar gyfer yr arbrawf hwn.

Dull

1 Cydosodwch y cyfarpar fel y mae Ffigur 6.1 yn ei ddangos. Llenwch tua hanner y tiwbin Visking â hydoddiant startsh, ac yna llenwch ef â hydoddiant glwcos.
2 Gadewch y cyfarpar am o leiaf 30 munud.
3 Tynnwch y tiwbin Visking o'r tiwb profi ond peidiwch â'i wagio.
4 Profwch y dŵr yn y tiwb profi â ffon Clinistix i weld a oes glwcos yn bresennol*.
5 Ychwanegwch hydoddiant ïodin at y dŵr. Mae lliw du-las yn dynodi startsh; mae lliw brown yn golygu nad oes dim startsh yn bresennol.
6 Profwch yr hylif o'r tiwbin Visking am startsh a glwcos.
7 Cynlluniwch dabl addas a chofnodwch eich canlyniadau.

Cyfarpar
* Tiwb berwi
* Tiwbin Visking, wedi'i glymu yn un pen
* Band elastig
* Hydoddiant startsh 1%
* Hydoddiant glwcos 1%
* Ïodin mewn hydoddiant potasiwm ïodid
* Ffyn profi glwcos

*Yn lle defnyddio ffon profi glwcos, gallech chi gynnal prawf Benedict am siwgr rhydwytho (glwcos). Mae'r prawf hwn yn cael ei ddisgrifio'n nes ymlaen yn y bennod hon.

GWAITH YMARFEROL *parhad*

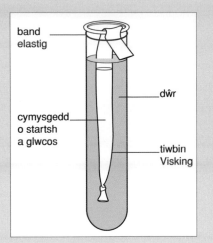

Ffigur 6.1 Cydosodiad yr arbrawf.

Dadansoddi eich canlyniadau

1 Eglurwch beth mae eich canlyniadau'n ei ddangos am y coludd a threuliad.
2 Awgrymwch pam mae'n well defnyddio tiwb berwi yn yr arbrawf hwn, yn hytrach na bicer, a fyddai'n dal mwy o ddŵr.

Pwynt Trafod

Pa mor dda yw'r cyfarpar hwn fel model o'r coludd a'r system waed yn eich barn chi? Cyfiawnhewch eich barn.

Pa fwydydd sydd angen eu treulio?

Mae'r moleciwlau bwyd cymhleth yn ein deiet mewn tri chategori:

1 Brasterau, sy'n cael eu torri i lawr i roi glyserol ac asidau brasterog.
2 Proteinau, sy'n cael eu torri i lawr i roi asidau amino.
3 Rhai carbohydradau. Y prif un o'r rhain yw startsh, sy'n cael ei dorri i lawr mewn dau gam, yn gyntaf i faltos, sydd yna'n cael ei drawsnewid i'r siwgr syml glwcos.

Dydy'r holl gynhyrchion terfynol hyn ddim yn cael eu defnyddio ar gyfer egni. Caiff egni ei ddarparu gan glwcos, glyserol ac asidau brasterog, ond dydy'r asidau amino ddim yn cael eu resbiradu. Yn lle hynny, maen nhw'n cael eu defnyddio fel defnyddiau crai i wneud proteinau newydd; mae angen y rhain ar gyfer twf.

CWESTIWN

1 Pan mae angen egni ar bobl yn gyflym iawn (e.e. athletwyr cyn ymarfer corff dwys, pobl ddiabetig â lefelau isel o siwgr y gwaed) maen nhw'n cymryd tabledi neu ddiodydd glwcos. Pam byddai glwcos yn ffynhonnell arbennig o dda o egni cyflym?

Dyma weithgaredd sy'n eich helpu i:
★ datblygu technegau mesur meintiol
★ barnu manwl gywirdeb technegau mesur.

Mae profion cemegol am nifer o'r gwahanol grwpiau bwyd: carbohydradau (gyda phrofion penodol am startsh ac am glwcos), proteinau a lipidau.

Prawf am startsh

Pan gaiff hydoddiant ïodin ei ychwanegu at startsh, mae lliw brown yr ïodin yn troi'n ddu-las.

Prawf am glwcos

Pan gaiff hydoddiant sy'n cynnwys glwcos ei wresogi â hydoddiant Benedict glas, mae gwaddod oren-goch yn ffurfio. Wrth i fwy a mwy o waddod ffurfio, mae'r lliw glas yn troi'n wyrdd i ddechrau, yna'n oren, yna'n lliw brics coch. Y mwyaf o glwcos sydd yn yr hydoddiant, y mwyaf o waddod sy'n cael ei ffurfio. Rydym ni'n galw'r prawf hwn yn un lled-feintiol am ei fod yn rhoi syniad (ond nid mesur trachywir) o faint o glwcos sy'n bresennol.

Prawf am brotein

Caiff cyfaint bach o hydoddiant sodiwm hydrocsid gwanedig ei ychwanegu at yr hydoddiant prawf, yna caiff cyfaint tua'r un maint o hydoddiant copr sylffad ei ychwanegu. Os oes protein yn bresennol, bydd lliw porffor yn ymddangos. Enw'r prawf hwn yw'r **prawf Biuret**.

Prawf am lipidau

Prawf syml am lipidau yw rhwbio'r bwyd sydd i'w brofi ar ddalen o bapur. Os yw'n gwneud marc tryleu, mae'r bwyd yn cynnwys lipid.

Ymchwilio i brawf Benedict am siwgr rhydwytho

Mae cyfarwyddiadau llawn prawf Benedict isod. Byddai'n ddefnyddiol i chi fod wedi gwneud, neu wedi gweld, y prawf Benedict cyn ateb y cwestiynau sy'n dilyn.

Cyfarpar
* Bicer 250 cm³
* Tiwb berwi
* Trybedd
* Rhwyllen
* Llosgydd Bunsen
* Daliwr tiwb profi
* Mat gwrth-wres
* Hydoddiant prawf
* Hydoddiant Benedict

(!) Asesiad risg

Bydd eich athro/athrawes yn rhoi asesiad risg i chi.

Dull

1 Rhowch ychydig o'r hydoddiant prawf yn y tiwb berwi. Gofalwch fod y tiwb yn llai na hanner llawn.
2 Ychwanegwch ddigon o hydoddiant Benedict i roi lliw glas amlwg.
3 Llenwch y bicer at hanner ffordd â dŵr, a defnyddiwch y llosgydd Bunsen i'w wresogi nes ei fod yn berwi.
4 Defnyddiwch y daliwr tiwb profi i roi'r tiwb berwi yn y bicer (gweler Ffigur 6.2).
5 Berwch am 5 munud, ac arsylwch y newidiadau lliw.

Cwestiynau

1 Y mwyaf o glwcos sydd yn yr hydoddiant, y mwyaf y bydd yr hydoddiant Benedict yn newid lliw. Mae hyn yn rhoi syniad, ond nid mesur, o faint o glwcos sydd yn yr hydoddiant. Awgrymwch sut gallech chi ddefnyddio prawf Benedict i gael mesur gwirioneddol o grynodiad y glwcos mewn hydoddiant.
2 Pa mor fanwl gywir ydych chi'n meddwl y byddai eich mesur (o gwestiwn 1)? Rhowch resymau dros eich ateb.

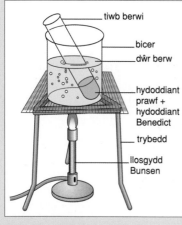

Ffigur 6.2 Prawf Benedict.

Ble yn y corff mae bwyd yn cael ei dreulio?

Caiff bwyd ei dreulio yn y system dreulio. Yn fras, tiwb yw hon sy'n mynd drwy ganol y corff. Wrth i fwyd symud drwy'r system, mae'n cael ei dreulio ac mae'r cynhyrchion defnyddiol yn cael eu hamsugno i'r system waed. Mae pob cynnyrch sydd heb ei dreulio yn cael eu 'carthu', gan ddod allan o ben arall y tiwb. Y coludd yw'r enw ar y 'tiwb', ac mae rhannau gwahanol ohono yn arbenigo mewn swyddogaethau penodol.

Mae Ffigur 6.3 yn dangos y system dreulio a swyddogaethau'r gwahanol rannau. Yn ogystal â'r coludd, mae'r system dreulio hefyd yn cynnwys rhai organau cysylltiedig (yr afu/iau, coden y bustl a'r pancreas). Mae tri cham yn y broses dreulio, ac mae'r rhain yn digwydd mewn rhannau gwahanol o'r system.

1 **Treulio:** yn bennaf yn y geg, y stumog a'r coluddyn bach.
2 **Amsugno:** yn bennaf yn y coluddyn bach (bwyd) a'r coluddyn mawr (dŵr).
3 **Carthu:** yn y rectwm a'r anws.

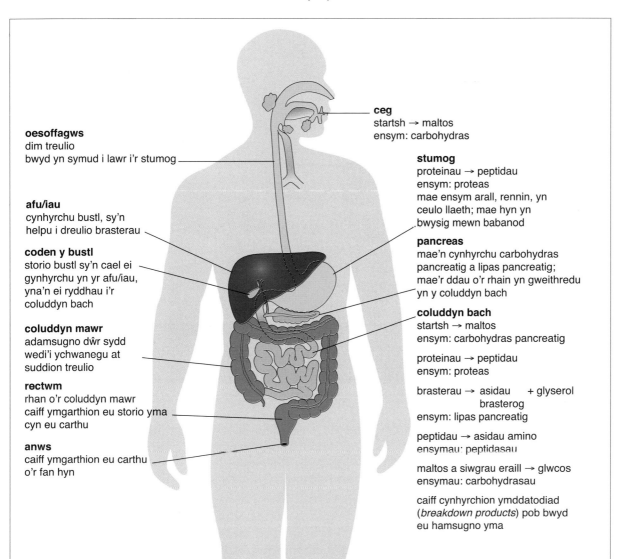

oesoffagws
dim treulio
bwyd yn symud i lawr i'r stumog

afu/iau
cynhyrchu bustl, sy'n helpu i dreulio brasterau

coden y bustl
storio bustl sy'n cael ei gynhyrchu yn yr afu/iau, yna'n ei ryddhau i'r coluddyn bach

coluddyn mawr
adamsugno dŵr sydd wedi'i ychwanegu at suddion treulio

rectwm
rhan o'r coluddyn mawr caiff ymgarthion eu storio yma cyn eu carthu

anws
caiff ymgarthion eu carthu o'r fan hyn

ceg
startsh → maltos
ensym: carbohydras

stumog
proteinau → peptidau
ensym: proteas
mae ensym arall, rennin, yn ceulo llaeth; mae hyn yn bwysig mewn babanod

pancreas
mae'n cynhyrchu carbohydras pancreatig a lipas pancreatig; mae'r ddau o'r rhain yn gweithredu yn y coluddyn bach

coluddyn bach
startsh → maltos
ensym: carbohydras pancreatig

proteinau → peptidau
ensym: proteas

brasterau → asidau   + glyserol
brasterog
ensym: lipas pancreatig

peptidau → asidau amino
ensymau: peptidasau

maltos a siwgrau eraill → glwcos
ensymau: carbohydrasau

caiff cynhyrchion ymddatodiad (*breakdown products*) pob bwyd eu hamsugno yma

Ffigur 6.3 Y system dreulio ddynol.

Mae Ffigur 6.4 yn rhoi crynodeb o'r broses dreulio, gan ddangos cam wrth gam sut mae pob un o'r prif grwpiau bwyd yn cael eu torri lawr. Erbyn i'r bwyd gyrraedd ail hanner y coluddyn bach, mae treulio wedi'i gwblhau ac mae'r cynhyrchion sydd ar ôl i gyd yn foleciwlau bach, hydawdd a all gael eu hamsugno i'r gwaed. I helpu hyn, mae waliau'r coluddyn bach wedi'u gorchuddio ag ymestyniadau bach tebyg i fysedd o'r enw **filysau**, sy'n creu arwynebedd arwyneb llawer mwy ar gyfer amsugno bwyd.

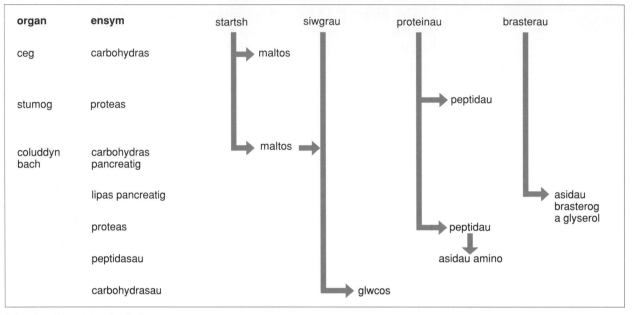

Ffigur 6.4 Crynodeb o dreuliad.

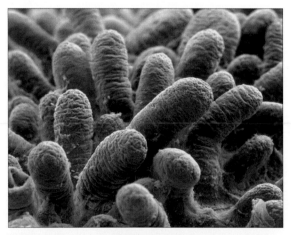

Ffigur 6.5 Arwyneb y coluddyn bach, yn dangos y filysau.

CWESTIWN

2 Yn ogystal â threulio proteinau, mae'r stumog hefyd yn cynnwys asid, sy'n lladd bacteria sy'n bresennol yn y bwyd. Pam rydych chi'n meddwl mai'r stumog yw'r lle gorau i'r asid hwn, yn hytrach nag
a y coluddyn bach neu
b y geg?

Erbyn i ni gyrraedd y coluddyn mawr, mae'r holl gynhyrchion defnyddiol wedi'u hamsugno i'r gwaed. Y cyfan sydd ar ôl yw'r defnydd nad oedd yn bosibl ei dreulio, ac yn y pen draw caiff hyn ei waredu o'r corff fel ymgarthion. Fodd bynnag, mae'r defnydd gwastraff hwn yn cyrraedd y coluddyn mawr ar ffurf hylif, oherwydd y suddion treulio sydd wedi'u hychwanegu wrth iddo deithio i lawr y coludd. Pe bai'r hylif hwn yn cael ei waredu gyda'r ymgarthion, byddai'r corff yn dadhydradu'n eithaf cyflym. Gwaith y coluddyn mawr yw adamsugno dŵr o'r gwastraff, a fydd yn ymsolido wrth fynd i lawr y coluddyn mawr. Caiff yr **ymgarthion** sydd bellach yn solid eu storio dros dro yn y rectwm cyn cael eu carthu drwy'r anws.

Beth mae bustl yn ei wneud?

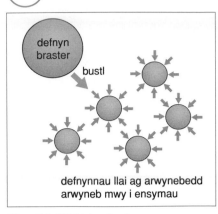

Ffigur 6.6 Effaith bustl ar frasterau.

Caiff bustl ei gynhyrchu gan yr afu/iau a'i storio yng nghoden y bustl. Pan mae bwyd sy'n cynnwys braster yn cael ei dreulio, mae coden y bustl yn rhyddhau bustl i lawr **dwythell y bustl** i'r coluddyn bach. Dydy bustl ddim yn ensym, ond mae'n helpu'r ensym lipas i dreulio brasterau yn y coluddyn bach. Mae bustl yn **emwlsio** brasterau, gan hollti'r braster yn ddefnynnau bach, a rhoi arwynebedd arwyneb mwy i'r ensym lipas weithio arno (gweler Ffigur 6.6).

GWAITH YMARFEROL — BETH YW'R AMODAU DELFRYDOL I ENSYMAU LIPAS?

Dyma weithgaredd sy'n eich helpu i:
★ dehongli canlyniadau
★ gwerthuso arbrofion (am fanwl gywirdeb).

Cyfarpar
* Llaeth cyflawn
* Dangosydd ffenolffthalein
* Hydoddiant lipas 5%
* Hydoddiant sodiwm carbonad, 0.05 mol dm^{-3}
* Glanedydd hylif
* Baddonau dŵr wedi'u gosod ar 30 °C, 40 °C, 50 °C a 60 °C
* Rhew
* Rhesel tiwbiau profi
* 2 × silindr mesur 10 cm^3
* 2 × bicer 100 cm^3
* 2 × bicer 250 cm^3
* 6 × thermomedr
* 12 × tiwb profi
* Rhoden wydr
* Chwistrell 2 cm^3
* Stopgloc/stopwatsh

Yn yr arbrawf hwn, byddwch chi'n ychwanegu glanedydd hylif i efelychu gweithgarwch bustl. Fel bustl, mae glanedydd yn emwlsydd. Gallech chi ddefnyddio halwynau bustl yn lle'r glanedydd hylif os ydyn nhw ar gael.

Asesiad risg

Bydd eich athro/athrawes yn rhoi asesiad risg i chi ar gyfer yr arbrawf hwn.

Dull

Bydd rhaid i chi roi trefn ar y baddonau dŵr ymlaen llaw. Gallwch chi ddefnyddio baddonau dŵr electronig ar gyfer y tymereddau sy'n uwch na thymheredd ystafell. Defnyddiwch y biceri 250 cm^3 i wneud baddonau dŵr 10 °C (dŵr + rhew) a 20 °C (dŵr claear). Dylech chi roi bicer o hydoddiant lipas yn yr un baddonau dŵr, neu mewn rhai tebyg, fel bod lipas ar gael ar bob un o dymereddau'r prawf.

1 Rhowch 5 diferyn o ddangosydd ffenolffthalein mewn dau diwb profi, ar gyfer y tymheredd cyntaf.

2 Ychwanegwch 5 cm^3 o laeth at y ddau diwb profi.

3 Ychwanegwch 7 cm^3 o hydoddiant sodiwm carbonad at y tiwbiau profi; dylai hyn droi'r ffenolffthalein yn binc. Caiff y sodiwm carbonad ei ychwanegu i greu amodau alcalïaidd, sef yr amodau gorau i lipas.

4 Ychwanegwch 1 diferyn o lanedydd hylif at **un** o'r tiwbiau profi.

5 Rhowch y ddau diwb profi yn y baddon dŵr priodol. Profwch y tymheredd â'r thermomedr a gadewch y tiwbiau nes i'r cynnwys gyrraedd y tymheredd arbrofol.

6 Ychwanegwch 1 cm^3 o lipas at y ddau diwb a dechreuwch y stopwatsh.

7 Trowch y tiwbiau'n ysgafn, gan aros i'r dangosydd golli ei liw pinc.

8 Cofnodwch yr amser mae'r newid lliw'n ei gymryd (mewn eiliadau).

9 Ailadroddwch y dull ar gyfer y tymereddau eraill.

10 Cofnodwch eich canlyniadau i gyd mewn tabl.

11 Plotiwch graff o dymheredd yn erbyn yr amser mae'n ei gymryd i'r lliw newid. Dylai fod dwy linell ar y graff, un i'r ensym gyda glanedydd hylif ac un hebddo.

parhad...

Dadansoddi eich canlyniadau

1 Beth oedd effaith tymheredd ar weithgarwch yr ensym?

2 Beth oedd effaith y glanedydd hylif ar weithgarwch yr ensym?

3 O edrych ar y canlyniadau, ydych chi'n meddwl eu bod nhw'n fanwl gywir? Rhowch reswm dros eich ateb.

4 Awgrymwch un ffynhonnell bosibl o ddiffyg manwl gywirdeb yn yr arbrawf hwn.

Pam mae eich bol yn 'rymblan'?

Er mwyn symud bwyd drwy eich system dreulio, mae tonnau o gyfangiadau cyhyrau'n symud ar hyd y coludd yn gyson. **Peristalsis** yw'r enw ar y tonnau hyn.

Pan mae'r cyhyrau crwn yn cyfangu ychydig y tu ôl i lle mae'r bwyd, caiff y bwyd ei wthio ymlaen, yn debyg i sut mae gwasgu tiwb past dannedd yn gwasgu'r past dannedd allan.

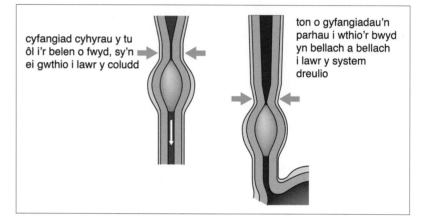

cyfangiad cyhyrau y tu ôl i'r belen o fwyd, sy'n ei gwthio i lawr y coludd

ton o gyfangiadau'n parhau i wthio'r bwyd yn bellach a bellach i lawr y system dreulio

Ffigur 6.7 Peristalsis yn y coludd.

Mae peristalsis yn digwydd drwy'r coludd i gyd, gan gynnwys yn eich stumog. Pan mae'r stumog yn llawn o fwyd, mae'r peristalsis yn symud y bwyd o gwmpas y stumog, a dydy hyn ddim yn gwneud sŵn. Mae gan y stumog gylchoedd o gyhyrau ar y ffordd i mewn ac ar y ffordd allan. Pan mae'r rhain yn cyfangu, maen nhw'n cau'r agoriadau ar dop a gwaelod y stumog. Pan mae hyn yn digwydd, dydy'r bwyd ddim yn gallu symud allan o'r stumog, ac mae peristalsis yn ei gorddi o gwmpas, gan ei gymysgu â suddion treulio sy'n cynnwys ensymau. Os yw eich stumog yn wag, yr unig beth sy'n gallu cael ei wasgu gan beristalsis yw aer yn y stumog. Mae symud aer o gwmpas y stumog yn creu sŵn byrlymu neu rymblan. Rydym ni'n galw hyn yn 'stumog yn rymblan', ac mae'n gysylltiedig â stumog wag, neu fod yn newynog.

Crynodeb o'r bennod

- Mae angen i foleciwlau bwyd cymhleth, anhydawdd gael eu torri i lawr yn foleciwlau bach hydawdd sy'n gallu mynd i'r system waed.
- Treuliad yw'r enw ar y torri lawr (ymddatod) hwn yn y system dreulio.
- Mae ensymau'n helpu treuliad.
- Mae ensymau'n gweithio orau ar dymheredd cynnes, ond mae tymheredd rhy uchel yn gallu eu dinistrio neu eu 'dadnatureiddio' nhw.
- Mae tiwbin Visking yn gweithio mewn modd tebyg i fur y coludd, a gallwn ni ei ddefnyddio fel 'model coludd'.
- Caiff brasterau eu treulio i roi asidau brasterog a glyserol.
- Caiff proteinau eu treulio i roi asidau amino.
- Caiff startsh ei dreulio i roi glwcos.
- Y prawf am glwcos yw prawf Benedict. Caiff yr hydoddiant Benedict (copr sylffad) ei ferwi ac, os oes glwcos yn bresennol, caiff gwaddod coch-oren ei ffurfio.
- Enw'r prawf am brotein yw prawf Biuret. Caiff copr sylffad a sodiwm hydrocsid eu hychwanegu at yr hydoddiant prawf. Os oes protein yn bresennol, bydd lliw porffor yn ymddangos.
- Mae'r system dreulio'n cynnwys y geg, yr oesoffagws, y stumog, y coluddyn bach, y coluddyn mawr, yr anws, yr afu/iau, coden y bustl a'r pancreas.
- Mae'r geg yn cynnwys carbohydras, sy'n treulio startsh.
- Mae'r stumog yn cynnwys proteas, sy'n treulio proteinau.
- Mae'r coluddyn bach yn cynnwys amrywiaeth o ensymau sy'n cwblhau'r broses o dreulio carbohydradau, proteinau a brasterau.
- Mae'r afu/iau'n cynhyrchu bustl, sy'n cael ei storio yng nghoden y bustl, a'i ryddhau oddi yno.
- Mae bustl yn emwlsio brasterau, sy'n helpu i'w treulio.
- Caiff bwyd ei symud ar hyd y system dreulio drwy gyfrwng peristalsis.
- Mae glwcos o garbohydradau, ac asidau brasterog a glyserol o frasterau, yn darparu egni i'r corff.
- Mae asidau amino o broteinau'n ffurfio blociau adeiladu ar gyfer proteinau newydd sydd eu hangen ar gyfer twf ac ar gyfer atgyweirio meinweoedd ac organau.

Bioamrywiaeth a'r amgylchedd

Mae amgylcheddau'n bethau cymhleth. Maen nhw'n aml yn cynnwys nifer mawr o rywogaethau gwahanol sy'n rhyngweithio â'i gilydd mewn ffyrdd amrywiol. Mae'r bennod hon yn edrych ar sut mae gwyddonwyr yn mynd i'r afael â rhai o'r problemau sy'n codi wrth astudio amgylchedd.

Beth yw bioamrywiaeth, a pham mae'n bwysig?

Bioamrywiaeth yw nifer y gwahanol rywogaethau (o bob math) mewn ardal benodol. Dydy bioamrywiaeth ddim yn ymwneud â chyfanswm niferoedd yr anifeiliaid a phlanhigion, ond â'u hamrywiaeth. Does dim maint penodol i'r 'ardal' dan sylw – gallech chi sôn am y bioamrywiaeth ar draeth, neu yng Nghymru, neu yn Ewrop ac yn y blaen.

Mae bioamrywiaeth yn beth da, oherwydd mae'n arwain at amgylcheddau sefydlog sy'n gallu gwrthsefyll sefyllfaoedd a all fod yn niweidiol. Dewch i ni edrych ar fath o amgylchedd sy'n aml â bioamrywiaeth isel – cae mawr sy'n tyfu un math o gnwd yn unig. Dychmygwch mai dim ond un rhywogaeth o bryfed sy'n bwyta'r cnwd, ac mai dim ond un rhywogaeth o adar sy'n bwyta'r pryfyn. (Ni fyddai amgylchedd byth mor syml â hynny, ond mae hyn yn ffordd syml o ddangos yr egwyddorion.)

Yn yr amgylchedd hwn, dim ond un **gadwyn fwyd** sydd (gweler Ffigur 7.1a).

a)

b)

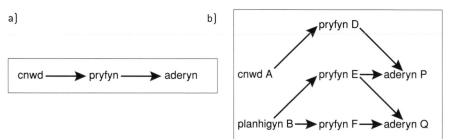

Ffigur 7.1 Cadwyn fwyd a gwe fwyd.

Nawr dychmygwch fod y ffermwr yn defnyddio pryfleiddiad i ladd y rhan fwyaf o'r pryfed. Ni fydd gan yr adar ddim byd i'w fwyta a byddan nhw'n mynd i rywle arall lle gallant gael bwyd. Ni fydd dim byd yn bwyta'r ychydig o bryfed sydd wedi goroesi, a bydd eu poblogaeth yn tyfu eto'n gyflym iawn, gan achosi difrod difrifol i'r cnwd, cyn i'r adar ddychwelyd yn y pen draw, fel ymateb i'r ffaith bod eu bwyd wedi dychwelyd. Felly, mae newid ym mhoblogaeth un rhywogaeth yn gallu cael effeithiau mawr ar rai eraill.

Nawr, dewch i ni ystyried amgylchedd mwy cymhleth â mwy o organebau ynddo. **Gwe fwyd** sydd yn yr amgylchedd hwn (gweler Ffigur 7.1b).

Dewch i ni dybio bod y ffermwr yn lladd llawer o bryfed o rywogaeth D â phryfleiddiad. Y tro hwn, mae pryfyn E, sydd ddim yn bwydo ar y cnwd, yn gallu cyflenwi bwyd i aderyn P. Efallai y bydd gan aderyn Q lai o fwyd nawr, ond gall ddal i oroesi drwy fwyta pryfyn F. Mae pob rhywogaeth yn gallu aros yn yr ardal, hyd yn oed os yw eu niferoedd yn newid ychydig. Mae'r amgylchedd yn fwy **sefydlog**.

Yn y byd go iawn, mae llawer mwy o organebau mewn unrhyw amgylchedd nag sydd yn yr enghreifftiau hyn, ond mae'r egwyddor yn dal i fod yn wir – y mwyaf yw'r bioamrywiaeth, y mwyaf sefydlog yw'r amgylchedd.

Ledled y byd, mae ymdrechion yn cael eu gwneud i gadw bioamrywiaeth, ac i achub rhywogaethau sydd mewn perygl. Mae anifeiliaid mawr yn cael llawer o'r cyhoeddusrwydd, ond mae bioamrywiaeth yn dibynnu ar gadw amrywiaeth mor fawr â phosibl o rywogaethau. Felly mae'n bwysig cadw planhigion, mwydod, pryfed, pryfed cop ac ati hefyd (gweler Ffigur 7.2).

Mae bioamrywiaeth hefyd yn ddefnyddiol mewn ffyrdd eraill. Ar adegau, mae cannoedd o flynyddoedd o fewnfridio detholus mewn anifeiliaid domestig ac anifeiliaid fferm a chnydau wedi achosi i rywogaethau golli'r gallu i wrthsefyll rhai clefydau penodol. Mae'n bwysig nad ydym ni'n gadael i'r bridiau hynafol fynd yn ddiflanedig rhag ofn y bydd angen i ni gryfhau'r bridiau presennol, neu ailgyflwyno gallu i wrthsefyll clefyd, drwy eu croesfridio â rhywogaethau hynafol yn y dyfodol.

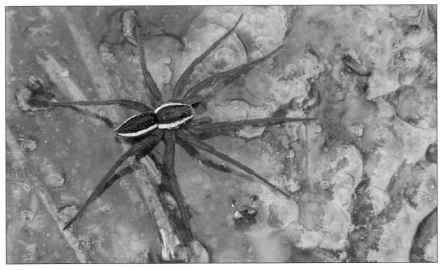

Ffigur 7.2 Mae'r pryf copyn hwn, *Dolomedes plantarius*, yn rhywogaeth mewn perygl sy'n bodoli yn y DU mewn poblogaethau bach yn unig yn Ne Cymru, Sussex a Suffolk. Mae'n bryf cop lled-ddyfrol ac mae ymdrechion yn cael eu gwneud i gadw ei gynefin fel y bydd y poblogaethau'n tyfu.

Ffigur 7.3 Mae'r ddafad Soay yn enghraifft o frid hynafol sy'n cael ei gadw; gallai ei genynnau fod yn ddefnyddiol yn y dyfodol.

Sut gallwn ni gynnal bioamrywiaeth?

Y broblem gyntaf i'w datrys er mwyn cynnal bioamrywiaeth yw canfod ffordd o'i fesur, ac yna ailadrodd y mesuriad bob hyn a hyn er mwyn gweld unrhyw newidiadau. Yn y DU, mae grŵp o'r enw UK Biodiversity Partnership yn casglu data ac yn asesu'r bioamrywiaeth yn y wlad drwy fonitro set o 18 o ddangosyddion bioamrywiaeth. Mae Ffigur 7.4 yn dangos rhywfaint o ddata o adroddiad UK Biodiversity Partnership ar gyfer 2010.

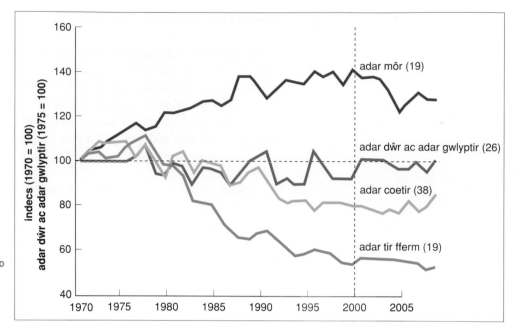

Ffigur 7.4 Newidiadau ym mhoblogaethau mathau gwahanol o adar yn y DU, 1970–2008. Mae'r niferoedd mewn cromfachau'n dynodi nifer y rhywogaethau sy'n cael eu monitro.

adar môr (19)

adar dŵr ac adar gwlyptir (26)

adar coetir (38)

adar tir fferm (19)

indecs (1970 = 100)
adar dŵr ac adar gwlyptir (1975 = 100)

Pwynt Trafod

Awgrymwch sut gallai'r data yn y graff ein helpu i ddod o hyd i resymau dros y gostyngiad mewn adar coetir ac adar tir fferm.

CWESTIYNAU

Dros gyfnod yr astudiaeth, mae adar môr wedi cynyddu, mae adar dŵr ac adar gwlyptir wedi aros yn eithaf sefydlog, ond mae niferoedd adar coetir ac adar tir fferm wedi gostwng

1 Awgrymwch reswm posibl dros y gostyngiad mewn adar coetir ers 1970.
2 Awgrymwch reswm posibl dros y gostyngiad mewn adar tir fferm ers 1970.
3 Mae'r graffiau'n mynd at 2008. Beth ydych chi'n meddwl fyddai'n digwydd i boblogaethau'r gwahanol fathau o adar pe bai data pellach wedi'u cyhoeddi ar gyfer 2010? Eglurwch eich ateb.

Ar ôl i ni gasglu data manwl gywir ar gyfer poblogaeth dros gyfnod o amser, mae'n bosibl defnyddio model mathemategol i ragfynegi beth fydd yn digwydd i'r boblogaeth yn y dyfodol, ac i dynnu sylw at broblemau posibl yn y dyfodol.

Mae amryw o ffyrdd o gynnal bioamrywiaeth, yn lleol neu'n genedlaethol.

- Rhaglenni bridio a rhyddhau i roi hwb i boblogaethau.
- Gwarchod cynefinoedd rhywogaethau sydd dan fygythiad.
- Creu o'r newydd gynefinoedd sydd wedi dirywio (plannu, tirweddu ac ati).
- Rheoli rhywogaethau ymledol (*invasive*) sy'n gallu lledaenu a gwthio rhywogaethau eraill allan.
- Deddfwriaeth i amddiffyn cynefinoedd neu rywogaethau unigol.
- Rheoli llygredd neu ffactorau eraill a allai fod yn bygwth rhywogaethau neu eu cynefinoedd.

Sut gallwn ni gael data am fioamrywiaeth mewn amgylchedd?

CWESTIYNAU

4 Aeth gwyddonwyr ati i samplu arwynebedd o 1 000 m² ar draeth ag arwynebedd o 1 km² (1 000 000 m²). Daethant o hyd i 293 o gocos. Amcangyfrifwch faint o gocos oedd ar y traeth i gyd.

5 Edrychwch ar yr amgylcheddau yn Ffigur 7.5. Awgrymwch reswm pam byddai angen i wyddonwyr ddefnyddio arwynebedd sampl mwy yn y coetir nag ar y morfa heli.

Heblaw bod yr amgylchedd sy'n cael ei astudio'n fach iawn, bydd yn amhosibl ei archwilio i gyd i ddod o hyd i'r holl blanhigion ac anifeiliaid sy'n byw yno. Mae'n haws dod o hyd i blanhigion nag anifeiliaid, gan nad ydyn nhw'n symud o gwmpas nac yn cuddio, ond byddai'n dal yn amhosibl cyfri'r holl blanhigion mewn, er enghraifft, coetir ag arwynebedd o rai cilometrau sgwâr. Yr unig ffordd y gallwn ni gael syniad o'r niferoedd yw cymryd **sampl**. Caiff arwynebedd bach ei astudio'n fanwl, a chaiff y niferoedd eu defnyddio i ragfynegi niferoedd poblogaeth yr amgylchedd cyfan. Er enghraifft, os ydym ni eisiau astudio rhywogaeth o falwod mewn corstir ag arwynebedd o 100 km², gallem ni gyfri'r holl falwod mewn arwynebedd o 100 m × 100 m wedi'i rannu yn nifer o samplau llai. Cyfanswm arwynebedd y sampl yw 10 000 m²; mae hyn yn 1/10 000 o'r arwynebedd cyfan. Fel enghraifft, dewch i ni ddweud bod 115 o falwod yn yr arwynebedd sampl:

Arwynebedd sampl = 1/10 000 o gyfanswm yr arwynebedd

Nifer y malwod yn yr arwynebedd sampl = 115

Nifer y malwod yng nghyfanswm yr arwynebedd = 115 × 10 000 = 1 150 000

Er mwyn i'r rhif hwn fod yn rhesymol o fanwl gywir, mae angen bodloni rhai meini prawf penodol:

- Rhaid i'r arwynebedd sampl fod yn nodweddiadol o'r ardal gyfan.
- Mae arwynebeddau bach iawn yn fwy tebygol o fod yn anarferol mewn rhyw ffordd, felly gorau po fwyaf yw'r arwynebedd sampl.
- Rhaid i'r dull samplu beidio ag effeithio ar y canlyniadau (e.e. gyda rhai anifeiliaid, ond nid malwod, gallai presenoldeb pobl eu dychryn i ffwrdd).

Dydy samplau ddim yn gallu bod yn hollol fanwl gywir, ac mae gwyddonwyr yn aml yn gwneud dadansoddiadau ystadegol sy'n ystyried maint y sampl wrth ffurfio casgliadau.

Ffigur 7.5 Amgylcheddau coetir (chwith) a morfa heli (dde).

I samplu arwynebedd penodol, bydd gwyddonwyr yn aml yn defnyddio darn o gyfarpar o'r enw cwadrat. Ffrâm o ryw fath yw hwn, gydag ochrau hafal o hyd hysbys (gweler Ffigur 7.6).

Caiff y cwadrat ei ddefnyddio lawer o weithiau i adeiladu arwynebedd sampl mwy. Dylid ei osod i lawr ar hap, er mwyn osgoi'r posibilrwydd bod yr arbrofwr yn cyflwyno unrhyw fath o duedd i'r data sy'n cael eu casglu.

Ffigur 7.6 Defnyddio cwadrat. Yn yr achos hwn, mae'r cwadrat yn 0.5 m × 0.5 m, sy'n golygu bod ganddo arwynebedd o 0.25 m².

GWAITH YMARFEROL   CYFRIF LLYGAID Y DYDD

Dyma weithgaredd sy'n eich helpu i:
★ cynllunio arbrofion
★ datblygu sgiliau mathemategol.

Cyfarpar
* Cwadrat, 0.5 m × 0.5 m
* Tâp mesur

Asesiad risg

Bydd eich athro/athrawes yn rhoi asesiad risg i chi ar gyfer yr arbrawf hwn.

Dull
1 Dewiswch ardal o laswelltir i'w samplu, a mesurwch arwynebedd yr holl ardal rydych chi'n dymuno ei hastudio.
2 Rhowch y cwadrat i lawr 'ar hap'. Y ffordd hawddaf o wneud hyn yw ei ollwng dros eich ysgwydd, heb edrych ble bydd yn glanio. Cofiwch weiddi rhybudd i wneud yn siŵr nad oes neb y tu ôl i chi, rhag ofn i'r cwadrat eu taro nhw.
3 Cyfrwch faint o *blanhigion* llygad y dydd (nid dim ond y blodau) sydd yn eich cwadrat.
4 Ailadroddwch hyn 9 gwaith arall (h.y. cyfanswm o 10 gwaith).
5 Defnyddiwch eich data i gyfrifo faint o lygaid y dydd sydd yn yr ardal gyfan o laswelltir.

Gwerthuso eich arbrawf
Awgrymwch unrhyw anfanteision posibl yn y dull ddefnyddioch chi i osod y cwadrat ar hap.

Sut gallwn ni gael gwybod am ddosraniad organebau?

Weithiau, bydd ymchwilwyr eisiau gwybod mwy na dim ond pa anifeiliaid a phlanhigion sydd mewn amgylchedd; byddan nhw eisiau gwybod rhywbeth am eu **dosraniad**. Mae nifer o ffyrdd o wneud hyn, ac un ffordd yw cymryd **trawslun**. Cyfres o samplau wedi'u cymryd mewn llinell yw trawslun. Fel rheol, bydd y llinell sy'n cael ei dewis ar gyfer y samplau'n gorwedd ar hyd rhyw fath o newid mewn amodau (e.e. wrth samplu glan môr greigiog, gallech chi osod llinell y trawslun o'r lefel llanw isel at y lefel llanw uchel – gweler Ffigur 7.7).

Ffigur 7.7 Myfyrwyr yn cymryd samplau cwadrat ar hyd llinell trawslun yn gorwedd i fyny ac i lawr glan môr greigiog.

Caiff cwadratau eu gosod â bylchau rheolaidd rhyngddynt ar hyd llinell y trawslun, a chaiff yr anifeiliaid a'r planhigion yn y cwadratau eu cofnodi. Mae hyn yn ei gwneud hi'n bosibl canfod unrhyw batrymau yn eu dosraniad (Ffigur 7.8).

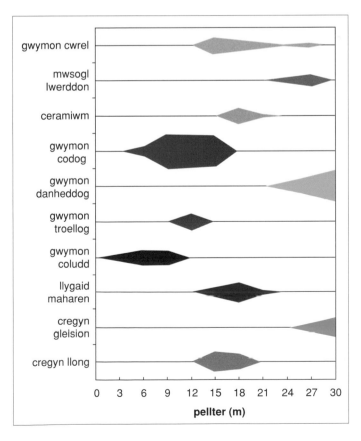

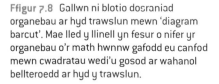

Ffigur 7.8 Gallwn ni blotio dosraniad organebau ar hyd trawslun mewn 'diagram barcut'. Mae lled y llinell yn fesur o nifer yr organebau o'r math hwnnw gafodd eu canfod mewn cwadratau wedi'u gosod ar wahanol bellteroedd ar hyd y trawslun.

Dyma weithgaredd sy'n eich helpu i:

★ canfod patrymau neu dueddiadau mewn data

★ dadansoddi canlyniadau

★ adnabod rhywogaethau planhigion.

Yn yr arbrawf hwn, bydd angen i chi ddod o hyd i lwybr drwy dir eich ysgol neu drwy unrhyw ddarn o laswelltir neu goetir. Mae'n well profi llwybr sydd wedi'i dreulio gan bobl yn cerdded ar hyd y llwybr, yn hytrach na llwybr sydd wedi'i adeiladu, ond dydy hyn ddim yn hanfodol. Mae rhai planhigion yn gallu goroesi cael eu sathru'n rheolaidd, a bydd y rhain i'w cael ar y llwybr neu'n agos ato. Y lleiaf o allu sydd gan rywogaeth planhigyn i wrthsefyll cael ei sathru, y pellaf oddi wrth y llwybr y bydd, nes i chi gyrraedd pellter lle nad yw pobl yn cerdded yn aml.

Cyfarpar

I bob grŵp:

* Cwadrat, 0.5 m × 0.5 m
* Llinyn 10 m, wedi'i farcio bob 0.5 m
* 2 × sgiwer neu rywbeth tebyg i angori'r llinyn yn y ddaear
* Llyfr adnabod planhigion

ⓘ Asesiad risg

Does dim risgiau arwyddocaol i'r arbrawf ei hun, ond efallai y bydd risgiau'n gysylltiedig â'r amgylchedd. Bydd eich athro/athrawes yn rhoi asesiad risg i chi.

Dull

1 Gosodwch y llinyn wedi'i farcio ar draws y llwybr, gan ei estyn tua'r un pellter ar y ddwy ochr i'r llwybr. Os yw'r llwybr yn llydan, rhowch linell y trawslun ar un ochr i'r llwybr yn unig.

2 Rhowch y cwadrat i lawr bob 0.5 m ar hyd y trawslun, a chofnodwch bob rhywogaeth rydych chi'n ei chanfod a faint sydd o bob un. Gwnewch eich gorau i adnabod yr holl blanhigion a welwch.

3 Cyflwynwch eich canlyniadau mewn unrhyw ffordd addas.

Ffigur 7.9 Llinell trawslun bosibl er mwyn astudio dosraniad planhigion ar draws llwybr.

Dadansoddi eich canlyniadau

1 Oes patrwm yn eich canlyniadau?

2 O'r planhigion y daethoch chi o hyd iddynt, pa un oedd y gorau am wrthsefyll cael ei sathru yn eich barn chi? Defnyddiwch eich data i gyfiawnhau eich ateb.

3 Oes unrhyw ffactorau eraill, heblaw sathru, a allai effeithio ar ddosraniad planhigion yn yr ardal a gafodd ei samplu?

4 Oes unrhyw dystiolaeth bod unrhyw ffactor arall/ffactorau eraill wedi dylanwadu ar eich canlyniadau? Eglurwch eich ateb.

Sut gallwn ni fesur poblogaeth anifeiliaid sy'n symud o gwmpas?

Mae mesur poblogaethau anifeiliaid unrhyw ardal yn anoddach na mesur planhigion, oherwydd mae anifeiliaid yn symud o gwmpas. Mae perygl i chi gyfri'r un anifail fwy nag unwaith, neu fethu rhai sydd newydd symud allan o'r ardal sampl, ond sy'n mynd i ddychwelyd.

I fesur maint poblogaeth anifeiliaid, gallwn ni ddefnyddio **technegau dal ac ail-ddal**. Mae'r dechneg yn gweithio fel hyn:

- Caiff nifer o unigolion o rywogaeth benodol eu dal.
- Caiff yr anifeiliaid hyn eu marcio mewn rhyw ffordd er mwyn gwahaniaethu rhyngddyn nhw a gweddill y boblogaeth.
- Mae'r anifeiliaid hyn yn cael eu rhyddhau'n ôl i'r amgylchedd.
- Ar ôl peth amser, caiff sampl arall o'r boblogaeth ei ddal.
- Byddai cyfran yr unigolion sydd wedi'u marcio yn yr ail sampl yr un fath â'r nifer a gafodd eu marcio'n wreiddiol fel cyfran o gyfanswm y boblogaeth.
- Gallwn ni amcangyfrif y boblogaeth drwy ddefnyddio'r hafaliad $N = \dfrac{MC}{R}$ lle mai:

  N = amcangyfrif o gyfanswm maint y boblogaeth

  M = cyfanswm nifer yr anifeiliaid a gafodd eu dal a'u marcio ar yr ymweliad cyntaf

  C = cyfanswm nifer yr anifeiliaid a gafodd eu dal ar yr ail ymweliad

  R = nifer yr anifeiliaid a gafodd eu dal ar yr ymweliad cyntaf ac a gafodd eu dal eto ar yr ail ymweliad.

Er mwyn i'r amcangyfrif o'r boblogaeth fod yn fanwl gywir, rhaid i amodau penodol fod yn berthnasol:

- Mae angen rhoi digon o amser rhwng y ddau sampl i'r unigolion sydd wedi'u marcio gael cymysgu â gweddill y boblogaeth.
- Does dim nifer mawr o anifeiliaid yn symud i mewn nac allan o'r ardal yn yr amser rhwng y ddau sampl.
- Dydy'r dechneg farcio ddim yn effeithio ar siawns yr anifail o oroesi (e.e. ei gwneud yn haws i ysglyfaethwr ei weld).
- Dydy'r dechneg farcio ddim yn effeithio ar y siawns o ail-ddal anifail drwy ei gwneud yn haws i'r casglwr sylwi ar yr unigolion sydd wedi'u marcio.

6 Roedd Dafydd eisiau amcangyfrif poblogaeth y pryfed lludw yn ei ardd. Chwiliodd o gwmpas a chasglodd 100 o bryfed lludw. Marciodd bob un ohonynt â smotyn o baent gwyn ar y cefn, a'u rhyddhau nhw (gweler Ffigur 7.10). Wythnos yn ddiweddarach, aeth i'w ardd a chasglodd 100 o bryfed lludw eraill. Roedd pedwar o'r rhain yn rhai roedd wedi eu dal o'r blaen a'u marcio. Gan ddefnyddio'r hafaliad a roddwyd yn gynharach yn yr adran hon, cyfrifwch faint poblogaeth y pryfed lludw yng ngardd Dafydd.

Ffigur 7.10 Pryf lludw wedi'i farcio.

Pwynt trafod

Pa mor dda oedd dull arbrofol Dafydd yn eich tyb chi? Allai Dafydd fod wedi gwella'r dull mewn unrhyw ffordd?

Pam mae cyflwyno rhywogaeth newydd i ardal yn gallu achosi problemau?

Er bod bioamrywiaeth yn beth da, gallwch chi achosi problemau drwy gyflwyno rhywogaeth 'estron' (un sydd ddim i'w chael yn yr ardal fel rheol) i amgylchedd. Mae enghreifftiau o'r problemau hyn yn cynnwys:

- Efallai na fydd gan y rhywogaeth estron ddim ysglyfaethwyr yn yr ardal, a gallai ei phoblogaeth dyfu y tu hwnt i reolaeth.
- Efallai y bydd y rhywogaeth estron yn cystadlu â rhywogaeth sydd yno eisoes, gan achosi iddi fynd yn ddiflanedig yn yr ardal.
- Efallai y bydd y rhywogaeth estron yn ysglyfaethu ar rywogaeth sydd yno eisoes, gan leihau ei niferoedd.
- Efallai y bydd y rhywogaeth estron yn cludo clefyd y mae'n imiwn iddo, ond sy'n effeithio ar y poblogaethau sydd yno eisoes.

Mae dros 3000 o rywogaethau anfrodorol (*non-native*) yn y DU, sy'n fwy nag yn unrhyw wlad arall yn Ewrop. O ble maen nhw i gyd wedi dod?

Mae rhai wedi cyrraedd 'ar ddamwain'. Efallai eu bod nhw wedi cyrraedd ar longau, ymysg y cargo, neu efallai fod casglwyr neu werthwyr wedi dod â nhw i'r wlad a'u bod nhw wedi dianc neu gael eu rhyddhau.

Ffigur 7.11 Dydy hyddod brith ddim yn frodorol i Brydain. Y Normaniaid (neu efallai'r Rhufeiniaid) ddaeth â nhw i'r wlad hon, a hynny ar gyfer hela yn ôl pob tebyg.

Mae rhai rhywogaethau'n cael eu cyflwyno'n fwriadol er mwyn rheoli rhywogaethau sy'n bla. Mae hyn yn enghraifft o **reoli biolegol**. Mae rheoli biolegol yn golygu defnyddio organebau byw (ysglyfaethwyr yn aml) yn lle plaleiddiaid cemegol. Maen nhw'n cael eu defnyddio'n aml i reoli rhywogaethau estron eraill, sydd efallai heb ddim ysglyfaethwyr naturiol yn eu hamgylchedd newydd.

Yn nyddiau cynnar rheoli biolegol, byddai'r broses yn mynd yn anghywir ar adegau, a byddai'r ysglyfaethwr a gafodd ei gyflwyno'n dechrau achosi problem. Digwyddodd un enghraifft o hyn yn yr Unol Daleithiau lle cafodd ysgall egsotig eu cyflwyno'n anfwriadol, gan arwain at leihau poblogaethau'r ysgall brodorol. Cafodd chwilen ei chyflwyno a oedd yn bwyta'r ysgall egsotig er mwyn eu rheoli (Ffigur 7.12). Fodd bynnag, pan gafodd y chwilen ei chyflwyno i'r ardal, dechreuodd fwyta'r ysgall brodorol hefyd. Golygodd hyn fod rhai rhywogaethau lleol o bryfed, a oedd yn bwyta'r ysgall brodorol yn unig, yn methu goroesi.

Ffigur 7.12 Cafodd y chwilen hon, *Rhinocyllusconicus*, ei chyflwyno i UDA i reoli rhywogaeth estron o ysgall, ond bwytaodd hi'r ysgall brodorol hefyd.

Erbyn hyn, mae gwyddonwyr yn deall problemau posibl cyflwyno cyfryngau rheoli biolegol, a chaiff ymchwil manwl a threialon estynedig eu defnyddio cyn cyflwyno rhywogaeth reoli.

TASG — BETH YW MANTEISION AC ANFANTEISION RHEOLI BIOLEGOL?

Dyma weithgaredd sy'n eich helpu i:
★ datblygu sgiliau ymchwil
★ dethol gwybodaeth berthnasol
★ trefnu syniadau mewn ffordd resymegol.

Ar y rhyngrwyd, ymchwiliwch i fanteision ac anfanteision rheoli biolegol, a rhai o'r gwahanol ddulliau sy'n cael eu defnyddio. Ysgrifennwch adroddiad am eich canfyddiadau.

Crynodeb o'r bennod

○ Bioamrywiaeth yw amrywiaeth neu nifer y rhywogaethau gwahanol mewn ardal.

○ Mae bioamrywiaeth yn gwneud yr amgylchedd yn fwy sefydlog.

○ I asesu bioamrywiaeth, mae angen casglu data dibynadwy a monitro'n barhaus.

○ Gallwn ni ddefnyddio modelu mathemategol i ddadansoddi rhyngweithiadau amgylcheddol ac i ragfynegi tueddiadau.

○ Wrth ymchwilio i amgylchedd, rhaid defnyddio samplau wrth gasglu data.

○ Rhaid i'r samplau hyn fod yn ddigon mawr i gynrychioli poblogaeth gyfan.

○ Gallwn ni ymchwilio i bethau byw mewn ardal gan ddefnyddio cwadratau a thrawsluniau.

○ Gallwn ni ddefnyddio'r dechneg dal ac ail-ddal i amcangyfrif maint poblogaeth anifeiliaid.

○ Mae cyflwyno rhywogaethau estron yn gallu cael effaith niweidiol ar fywyd gwyllt lleol.

○ Rhaid i gyfryngau rheoli biolegol gael eu hastudio'n fanwl cyn eu cyflwyno, er mwyn osgoi difrod posibl i rywogaethau lleol.

8 Adeiledd atomig a'r Tabl Cyfnodol

Mae pob elfen gemegol wedi'i gwneud o ronynnau o'r enw **atomau**. Dydych chi ddim yn gallu deall priodweddau ac adweithiau cemegol yn iawn os nad ydych chi'n gwybod am adeiledd atomau, ac am y gronynnau llai sydd mewn atom.

Pa fath o adeiledd sydd gan atom?

Mae pob atom wedi'i wneud o ronynnau llai, sef **protonau**, **niwtronau** ac **electronau**. Gronynnau sylfaenol yw'r enw ar y rhain, ac mae nifer y gronynnau sydd mewn atom yn amrywio rhwng elfennau gwahanol.

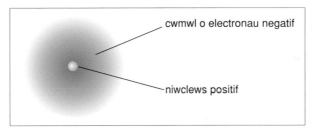

cwmwl o electronau negatif

niwclews positif

Ffigur 8.1 Adeiledd atom.

Mae Ffigur 8.1 yn dangos adeiledd atom. Mae pob atom yn cynnwys rhan ganol â gwefr bositif, sef y **niwclews**. Mae'r niwclews wedi'i amgylchynu ag electronau ysgafn â gwefr negatif. Mae'r gwefrau positif a'r gwefrau negatif yn cydbwyso, ac felly mae'r atom yn drydanol niwtral.

Mae bron holl fàs yr atom yn y niwclews, ac mae dau fath o ronyn ynddo: protonau, sydd â gwefr bositif, a niwtronau, sydd heb wefr. Yr enw cyfunol ar brotonau a niwtronau yw **niwcleonau**. Màs y proton positif yw 0.00000000000000000000017 g, sy'n fach iawn. Mae màs niwtron yr un faint â màs proton. Mae màs electron yn ddigon bach i fod yn ddibwys. Er mwyn cyfleustra, gallwn ni ddweud bod màs proton yn 1 uned a bod ei wefr yn +1, a disgrifio'r gronynnau eraill yn gymharol i'r gwerthoedd hyn.

Mae Tabl 8.1 yn crynhoi priodweddau'r gwahanol ronynnau mewn atom.

Tabl 8.1 Masau a gwefrau cymharol gronynnau sylfaenol.

Gronyn	Màs cymharol	Gwefr gymharol
Proton	1	+ 1
Niwtron	1	0
Electron	Dibwys	− 1

Mae angen i chi wybod dau derm arall sy'n gysylltiedig ag adeiledd atomau:

Rhif atomig: nifer y protonau yn y niwclews. Mae nifer yr electronau mewn atom bob amser yn hafal i nifer y protonau.

Rhif màs: **cyfanswm** nifer y niwcleonau (protonau + niwtronau) yn y niwclews.

Weithiau, caiff symbol cemegol elfen ei ysgrifennu mewn ffordd sy'n dangos y rhif atomig a'r rhif màs. Mae enghraifft o hyn ar y chwith, ar gyfer yr elfen sodiwm.

rhif màs — ^{23}**Na**
rhif atomig — $_{11}$

Ffigur 8.2 Symbol cemegol sodiwm.

CWESTIWN

1 Edrychwch ar y wybodaeth am yr atom sodiwm. Faint o brotonau, niwtronau ac electronau sydd yn yr atom?

Mae'r electronau mewn atom ar wahanol **lefelau egni** o gwmpas y niwclews. Weithiau, **plisg** neu **orbitau** yw'r termau sy'n cael eu defnyddio ar gyfer y lefelau egni. Mae Tabl 8.2 yn dangos y nifer o electronau mae pob plisgyn yn gallu eu dal.

Tabl 8.2 Nifer yr electronau sy'n cael eu dal gan blisg gwahanol.

Plisgyn (neu orbit)	Y nifer mwyaf o electronau y gellir eu dal yn yr elfennau o hydrogen i galsiwm
1	2
2	8
3	8
4	2

Enghraifft

Rhif atomig yr elfen sodiwm, Na, yw 11. Mae hyn yn golygu bod gan sodiwm 11 proton yn y niwclews, felly rhaid bod ganddo 11 electron yn amgylchynu'r niwclews. Mae Tabl 8.3 yn dangos trefn yr 11 electron hyn.

Tabl 8.3 Trefn yr electronau mewn atom sodiwm.

Plisgyn (neu orbit)	Nifer yr electronau
1	2
2	8
3	1
	Cyfanswm o 11 electron

Gallwn ni ysgrifennu adeiledd electronig sodiwm fel 2,8,1 ac mae Ffigur 8.3 yn dangos hyn ar ffurf diagram.

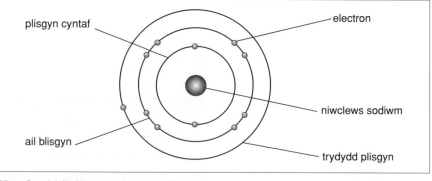

plisgyn cyntaf

electron

niwclews sodiwm

ail blisgyn

trydydd plisgyn

Ffigur 8.3 Adeiledd electronig atom sodiwm.

Mae Tabl 8.4 yn dangos adeiledd electronig 20 elfen gyntaf y Tabl Cyfnodol. Sylwch fod pob cynnydd yn y rhif atomig yn golygu proton ychwanegol. Gan fod nifer yr electronau bob amser yn hafal i nifer y protonau, caiff electron ei ychwanegu hefyd. Mae'r electron hwn yn mynd i'r safle nesaf sydd ar gael mewn plisgyn neu, os yw'r plisgyn yn llawn, i safle cyntaf plisgyn newydd.

Tabl 8.4 Adeileddau electronig 20 atom cyntaf y Tabl Cyfnodol.

Rhif atomig	Elfen	Plisgyn			
		1	2	3	4
1	Hydrogen	1			
2	Heliwm	2			
3	Lithiwm	2	1		
4	Beryliwm	2	2		
5	Boron	2	3		
6	Carbon	2	4		
7	Nitrogen	2	5		
8	Ocsigen	2	6		
9	Fflworin	2	7		
10	Neon	2	8		
11	Sodiwm	2	8	1	
12	Magnesiwm	2	8	2	
13	Alwminiwm	2	8	3	
14	Silicon	2	8	4	
15	Ffosfforws	2	8	5	
16	Sylffwr	2	8	6	
17	Clorin	2	8	7	
18	Argon	2	8	8	
19	Potasiwm	2	8	8	1
20	Calsiwm	2	8	8	2

CWESTIYNAU

2 Defnyddiwch y wybodaeth yn Nhabl 8.4 i luniadu'r atomau hyn:

a carbon

b hydrogen

c silicon

ch potasiwm.

3 Atom pa elfen sydd yn y diagram hwn (Ffigur 8.4)?

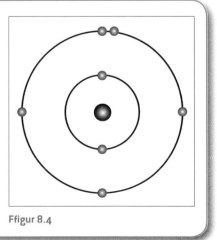

Ffigur 8.4

Yn ystod y cwrs TGAU Gwyddoniaeth, dysgoch chi am **Dabl Cyfnodol yr elfennau**. Mae cysylltiad rhwng adeiledd electronig elfen a'i safle yn y Tabl Cyfnodol. Mae'r tabl yn trefnu'r elfennau yn nhrefn eu rhif atomig. Gan mai nifer y protonau yw'r rhif atomig, mae hefyd yn cynrychioli nifer yr electronau.

Edrychwch ar y Tabl Cyfnodol (Ffigur 8.5) a'r adeileddau electronig yn Nhabl 8.4.

Ar gyfer cyfansoddion ïonig, mae'n fwy cywir defnyddio'r term **màs fformiwla cymharol**, oherwydd does dim moleciwlau ar wahân mewn cyfansoddion ïonig.

- **Magnesiwm ocsid** (MgO): Mae'r cyfansoddyn hwn yn cynnwys un ïon magnesiwm am bob un ïon ocsigen. Y màs fformiwla cymharol yw [24 + 16] = 40.
- **Sodiwm carbonad** (Na_2CO_3): Mae'r cyfansoddyn hwn yn cynnwys dau ïon sodiwm, ac un ïon carbonad sy'n cynnwys un atom carbon a thri atom ocsigen. Y màs fformiwla cymharol yw $[(2 \times 23) + 12 + (3 \times 16)] = [46 + 12 + 48] = 106$.

CWESTIYNAU

6 Darganfyddwch fasau moleciwlaidd cymharol:

  a amonia, NH_3

  b methan, CH_4

  c hydrogen sylffid, H_2S

7 Darganfyddwch fasau fformiwla cymharol:

  a calsiwm clorid, $CaCl_2$

  b copr(II) ocsid, CuO

Sut cafodd model o adeiledd atomig ei ddatblygu?

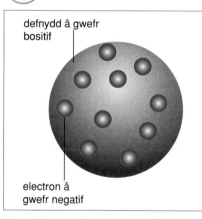

Ffigur 8.8 Model 'pwdin resins' JJ Thomson o atom.

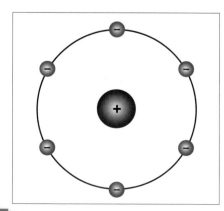

Ffigur 8.9 Model cyntaf Rutherford o'r atom.

Mae atomau'n rhy fach i ni eu gweld nhw. Felly, **modelau gwyddonol** yw pob syniad am eu hadeiledd, yn seiliedig ar wahanol fathau o dystiolaeth. Dros amser, mae tystiolaeth newydd wedi golygu bod gwyddonwyr wedi gorfod adolygu'r model, gan nad oedd y model ar y pryd yn gallu egluro'r dystiolaeth newydd.

Cafodd y term atom ei ddefnyddio am y tro cyntaf gan yr athronydd o wlad Groeg, Democritus, tua 460 CC. Ni soniodd Democritus am adeiledd, ond awgrymodd, pe baech chi'n torri darnau o ddefnydd yn llai ac yn llai, yn y pen draw byddech chi'n cyrraedd rhywbeth sy'n methu cael ei dorri'n llai; galwodd hyn yn atom.

Y person cyntaf i awgrymu adeiledd i atom oedd y ffisegydd o Loegr, JJ Thomson, yn 1897. Thomson wnaeth ddarganfod electronau a chanfod bod ganddynt wefr negatif. Dychmygodd eu bod nhw wedi'u mewnblannu mewn defnydd â gwefr bositif, rhywbeth tebyg i resins mewn pwdin (Ffigur 8.8).

Yn 1911, arweiniodd ymchwil y gwyddonydd Ernest Rutherford at ganlyniadau nad oedd y model hwn yn gallu eu hegluro. Aeth Rutherford ati i beledu atomau â gronynnau ymbelydredd alffa, ac fe welodd fod y rhan fwyaf o'r gronynnau'n mynd drwy'r atomau heb gael eu hallwyro. Dangosodd hyn mai gofod gwag oedd yr atom yn bennaf. Awgrymodd Rutherford fodel o'r atom oedd yn cynnwys niwclews bach iawn â gwefr bositif ac electronau mewn orbit o'i gwmpas, ond doedd e ddim yn gwybod dim am brotonau a niwtronau ar y pryd (Ffigur 8.9).

Cafodd y model hwn ei addasu mewn sawl ffordd dros nifer o flynyddoedd, ac mae manylion am y rhain ar y dudalen nesaf.

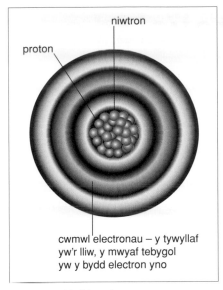

proton

niwtron

cwmwl electronau – y tywyllaf yw'r lliw, y mwyaf tebygol yw y bydd electron yno

Ffigur 8.10 Model modern o atom.

1912 Y ffisegydd o Ddenmarc, Niels Bohr, yn dyfeisio damcaniaeth i egluro pam nad yw gwefr bositif y niwclews yn achosi i'r electronau droelli i mewn i'r niwclews; cynigiodd fod electronau'n cylchredeg mewn orbitau (plisg) gwahanol

1919 Rutherford yn darganfod protonau

1927 Y gwyddonydd o'r Almaen, Werner Heisenberg, yn awgrymu nad yw'n bosibl canfod union safle electron. Dyma pam mae'r model modern yn dangos 'cwmwl o electronau' yn hytrach nag orbit penodol

1932 Y ffisegydd o Loegr, James Chadwick, yn darganfod niwtronau

Mae ymchwil am atomau a gronynnau wedi gwneud cynnydd sylweddol ers 1932, ond modelau mathemategol sy'n cael eu defnyddio heddiw, ac mae'n anodd iawn dangos y rhain mewn lluniau. Erbyn hyn, rydym ni'n gwybod am lawer o fathau gwahanol o ronynnau heblaw protonau, niwtronau ac electronau. Yn wir, mae tua 50 math o ronyn, ac mae gan rai ohonynt enwau rhyfedd fel 'Charm', 'Anti-charm', 'Gluon', 'Up' a hyd yn oed 'Strange'!

Mae'r newidiadau i fodel adeiledd atomig yn dangos un o egwyddorion sylfaenol gwyddoniaeth. Dydym ni byth yn gallu dweud bod unrhyw fodel gwyddonol yn hollol gywir. Pe bai ein model ni o adeiledd atomig yn hollol gywir, nid model fyddai mwyach, ond dyna *fyddai* adeiledd atom. Rhaid i fodelau gael eu newid a'u gwella'n gyson o ganlyniad i ymchwil newydd. Er bod rhai ffeithiau pendant ym maes gwyddoniaeth, mae'r rhan fwyaf o wyddoniaeth yn delio â thebygolrwyddau ac ansicrwydd.

Crynodeb o'r bennod

○ Mae gan atomau niwclews sy'n cynnwys protonau a niwtronau, ac mae electronau'n amgylchynu'r niwcelws.

○ Mae gwefr bositif gan brotonau, mae gwefr negatif gan electronau, a does dim gwefr gan niwtronau.

○ Mae pob atom yn cynnwys yr un nifer o brotonau ag o electronau, felly does dim gwefr drydanol gan atom.

○ Mae nifer y niwtronau mewn atom yn gallu amrywio, gan gynhyrchu isotopau gwahanol o'r elfen.

○ Mae màs protonau a niwtronau'n hafal i'w gilydd, ond mae màs electronau'n ddibwys.

○ Nifer y protonau sy'n rhoi rhif atomig yr elfen.

○ Nifer y niwcleonau (protonau + niwtronau) sy'n rhoi rhif màs yr elfen.

○ Gallwn ni ddefnyddio symbol fel $^{23}_{11}$Na i gyfrifo nifer y protonau, y niwtronau a'r electronau mewn atom.

○ Mae adeiledd electronig atom yn gysylltiedig â'i safle yn y Tabl Cyfnodol ac â'i briodweddau cemegol.

○ Mae màs atom elfen yn cael ei fesur ar raddfa sy'n cymharu masau atomau â'i gilydd – masau atomig cymharol (A_r).

○ Gallwn ni gyfrifo màs moleciwlaidd cymharol (M_r) cyfansoddyn drwy edrych ar ei fformiwla.

○ Mae'r model o atom sy'n cael ei dderbyn heddiw wedi datblygu dros amser wrth i wyddonwyr wneud arsylwadau nad oedd syniadau'r cyfnod hwnnw'n gallu eu hegluro, a chynnig eu rhagdybiaethau eu hunain i'w profi drwy gasglu mwy o dystiolaeth arbrofol.

9 Metelau alcalïaidd a halogenau

Un o'r adweithiau mwyaf trawiadol a welwch chi mewn cemeg yn yr ysgol yw adwaith potasiwm â dŵr (Ffigur 9.1). Does dim llawer o arddangosiadau'n gallu cymharu â disgleirdeb yr adwaith hwn. Mae potasiwm yn un o'r teulu o fetelau o'r enw'r **metelau alcalïaidd** sydd i'w cael yng Ngrŵp 1 y Tabl Cyfnodol (gweler Ffigur 9.2).

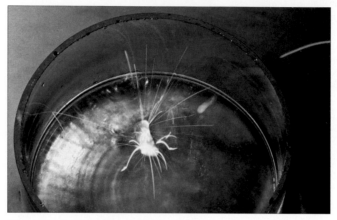

Ffigur 9.1 Potasiwm yn adweithio â dŵr.

1	2											3	4	5	6	7	0
						H											He
Li	Be											B	C	N	O	F	Ne
Na	Mg											Al	Si	P	S	Cl	Ar
K	Ca	Sc	Ti	V	Cr	Mn	Fe	Co	Ni	Cu	Zn	Ga	Ge	As	Se	Br	Kr
Rb	Sr	Y	Zr	Nb	Mo	Tc	Ru	Rh	Pd	Ag	Cd	In	Sn	Sb	Te	I	Xe
Cs	Ba	La	Hf	Ta	W	Re	Os	Ir	Pt	Au	Hg	Tl	Pb	Bi	Po	At	Rn
Fr	Ra	Ac															

▬ Metelau Grŵp 1

Ffigur 9.2 Y Tabl Cyfnodol gyda Grŵp 1 wedi'i amlygu.

Adwaith trawiadol arall yw hylosgi sodiwm mewn nwy clorin (Ffigur 9.3).

Ffigur 9.3 Sodiwm yn llosgi mewn clorin.

Mae clorin yn aelod o Grŵp 7 y Tabl Cyfnodol, sef yr **halogenau** ('rhai sy'n ffurfio halwynau â metelau').

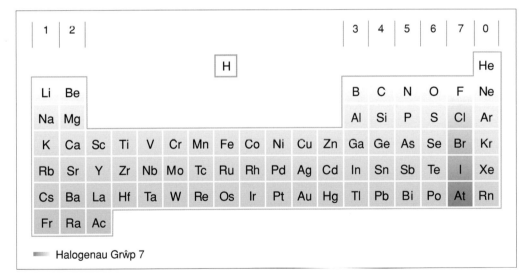

Ffigur 9.2 Y Tabl Cyfnodol gyda Grŵp 7 wedi'i amlygu.

Y metelau alcalïaidd

Mae Grŵp 1 yn y Tabl Cyfnodol yn cynnwys chwe elfen: dyma'r metelau alcalïaidd (maen nhw'n cael eu galw felly gan eu bod nhw'n ffurfio hydrocsidau, sy'n hydoddiannau alcalïaidd, wrth iddynt adweithio â dŵr). Mae Tabl 9.1 yn rhoi rhywfaint o wybodaeth am y metelau alcalïaidd.

Tabl 9.1 Y metelau alcalïaidd.

Metel alcalïaidd	Symbol (rhif màs / symbol / rhif atomig)	Adeiledd electronig	Golwg
Lithiwm	$_3^7Li$	2,1	
Sodiwm	$_{11}^{23}Na$	2,8,1	
Potasiwm	$_{19}^{39}K$	2,8,8,1	
Rwbidiwm	$_{37}^{85}Rb$	2,8, ... ,8,1	
Cesiwm	$_{55}^{133}Cs$	2,8, ... , ... ,8,1	
Ffranciwm	$_{87}^{223}Fr$	2,8, ... , ... , ... ,8,1	

Gan fod y rhain i gyd yn yr un grŵp yn y Tabl Cyfnodol, maen nhw i gyd yn adweithio â chemegion eraill mewn ffyrdd tebyg iawn.

Adweithiau metelau alcalïaidd

Metelau alcalïaidd yn adweithio ag ocsigen mewn aer

Mae'r metelau alcalïaidd i gyd yn **fetelau sgleiniog meddal** sy'n adweithio wrth ddod i gysylltiad ag aer (yn wir, maen nhw i gyd mor adweithiol ag aer fel eu bod nhw'n cael eu cadw mewn poteli o olew clir).

Mae Ffigur 9.5 yn dangos lithiwm a) wedi'i storio dan olew a b) mewn cysylltiad ag aer.

Ffigur 9.5 a) Lithiwm wedi'i storio dan olew (lliw arian sgleiniog).

Ffigur 9.5 b) Lithiwm mewn cysylltiad ag aer (gorchudd o lithiwm ocsid llwyd tywyll).

Cyn gynted ag y daw'r lithiwm noeth i gysylltiad ag ocsigen yn yr aer mae'n adweithio, gan ffurfio lithiwm ocsid, Li_2O.

lithiwm + ocsigen → lithiwm ocsid

$$4Li(s) + O_2(n) \rightarrow 2Li_2O(s)$$

(Mae'r llythrennau mewn cromfachau'n dweud wrthych chi beth yw cyflwr yr adweithyddion a'r cynhyrchion: s = solid; n = nwy).

Mae'r metelau eraill yn y grŵp yn adweithio mewn ffyrdd tebyg (gweler y Gwaith Ymarferol sy'n dechrau ar dudalen 87).

Metelau alcalïaidd yn adweithio â dŵr

Mae'r metelau alcalïaidd i gyd yn adweithio'n egnïol â dŵr. Mae lithiwm yn ffisian pan ddaw i gysylltiad â dŵr, gan ffurfio'r alcali lithiwm hydrocsid a swigod o nwy hydrogen.

Ffigur 9.6 Lithiwm yn adweithio â dŵr.

lithiwm + dŵr → lithiwm hydrocsid + hydrogen

$$2Li(s) + 2H_2O(h) \rightarrow 2LiOH(\textit{dyfrllyd}) + H_2(n)$$

Mae'r metelau eraill yn y grŵp hefyd yn adweithio mewn ffyrdd tebyg.

Metelau alcalïaidd yn adweithio â chlorin (ac â bromin)

Mae lithiwm yn adweithio'n gryf â chlorin, gan gynhyrchu'r halwyn lithiwm clorid, LiCl.

Ffigur 9.7 Lithiwm yn llosgi mewn clorin.

$$\text{lithiwm} + \text{clorin} \rightarrow \text{lithiwm clorid}$$

$$2\text{Li}(s) + \text{Cl}_2(n) \rightarrow 2\text{LiCl}(s)$$

Mae lithiwm yn adweithio â bromin mewn ffordd debyg, gan ffurfio lithiwm bromid:

$$\text{lithiwm} + \text{bromin} \rightarrow \text{lithiwm bromid}$$

$$2\text{Li}(s) + \text{Br}_2(n) \rightarrow 2\text{LiBr}(s)$$

Mae'r metelau alcalïaidd eraill yn y grŵp yn dangos patrymau adweithedd tebyg wrth adweithio â halogenau (Grŵp 7) ag y gwnaethon nhw wrth adweithio ag ocisgen a dŵr.

Mae'r metelau alcalïaidd i gyd yn adweithio'n egnïol ag ocsigen (mewn aer), dŵr a chlorin. Yn y dasg hon, byddwch chi'n arsylwi adweithiau tri o'r metelau alcalïaidd – lithiwm, sodiwm a photasiwm – â'r adweithyddion hyn, yn cofnodi eich arsylwadau ac yn eu dadansoddi yn nhermau cyfres adweithedd metelau. **Bydd eich athro/athrawes yn arddangos pob un o'r adweithiau hyn i chi.**

⚠ Asesiad risg

Mae holl adweithiau'r metelau alcalïaidd mor egnïol nes mai dim ond arddangos yr adweithiau hyn sy'n cael digwydd mewn ysgolion. Bydd eich athro/athrawes yn rhoi asesiad risg addas i chi ar gyfer yr adweithiau hyn. PEIDIWCH Â CHEISIO LLOSGI POTASIWM MEWN AER. PEIDIWCH Â CHEISIO LLOSGI POTASIWM MEWN CLORIN.

Dull

Bydd angen i chi gopïo a chwblhau fersiwn o Dabl 9.2 i gofnodi eich arsylwadau.

Tabl 9.2 Tabl conlyniadau.

Adwaith â	Lithiwm	Sodiwm	Potasiwm
Ocsigen (mewn aer) Tarneisio			
Ocsigen (mewn aer) Llosgi			
Dŵr			
Clorin			

Adwaith ag ocsigen mewn aer

1 Bydd eich athro/athrawes yn defnyddio gefel i dynnu darn o lithiwm o'i jar storio.
2 Caiff y lithiwm ei osod ar deilsen dorri wen a'i dorri yn ei hanner â chyllell llawfeddyg.
3 Arsylwch a chofnodwch yr adwaith sy'n digwydd rhwng yr ocsigen yn yr aer a'r arwyneb sydd i'w weld ar ôl torri'r lithiwm.
4 Caiff darn o lithiwm ei osod ar arwyneb fflat y fricsen. Bydd eich athro/athrawes yn rhoi unrhyw ddarnau o lithiwm sydd wedi'u torri ac sydd heb eu defnyddio yn ôl yn y jar.
5 Bydd eich athro/athrawes yn cyfeirio fflam anoleuol (glas) llosgydd Bunsen ar y lithiwm fel y bydd yn ymdoddi ac y bydd unrhyw olew'n llosgi i ffwrdd cyn iddo danio.
6 Arsylwch a chofnodwch adwaith hylosgi lithiwm ag ocsigen (mewn aer).
7 Ailadroddwch yr arbrofion **tarneisio** ar gyfer sodiwm a photasiwm, a'r arbrawf hylosgi ar gyfer sodiwm (NID POTASIWM).

parhad...

Dyma weithgaredd sy'n eich helpu i:
- ★ arsylwi adweithiau metelau alcalïaidd
- ★ cofnodi manylion arsylwadau am adweithiau
- ★ archwilio patrymau adweithedd i bennu cyfres adweithedd
- ★ ysgrifennu hafaliadau symbolau cemegol cytbwys.

Cyfarpar yr arddangosiad
- * metelau lithiwm, sodiwm a photasiwm wedi'u storio dan olew
- * teilsen dorri
- * gefel
- * cyllell llawfeddyg
- * bricsen
- * llosgydd Bunsen
- * (dewisol) camera arddangos/digidydd/camera hyblyg wedi'i gysylltu â chyfrifiadur/taflunydd

Cyfarpar yr arddangosiad

Fel yr uchod, a:

* cafn dŵr
* sgrin ddiogelu
* tiwb berwi
* papur/hydoddiant dangosydd cyffredinol

Adwaith â dŵr

1 Bydd eich athro/athrawes yn defnyddio gefel i dynnu darn o lithiwm o'i jar storio.

2 Caiff y lithiwm ei osod ar deilsen dorri wen a'i dorri yn ei hanner â chyllell llawfeddyg.

3 Caiff y lithiwm ei ollwng i gafn dŵr y tu ôl i sgrin ddiogelu.

4 Arsylwch a chofnodwch yr adwaith sy'n digwydd rhwng y dŵr a'r lithiwm.

5 Bydd eich athro/athrawes yn rhoi darn o bapur dangosydd cyffredinol yn y dŵr yn agos at lle'r oedd y lithiwm yn adweithio. Arsylwch a chofnodwch y newid yn lliw'r papur dangosydd cyffredinol.

6 Ailadroddwch hyn gan ddefnyddio sodiwm ac yna potasiwm.

7 Pan mae'r adweithiau i gyd wedi'u cwblhau, bydd eich athro/athrawes yn trosglwyddo swm bach o'r dŵr i diwb berwi ac yn ychwanegu rhai diferion o hydoddiant dangosydd cyffredinol; arsylwch a chofnodwch unrhyw newidiadau lliw.

Cyfarpar yr arddangosiad

Fel yr adwaith ag aer, a:

* 2 jar nwy a'u pennau i waered wedi'u llenwi â chlorin (wedi'u paratoi'n unol â'r dull ar Hazcard CLEAPSS 89A)
* bricsen fach ag arwyneb fflat sy'n fwy na diamedr y jar nwy
* llosgydd Bunsen
* hancesi papur
* sgrin ddiogelu

Adwaith lithiwm a sodiwm â chlorin

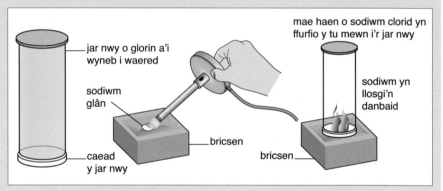

Ffigur 9.8 Cydosodiad yr arbrawf.

1 Bydd eich athro/athrawes yn torri darn o lithiwm (mae ciwb 6–8 mm yn ddigon) ac yn cael gwared â'r olew drwy wasgu'r ciwb rhwng hancesi papur.

2 Caiff y lithiwm ei osod ar ochr fflat bricsen mewn cwpwrdd gwyntyllu.

3 Bydd eich athro/athrawes yn cyfeirio fflam anoleuol (glas) llosgydd Bunsen tuag at y lithiwm fel ei fod yn ymdoddi ac y bydd unrhyw olew sy'n weddill yn llosgi i ffwrdd.

4 Pan mae'r lithiwm yn dechrau llosgi â fflam fach goch, bydd eich athro/athrawes yn gyflym yn tynnu caead y jar nwy o glorin ac yn rhoi'r jar nwy dros y lithiwm sy'n llosgi.

5 Arsylwch a chofnodwch yr adwaith sy'n digwydd.

6 Ailadroddwch yr arbrawf gan ddefnyddio sodiwm.

PEIDIWCH Â DEFNYDDIO POTASIWM WRTH AILADRODD YR ARBRAWF HWN.

Dadansoddi eich canlyniadau

Mae'r cwestiynau canlynol yn seiliedig ar eich arsylwadau o sut mae'r metelau alcalïaidd yn adweithio ag ocsigen (mewn aer), dŵr a chlorin.

1 Pa fetel alcalïaidd sy'n adweithio fwyaf egnïol â:

   a aer

   b dŵr

   c clorin?

GWAITH YMARFEROL *parhad*

2 Defnyddiwch eich arsylwadau i drefnu'r tri metel alcalïaidd yn nhrefn eu hadweithedd (o'r lleiaf adweithiol i'r mwyaf adweithiol).

3 Defnyddiwch Dabl Cyfnodol i drefnu **holl** fetelau Grŵp 1 yn nhrefn eu hadweithedd.

4 Sut mae adweithedd yn amrywio wrth i chi symud i lawr Grŵp 1 y Tabl Cyfnodol?

5 Edrychwch eto ar adeiledd electronig y metelau alcalïaidd yn Nhabl 9.1. Oes patrwm rhwng yr adeiledd electronau ac adweithedd y metelau alcalïaidd? Allwch chi egluro'r patrwm?

6 Rhagfynegwch yr arsylwadau y gallech chi eu gwneud am adweithiau rwbidiwm ag ocsigen (mewn aer), dŵr a chlorin.

7 Pam **nad ydych chi'n cael** cynnal adweithiau potasiwm gyda chlorin, nac unrhyw un o'r metelau alcalïaidd eraill ag unrhyw un o'r cemegion eraill, mewn ysgolion?

8 Defnyddiwch hafaliadau geiriau a symbolau cytbwys lithiwm i gynhyrchu hafaliadau geiriau a symbolau cytbwys tebyg ar gyfer adweithiau sodiwm a photasiwm ag ocsigen, dŵr a chlorin.

9 Mae bromin yn halogen fel clorin ond mae'n **llai** adweithiol na nwy clorin. Rhagfynegwch adweithiau bromin â lithiwm, sodiwm a photasiwm.

10 Ysgrifennwch hafaliadau geiriau a symbolau cytbwys ar gyfer adweithiau bromin â lithiwm, sodiwm a photasiwm.

Pwynt Trafod

Mae rwbidiwm a chesiwm yn adweithio'n llawer rhy ffyrnig ag ocsigen, dŵr a chlorin i gael eu cyflawni hyd yn oed mewn arddangosiad mewn ysgol. Fodd bynnag, gallwch chi weld clipiau fideo ar-lein o'r adweithiau hyn yn digwydd dan amodau rheoledig arbennig iawn. Yr enghraifft orau o hyn yw Brainiac: Science Abuse! www.youtube.com/watch?v=m55kgyApYrY

Profion fflam

Byddwch chi wedi sylwi bod fflamau o liwiau gwahanol gan y tri metel alcalïaidd a welsoch chi'n cael eu profi yn llosgi mewn ocsigen (mewn aer). Mae lithiwm yn llosgi â lliw rhuddgoch, sodiwm â fflam oren-felyn, a photasiwm â lliw lelog-borffor.

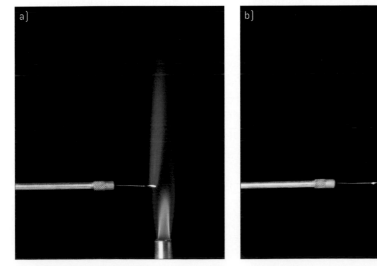

Ffigur 9.9 Lliwiau fflamau a) lithiwm b) sodiwm ac c) potasiwm.

Hyd yn oed os caiff y metelau hyn eu cyfuno ag elfennau eraill i ffurfio halwynau fel lithiwm nitrad, sodiwm clorid neu botasiwm sylffad, mae'r halwynau hyn hefyd yn llosgi â fflam yr un lliw â'r ïon metel sydd ynddynt. Mae hyn yn golygu bod pob halwyn lithiwm yn llosgi â lliw rhuddgoch, bod halwynau sodiwm yn llosgi â lliw oren-felyn, a bod halwynau potasiwm yn llosgi â lliw lelog-borffor.

GWAITH YMARFEROL — PROFION FFLAM HALWYNAU METELAU ALCALÏAIDD

Mae tri dull hawdd o gynnal prawf fflam ar halwyn metel alcalïaidd:
- Ysgeintio powdr halwyn alcalïaidd i mewn i fflam las Bunsen oddi uchod.
- Chwistrellu hydoddiant halwyn metel alcalïaidd i fflam las o'r ochr.
- Glynu powdr halwyn metel alcalïaidd at chwiliedydd prawf fflam ar ôl ei olchi ag asid hydroclorig 2 M ac yna rhoi'r chwiliedydd mewn fflam las Bunsen.

Byddwch yn cwblhau pob techneg ar amrywiaeth o halwynau metelau alcalïaidd gwahanol, yn arsylwi ac yn cofnodi eich canlyniadau; ac yna'n defnyddio eich canlyniadau i gymharu pob techneg prawf fflam.

! Asesiad risg

Efallai y bydd eich athro/athrawes yn gofyn i chi gynhyrchu asesiad risg ar gyfer y gweithgaredd hwn. Byddwch chi'n cael ffurflen asesiad risg wag addas a'r Hazcards, Cardiau Diogelwch Myfyrwyr neu gyfarwyddyd CLEAPSS perthnasol i'ch helpu i gwblhau'r asesiad risg. Rhaid i chi ddangos eich asesiad risg wedi'i gwblhau i'ch athro/athrawes cyn rhoi cynnig ar y gweithgareddau ymarferol.

Fel arall, bydd eich athro/athrawes yn rhoi asesiad risg priodol i chi. Gwisgwch sbectol ddiogelwch drwy gydol y gwaith ymarferol hwn.

Dull

Bydd eich athro/athrawes yn dweud wrthych chi pa halwynau metelau alcalïaidd y gallwch chi eu defnyddio. Mae angen i chi gynllunio tabl addas i gofnodi lliw fflamau pob halwyn metel alcalïaidd yn ôl pob techneg prawf fflam.

Rydym ni'n awgrymu eich bod chi'n cynnal holl brofion yr halwynau lithiwm a photasiwm cyn rhoi cynnig ar yr un o'r halwynau sodiwm — mae'r fflam sodiwm yn tueddu i ddominyddu unrhyw fflam arall, hyd yn oed gyda symiau bach iawn o halwyn sodiwm.

Dull ysgeintio

1 Sicrhewch fod eich llosgydd Bunsen wedi'i osod ar fat gwrth-wres.
2 Defnyddiwch sbatwla i ysgeintio ychydig bach o halwyn metel alcalïaidd i fflam las llosgydd Bunsen fawr o uchder sydd o leiaf 30 cm uwchben y fflam.
3 Arsylwch yr adwaith a chofnodwch eich arsylwadau. (Defnyddiwch y dull hwn ar yr halwynau lithiwm a photasiwm yn gyntaf.)
4 Arsylwch y fflam potasiwm drwy hidlydd cobalt glas os yw fflam felen sodiwm i'w gweld.
5 Ailadroddwch hyn â gwahanol halwynau metelau alcalïaidd.

Dyma weithgaredd sy'n eich helpu i:
★ cynnal prawf fflam
★ cynllunio tabl addas i gofnodi arsylwadau arbrofol
★ arsylwi a chofnodi adweithiau metelau alcalïaidd
★ cymharu tair techneg arbrofol
★ (dewisol) cynhyrchu asesiad risg.

Cyfarpar
* Llosgydd Bunsen
* Mat gwrth-wres
* Amrywiaeth o halwynau lithiwm, sodiwm a photasiwm ar ffurf powdr/grisialau bach, ac amrywiaeth mewn hydoddiannau dyfrllyd mewn poteli chwistrellu/ atomaduron wedi'u labelu
* Nodwyddau/chwiledyddion prawf fflam
* Swm bach o asid hydroclorig 2 M mewn gwydryn oriawr
* Sbatwla
* Hidlyddion gwydr cobalt glas

Dull chwistrellu

Bydd eich technegydd eisoes wedi paratoi (labelu) poteli chwistrellu yn cynnwys hydoddiannau dyfrllyd amrywiol o halwynau metelau alcalïaidd.

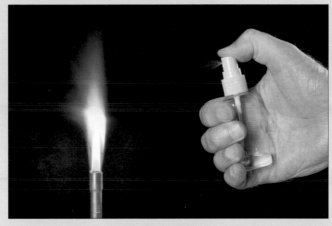

Ffigur 9.10 Techneg prawf fflam chwistrellu.

1 Chwistrellwch y rhain yn uniongyrchol i ochr fflam las llosgydd Bunsen (oddi wrthych chi a phobl eraill yn y dosbarth), o bellter o ryw 15 cm oddi wrth y fflam.
2 Arsylwch yr adwaith a chofnodwch eich arsylwadau. Efallai y bydd angen i chi edrych drwy hidlydd cobalt glas i arsylwi'r halwynau potasiwm.
3 Ailadroddwch hyn â halwynau metelau alcalïaidd eraill.

Dull chwiliedydd fflam

1 Rhowch ben gwifren eich chwiliedydd prawf fflam yn yr asid hydroclorig ac yna yn un o'r powdrau halwyn metel alcalïaidd, gan ofalu bod swm bach o'r halwyn wedi glynu at y chwiliedydd metel.
2 Rhowch yr halwyn metel alcalïaidd ar y chwiliedydd yn rhan boethaf fflam y llosgydd Bunsen.
3 Arsylwch yr adwaith a chofnodwch eich arsylw yn eich tabl.
4 Ailadroddwch hyn â gwahanol halwynau metelau alcalïaidd. Efallai y bydd angen i chi edrych drwy hidlydd cobalt glas i arsylwi'r halwynau potasiwm.
5 Os oes gennych chi amser, efallai y bydd eich athro/athrawes yn gadael i chi ddefnyddio halwynau metelau eraill fel copr neu galsiwm.

Dadansoddi eich canlyniadau

1 Oedd unrhyw wahaniaethau yn lliwiau'r gwahanol halwynau metelau alcalïaidd drwy ddefnyddio'r tri dull gwahanol?
2 Beth oedd y patrymau yn lliwiau'r:
   a halwynau lithiwm
   b halwynau sodiwm
   c halwynau potasiwm?
3 Pa ddull roddodd y canlyniadau gorau yn eich barn chi? Eglurwch eich ateb.
4 Eglurwch sut gallech chi ddefnyddio'r dechneg hon i adnabod unrhyw gydran ïon metel mewn halwyn anhysbys – er enghraifft, pe bai powdr gwyn yn cael ei ddarganfod ar safle trosedd, sut gallai prawf fflam helpu i adnabod y powdr gwyn?

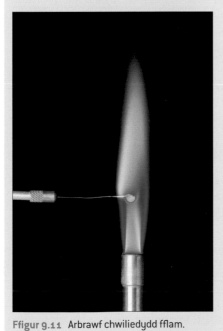

Ffigur 9.11 Arbrawf chwiliedydd fflam.

Rydych chi eisoes wedi gweld adwaith clorin gyda lithiwm a sodiwm. Mae clorin yn un o elfennau Grŵp 7, yr halogenau. Mae Tabl 9.3 yn dangos yr halogenau eraill.

Tabl 9.3 Halogenau.

Halogen	Symbol (rhif màs / symbol / rhif atomig)	Adeiledd electronig
Fflworin	$^{19}_{9}F$	2,7
Clorin	$^{35}_{17}Cl$	2, 8 ,7
Bromin	$^{79}_{35}Br$	2, 8 , ... ,7
Ïodin	$^{127}_{53}I$	2, 8 , ... , ... ,7
Astatin	$^{210}_{85}At$	2, 8 , ... , ... , ... ,7

Ffigur 9.12 Fflworin, clorin, bromin ac ïodin

Adweithiau halogenau â haearn

Mae fflworin yn nwy adweithiol iawn. Bydd gwlân haearn yn byrstio i fflamau pan fydd nwy fflworin yn llifo drosto, a hynny heb iddo gael ei wresogi. Mae'r adwaith yn cynhyrchu halid o'r enw haearn(III) fflworid.

$$\text{haearn} + \text{fflworin} \rightarrow \text{haearn(III) fflworid}$$
$$2Fe(s) + 3F_2(n) \rightarrow 2FeF_3(s)$$

Mewn ysgolion, dydym ni ddim yn cael gwneud adweithiau sy'n cynnwys fflworin. Mae astatin yn solid ymbelydrol, ac eto, chawn ni ddim gwneud arbrofion sy'n defnyddio astatin yn yr ysgol. Rydym ni yn cael cynnal adweithiau sy'n cynnwys clorin, bromin ac ïodin. Un o'r ffyrdd gorau o weld trefn adweithedd yr halogenau yw eu hadweithio â haearn.

GWAITH YMARFEROL ARSYLWI ADWAITH HALOGENAU GYDA HAEARN

Dyma weithgaredd sy'n eich helpu i:
★ arsylwi a chofnodi arsylwadau adweithiau
★ defnyddio arsylwadau adweithiau i ddiddwytho cyfres adweithedd
★ ysgrifennu hafaliadau cemegol cytbwys.

Mae clorin, bromin ac ïodin i gyd yn gemegion eithaf peryglus. Bydd eich athro/athrawes yn arddangos sut mae pob un o'r halogenau hyn yn adweithio â gwlân haearn. Caiff yr arbrofion eu cynnal mewn cwpwrdd gwyntyllu. Arsylwch bob adwaith a defnyddiwch eich arsylwadau i ddiddwytho trefn adweithedd yr halogenau.

Mae disgrifiad rhagorol o'r adweithiau hyn a fideo'n eu harddangos ar gael yn: www.practicalchemistry.org/experiments/halogen-reactions-with-iron,44,EX.html

Cyfarpar yr arddangosiad
* tiwb rhydwytho yn cynnwys gwlân haearn
* generadur clorin
* tiwb berwi gyda swm bach o fromin hylifol yn y gwaelod a gwlân haearn hanner ffordd i fyny'r tiwb
* tiwb berwi gyda swm bach o ïodin yn y gwaelod a gwlân haearn hanner ffordd i fyny'r tiwb
* llosgydd Bunsen

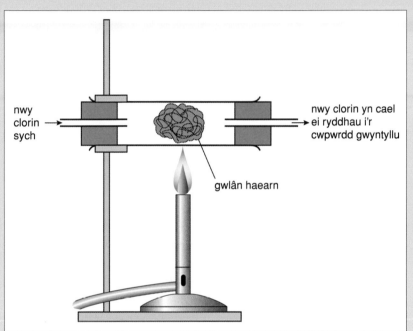

nwy clorin sych

nwy clorin yn cael ei ryddhau i'r cwpwrdd gwyntyllu

gwlân haearn

Ffigur 9.14 Cydosodiad cyfarpar i losgi haearn mewn clorin.

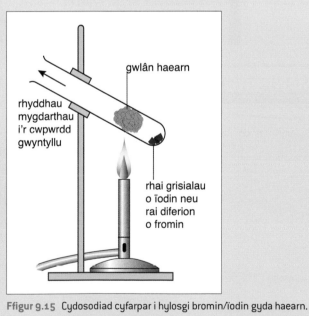

gwlân haearn

rhyddhau mygdarthau i'r cwpwrdd gwyntyllu

rhai grisialau o ïodin neu rai diferion o fromin

Ffigur 9.15 Cydosodiad cyfarpar i hylosgi bromin/ïodin gyda haearn.

parhad...

❗ Asesiad risg

Bydd eich athro/athrawes yn rhoi asesiad risg addas i chi ar gyfer yr arbrawf hwn.

Dull

Bydd eich athro/athrawes yn arddangos sut mae haearn yn adweithio â chlorin. Arsylwch yr adwaith yn ofalus a chofnodwch eich arsylwadau. Yna, bydd eich athro/athrawes yn arddangos sut mae haearn yn adweithio â bromin, ac yna ïodin. Cofnodwch eich arsylwadau o'r adweithiau hyn hefyd.

Dadansoddi eich canlyniadau

Mae'r cwestiynau hyn yn ymwneud ag adweithiau'r halogenau â haearn.

1 Pa halogen adweithiodd fwyaf egnïol â'r gwlân haearn?
2 Trefnwch y tri halogen yn nhrefn eu hadweithedd, o'r mwyaf adweithiol i'r lleiaf adweithiol.
3 Sut mae adweithedd halogenau'n amrywio wrth i chi fynd i lawr Grŵp 7?
4 Ble byddai fflworin ac astatin ar eich cyfres adweithedd halogenau?
5 Ysgrifennwch hafaliadau geiriau a hafaliadau symbolau cytbwys ar gyfer adwaith clorin, bromin ac ïodin gyda haearn.

Adweithiau dadleoli halogenau

Mae halogen mwy adweithiol yn gallu dadleoli halogen llai adweithiol o hydoddiant o'i halwynau. Bydd clorin, yr ail halogen mwyaf adweithiol (ar ôl fflworin), yn dadleoli bromin ac ïodin o hydoddiannau bromid ac ïodid.

$$\text{clorin} + \text{sodiwm bromid} \quad \rightarrow \quad \text{bromin} + \text{sodiwm clorid}$$

$$Cl_2(n) + 2NaBr(\textit{dyfrllyd}) \quad \rightarrow \quad Br_2(h) + 2NaCl(\textit{dyfrllyd})$$

Yn yr un ffordd, mae bromin, sy'n fwy adweithiol nag ïodin, yn dadleoli ïodin o hydoddiannau ïodid.

GWAITH YMARFEROL | ADWEITHIAU DADLEOLI HALOGENAU

Dyma weithgaredd sy'n eich helpu i:
★ arsylwi adweithiau dadleoli halogenau
★ cofnodi arsylwadau arbrofol
★ cadarnhau cyfres adweithedd halogenau
★ ysgrifennu hafaliadau adwaith cemegol cytbwys.

❗ Asesiad risg

Bydd eich athro/athrawes yn rhoi asesiad risg i chi ar gyfer yr arbrawf hwn. Rhaid i chi wisgo sbectol ddiogelwch a pheidiwch â cheisio arogli cynnwys y tiwbiau profi. Golchwch y cynhyrchion i lawr y sinc ar ôl i chi gwblhau'r adweithiau a gwneud yr arsylwadau. Dylai myfyrwyr sydd ag asthma ddefnyddio cwpwrdd gwyntyllu os yw'r tiwbiau profi'n cael eu gwresogi.

Dull

1 Rhowch ychydig o hydoddiant sodiwm bromid neu botasiwm bromid gwanedig mewn tiwb profi, ac ychwanegwch ddŵr clorin fesul diferyn, gan ysgwyd y tiwb yn ysgafn.
2 Sylwch ar liw brown bromin yn datblygu.
3 Ailadroddwch yr arbrawf gan ddefnyddio hydoddiant sodiwm ïodid neu botasiwm ïodid gwanedig.

parhad...

GWAITH YMARFEROL *parhad*

4 Sylwch ar liw melyn-frown yn datblygu wrth i ïodin ffurfio.

5 Os ychwanegwch chi ormod o ddŵr clorin, efallai y gwelwch chi waddod llwyd-ddu o ïodin yn ffurfio.

6 Os gwresogwch chi gynnwys y tiwb yn ysgafn, fe welwch chi liw porffor anwedd ïodin.

7 Gall eich athro/athrawes arddangos dadleoli ïodin o hydoddiant sodiwm neu botasiwm ïodid drwy ddefnyddio dŵr bromin mewn cwpwrdd gwyntyllu.

Cyfarpar

* dŵr clorin a diferydd
* hydoddiannau potasiwm bromid, sodiwm bromid, potasiwm ïodid a sodiwm ïodid
* tiwbiau profi a daliwr
* (ar gyfer arddangosiad dewisol gan yr athro/athrawes) dŵr bromin
* cwpwrdd gwyntyllu (os oes gan rywun asthma)

Cwestiynau

Mae'r cwestiynau hyn yn ymwneud â dadleoli halogenau o'u halwynau halid.

1 Ydy clorin yn dadleoli bromin o hydoddiannau metel bromid ac ïodin o fetel ïodid?

2 Ydy adweithedd yn cynyddu neu'n lleihau wrth i chi fynd i fyny Grŵp 7 y Tabl Cyfnodol? Sut mae canlyniadau ac arsylwadau adweithiau dadleoli halogenau yn ategu hyn?

3 Ysgrifennwch hafaliadau geiriau a hafaliadau symbolau cytbwys ar gyfer defnyddio clorin i ddadleoli bromin o'r hydoddiannau canlynol:
   a sodiwm bromid
   b potasiwm bromid

4 Ysgrifennwch hafaliadau geiriau a hafaliadau symbolau cytbwys ar gyfer defnyddio **clorin**, ac yna **bromin**, i ddadleoli ïodin o'r hydoddiannau canlynol:
   a sodiwm ïodid
   b potasiwm ïodid

5 Beth fyddai'r adwaith rhwng astatin a sodiwm fflworid?

6 Disgrifiwch adwaith fflworin â photasiwm ïodid. Pa arsylwadau y byddech chi'n eu gwneud? Ysgrifennwch hafaliadau geiriau a hafaliadau symbolau cytbwys ar gyfer yr adwaith hwn.

Adnabod halidau

Gallwn ni adnabod metelau alcalïaidd drwy ddefnyddio prawf fflam ar halwyn anhysbys. Os yw'r halwyn yn llosgi â fflam lelog, mae'n cynnwys potasiwm, ac yn y blaen. Mae ffordd debyg o adnabod pa halogen sydd mewn halid drwy gynnal adwaith gwaddod yn defnyddio arian nitrad. Mae ïonau clorid, bromid ac ïodid yn cyfuno ag ïonau arian i ffurfio gwaddodion anhydawdd o arian clorid gwyn, arian bromid lliw melyn golau ac arian ïodid melyn, yn ôl eu trefn. Yr adweithiau hyn yw'r sail i adnabod halwynau halid.

Mae arian nitrad yn cynnwys yr ïon arian, Ag^+, a'r ïon nitrad, NO_3^-. Mae sodiwm clorid yn cynnwys yr ïon sodiwm, Na^+, a'r ïon clorid, Cl^-. Yr adwaith pwysig sy'n digwydd pan mae'r ddau hydoddiant yn adweithio yw'r un rhwng yr ïonau arian a'r ïonau clorid:

$$Ag^+(dyfrllyd) + Cl^-(dyfrllyd) \rightarrow AgCl(s)$$

Mae'r arian clorid yn solid ac mae'n gwaddodi o'r hydoddiant. Mae'r ïonau eraill yn aros mewn hydoddiant.

Dyma weithgaredd sy'n eich helpu i:

★ cynnal y profion cemegol am halidau

★ arsylwi adweithiau cemegol

★ ysgrifennu hafaliadau ïonig cytbwys.

Cyfarpar

* Hydoddiannau: sodiwm clorid; sodiwm bromid; sodiwm ïodid; potasiwm clorid; potasiwm bromid a photasiwm ïodid
* Hydoddiant arian nitrad (peidiwch â defnyddio llawer o'r cemegyn hwn gan ei fod yn ddrud iawn)
* Diferyddion
* Tiwbiau profi a rhesel
* Hydoddiant amonia gwanedig
* Asid nitrig gwanedig

Mae ychwanegu arian nitrad at hydoddiannau halidau sodiwm a photasiwm yn cynhyrchu adweithiau gwaddod sy'n gallu cael eu defnyddio i adnabod cloridau, bromidau ac ïodidau.

Asesiad risg

Bydd eich athro/athrawes yn rhoi asesiad risg i chi ar gyfer yr arbrawf hwn.

Dull

Profi am glorid

1 Rhowch 2 cm^3 o hydoddiant sodiwm clorid gwanedig mewn tiwb profi.

2 Ychwanegwch 2 cm^3 o asid nitrig gwanedig ac yna rhai diferion o hydoddiant arian nitrad gwanedig.

3 Dylai gwaddod gwyn o arian clorid ffurfio sy'n troi'n dywyllach yng ngolau'r haul ac sy'n hydoddi pan gaiff gormodedd o hydoddiant amonia gwanedig ei ychwanegu. Mae hyn yn cadarnhau bod clorid yn bresennol.

4 Gallwch chi wneud hyn heb yr asid nitrig, ond pan mae'r hydoddiant yn anhysbys, dylech chi ei ychwanegu i atal ïonau eraill fel carbonad a hydrocsid rhag ymyrryd â'r adwaith arian nitrad.

Profi am fromid

1 Gwnewch hyn yn union yr un fath â'r prawf clorid uchod, ond gan ddefnyddio bromidau yn lle cloridau.

2 Dylai gwaddod melyn golau o arian bromid gadarnhau bod bromid yn bresennol. Mae'r gwaddod melyn golau hwn yn anhydawdd mewn hydoddiant amonia gwanedig, ond yn hydawdd mewn hydoddiant amonia crynodedig.

Profi am ïodid

1 Gwnewch hyn yn union yr un fath â'r prawf clorid uchod, ond gan ddefnyddio ïodidau yn lle cloridau.

2 Dylai gwaddod melyn o arian ïodid gadarnhau bod ïodid yn bresennol. Mae'r gwaddod melyn hwn yn anhydawdd mewn hydoddiant amonia.

Cwestiynau

1 Beth yw'r prawf am glorid?

2 Sut mae'r profion am fromidau ac ïodidau'n wahanol i'r prawf am gloridau?

3 Pryd mae'n bwysig ychwanegu asid nitrig at y prawf?

4 Ysgrifennwch hafaliadau symbolau ïonig cytbwys ar gyfer y prawf bromid a'r prawf ïodid.

5 Caiff powdr solid gwyn ei roi i chi. Rydych chi'n amau y gallai'r powdr fod naill ai'n botasiwm ïodid neu'n sodiwm clorid. Eglurwch y profion cemegol y byddech chi'n eu cynnal ac ym mha drefn y byddech chi'n eu cynnal nhw, i gadarnhau beth yw'r powdr gwyn anhysbys.

| ## BETH YW'R POWDR?

Dyma weithgaredd sy'n eich helpu i:

★ cynllunio cyfres o brofion cemegol
★ ffurfio a threfnu rhestr o gyfarpar a chemegion
★ cynhyrchu asesiad risg
★ cynnal profion cemegol i adnabod powdr gwyn anhysbys.

Byddwch chi'n cael powdr gwyn anhysbys – efallai na fydd yr un fath â'r powdr a gaiff ei roi i bobl eraill yn eich dosbarth. Mae lle i gredu mai halid metel alcalïaidd yw'r powdr.

Dyluniwch a chynlluniwch gyfres o brofion cemegol i adnabod y powdr gwyn; dylech chi gynnwys diagram llif i ddangos sut byddwch chi'n gwneud y profion.

Cynhyrchwch restr o'r cyfarpar y bydd ei angen arnoch chi a rhowch hon i'ch athro/athrawes neu i'ch technegydd i drefnu'r cyfarpar a'r cemegion angenrheidiol.

Ysgrifennwch asesiad risg ar gyfer y gwaith ymarferol hwn – bydd eich athro/athrawes yn rhoi ffurflen asesiad risg wag addas i chi ynghyd ag unrhyw Hazcards angenrheidiol.

Cwblhewch y gwaith ymarferol ac enwch y powdr gwyn.

Cadarnhewch enw'r powdr gwyn gyda'ch athro/athrawes neu'ch technegydd gwyddoniaeth. Oeddech chi'n gywir?

Crynodeb o'r bennod

- ○ Gallwn ni ymchwilio i adweithiau metelau Grŵp 1 (y metelau alcalïaidd) â'r canlynol er mwyn canfod y duedd yn y grŵp o ran adweithedd:
  - ● ocsigen yn yr aer (tarneisio/cyrydu arwyneb sydd newydd gael ei dorri, a llosgi)
  - ● dŵr
  - ● elfennau Grŵp 7
- ○ Mae lithiwm, sodiwm a photasiwm yn adweithio â dŵr.
- ○ Gallwn ni ymchwilio i adweithiau elfennau Grŵp 7 (yr halogenau) gyda haearn er mwyn canfod y duedd mewn adweithedd o fewn y grŵp.
- ○ Mae tueddiadau adweithedd o fewn Grŵp 1 a Grŵp 7, a gallwn ni ysgrifennu a dehongli hafaliadau geiriau a hafaliadau symbolau cytbwys ar gyfer yr adweithiau uchod.
- ○ Gallwn ni ymchwilio i adweithiau dadleoli elfennau Grŵp 7 er mwyn:
  - ● cadarnhau'r duedd mewn adweithedd o fewn y grŵp
  - ● gwneud rhagfynegiadau'n seiliedig ar y duedd hon
  - ● ysgrifennu a dehongli hafaliadau geiriau a hafaliadau symbolau cytbwys ar gyfer yr adweithiau.
- ○ Mae profion fflam yn canfod presenoldeb ïonau lithiwm, sodiwm a photasiwm.
- ○ Gallwn ni ddefnyddio hydoddiant arian nitrad i ganfod presenoldeb ïonau clorid, bromid ac ïodid.
- ○ Mae hafaliadau ïonig ar gyfer yr adweithiau hyn.
- ○ Mae'r profion uchod yn gallu cael eu defnyddio mewn sefyllfaoedd datrys problemau wrth gynllunio a gweithredu dulliau i adnabod sylweddau.

Bondio cemegol, adeiledd a phriodweddau

Yn y bennod hon, byddwn ni'n darganfod beth yw'r berthynas rhwng priodweddau defnyddiau a'u hadeiledd, a pham mae priodweddau gwahanol gan ddefnyddiau gwahanol. Byddwn ni'n dechrau drwy edrych ar bedwar grŵp cyffredin o ddefnyddiau.

moleciwl cofalent syml	metel
	priodweddau ac adeileddau defnyddiau	
cyfansoddyn ïonig	moleciwl cofalent enfawr

Ffigur 10.1   Copr, sodiwm clorid, dŵr, diemwnt a graffit.

FFEIL FFEITHIAU | COPR – METEL

Priodweddau ffisegol

- **Dargludedd trydanol uchel** – mae cerrynt trydan yn mynd drwy wifrau copr yn rhwydd.
- **Dargludedd thermol uchel** – caiff copr ei ddefnyddio'n aml ar gyfer cyfnewidwyr gwres mewn boeleri ac ar gyfer sosbenni a phedyll.
- **Ymdoddbwynt a berwbwynt uchel** – gallwn ni ddefnyddio copr ar dymereddau uchel mewn sosbenni, pedyll a chydrannau gwres canolog.
- **Hydwyth** – mae'n hawdd tynnu copr yn wifrau.
- **Hydrin** – mae'n hawdd curo neu wasgu copr i siapiau gwahanol parhaol, fel sosbenni, pedyll a chydrannau plymwaith.
- **Gwrthsefyll cyrydu** – mae copr yn isel iawn yn y gyfres adweithedd metelau ac nid yw'n cyrydu'n hawdd.
- **Gwrthfacteria** – mae copr yn rhwystro llawer o wahanol fathau o facteria rhag tyfu, sy'n golygu ei fod yn ddefnyddiol iawn at ddibenion paratoi bwyd a systemau dŵr.
- **Gwydn** – dydy copr ddim yn torri'n hawdd dan ddiriant, sy'n golygu ei fod yn ddefnyddiol i wneud offer.
- **Anfagnetig** – dydy hi ddim yn bosibl magneteiddio copr, sy'n golygu ei fod yn ddefnyddiol iawn mewn offer arbenigol ac at ddibenion milwrol.
- **Hawdd gwneud aloion ohono** – mae'n hawdd ffurfio aloion rhwng copr a metelau eraill. Mae'n gwneud pres mewn aloi â sinc, mae'n gwneud efydd mewn aloi â thun ac mae'n gwneud nicel coprog mewn aloi â nicel; mae gan yr aloion hyn i gyd lawer o briodweddau defnyddiol.
- **Lliw deniadol** – mae gan gopr a'i aloion arwynebau deniadol, sgleiniog sydd ddim yn tarneisio, sy'n golygu eu bod nhw'n ddefnyddiol ar gyfer addurniadau a gemwaith.
- **Ailgylchu** – mae'n bosibl ailgylchu copr heb effeithio ar ei briodweddau o gwbl. Mae dros 40% o'r copr sy'n cael ei werthu ar y farchnad fyd-eang wedi cael ei ailgylchu. Mae gwerth copr wedi'i ailgylchu tua 95% o werth copr newydd.
- Mae copr yn dangos nifer o'r priodweddau clasurol sy'n gysylltiedig â metelau. Ei brif wendid yw diffyg **cryfder**. Gan ei fod yn hydwyth ac yn hydrin, mae'n eithaf hawdd ei anffurfio, sy'n golygu nad yw copr yn fetel adeileddol da iawn, yn wahanol i ddur (sy'n gryf iawn).

Adeiledd copr

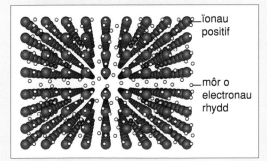

Ffigur 10.2 Adeiledd metelig copr.

Mae gan gopr solet, fel pob metel solet, adeiledd ar ffurf **dellten** (arae reolaidd 3 dimensiwn) o **ïonau positif** y mae '**môr**' o **electronau rhydd** yn gallu symud drwyddo. Mae'r ïonau positif a'r 'môr' o electronau'n rhyngweithio i ffurfio

parhad...

bondiau metelig. Yr electronau rhydd yw electronau allanol yr atomau copr, sy'n cael eu tynnu oddi ar yr atomau pan maen nhw'n rhewi at ei gilydd i wneud y copr solet; mae gweddill yr atom yn ffurfio'r creiddiau ïonau positif.

Defnyddio'r model adeileddol i egluro'r prif briodweddau ffisegol

Mae'r model dellten/electronau rhydd yn egluro dargludedd trydanol a thermol uchel metelau, gan gynnwys copr. Mae'r môr o electronau rhydd yn gallu symud yn rhwydd drwy adeiledd y metel. Mae electronau'n cludo gwefr negatif, felly cerrynt trydanol yw symudiad yr electronau rhydd drwy'r adeiledd – o negatif i bositif. Mae'r ïonau positif yn agos at ei gilydd ac mae bondiau metelig yn eu bondio nhw. Mae'n hawdd i'r adeiledd basio dirgryniad gronynnau poeth o un gronyn i'r gronyn nesaf; hefyd, mae'r electronau rhydd yn gallu symud yn gynt wrth iddynt gael eu gwresogi gan drosglwyddo'r gwres o boeth i oer drwy'r adeiledd – mae hyn yn egluro pam mae metelau'n ddargludyddion thermol da. Mae trefn yr ïonau positif mewn copr a nifer yr electronau rhydd yn golygu bod copr yn arbennig o dda am ddargludo trydan a gwres.

Pwynt Trafod

Efallai y bydd eich athro/athrawes yn dangos animeiddiad o ddargludiad trydan mewn metel. Sut mae dargludedd metel yn newid yn ôl tymheredd, dimensiynau'r wifren a'r defnydd mae'r wifren wedi'i gwneud ohono?

CWESTIYNAU

1. Beth yw dwy briodwedd bwysicaf metelau?
2. Pa briodweddau sy'n gwneud copr yn ddefnydd mor dda i wneud peipiau dŵr?
3. Pam mae gwifrau cysylltu trydanol wedi'u gwneud o linynnau copr?
4. Pam mae metelau mor dda am ddargludo trydan?
5. Disgrifiwch sut gallwn ni ddefnyddio'r model 'ïonau positif/electronau rhydd' i egluro priodweddau ffisegol copr:
   a Ymdoddbwynt a berwbwynt uchel
   b Hydwythedd
   c Hydrinedd
   ch Gwytnwch

SODIWM CLORID (HALEN CYFFREDIN) – CYFANSODDYN ÏONIG

Ffigur 10.3 Grisialau halen.

Priodweddau ffisegol

- **Ymdoddbwynt uchel.**
- **Dydy** sodiwm clorid **solet ddim yn dargludo trydan.**
- Mae sodiwm clorid **tawdd neu ddyfrllyd** (wedi'i hydoddi mewn dŵr) **yn dargludo trydan** – yn aml, caiff sodiwm clorid ei ddefnyddio fel electrolyt mewn celloedd cemegol.
- **Hydawdd mewn dŵr** (anhydawdd mewn hydoddyddion organig) – caiff sodiwm clorid ei ddefnyddio fel cyflasyn a chyffeithydd mewn bwyd.
- **Brau.**

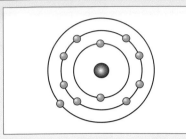

Ffigur 10.4 Atom sodiwm.

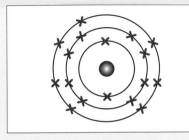

Ffigur 10.5 Atom clorin.

Adeiledd sodiwm clorid

Mae sodiwm clorid yn enghraifft glasurol o gyfansoddyn ïonig. Mae adeiledd electronig 2,8,1 gan atom sodiwm (gweler Ffigur 10.4). Mae adeiledd electronig 2,8,7 gan atom clorin (gweler Ffigur 10.5).

Pan mae sodiwm yn adweithio â chlorin i wneud sodiwm clorid, bydd yr atom sodiwm eisiau colli ei electron mwyaf allanol (i wneud ei adeiledd electronig yr un fath ag adeiledd y nwy nobl neon), a bydd clorin eisiau ennill electron (i wneud ei adeiledd electronig yr un fath ag adeiledd y nwy nobl argon – mae adeileddau electronig arbennig o sefydlog gan nwyon nobl). Bydd yr atom sodiwm yn troi'n ïon sodiwm, Na^+ (gan ei fod wedi colli electron), a bydd yr atom clorin yn troi'n ïon clorid, Cl^- (gan ei fod wedi ennill electron). Mae Ffigur 10.6 yn dangos y broses hon.

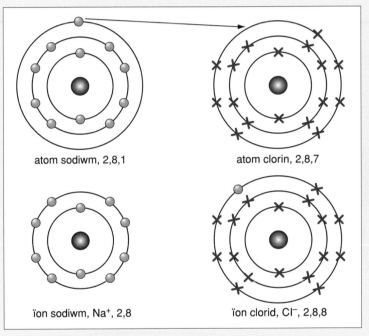

atom sodiwm, 2,8,1   atom clorin, 2,8,7

ïon sodiwm, Na^+, 2,8   ïon clorid, Cl^-, 2,8,8

Ffigur 10.6 Ffurfiant sodiwm clorid drwy drosglwyddo electron.

Mae'r halwyn, sodiwm clorid, yn cynnwys ïonau sodiwm wedi'u gwefru'n bositif ac ïonau clorid wedi'u gwefru'n negatif. Gan fod sodiwm clorid solet yn drydanol niwtral, rhaid bod ganddo'r un nifer o ïonau sodiwm ac ïonau clorid. Mae cyfanswm y gwefrau positif yn canslo cyfanswm y gwefrau negatif. Fformiwla sodiwm clorid yw NaCl. Mae gwefrau positif yn atynnu gwefrau negatif yn gryf (yr enw ar hyn yw **atyniad electrostatig**), ac mae'r miliynau o ïonau sodiwm a chlorid mewn grisial sodiwm clorid yn cael eu dal at ei gilydd mewn dellten reolaidd 3 dimensiwn (adeiledd rheolaidd, ailadroddol) gan y grymoedd electrostatig cryf hyn (gweler Ffigurau 10.7 a 10.8).

Mae'r ïonau mewn grisialau sodiwm clorid wedi'u trefnu mewn dellten **giwbig**, lle mae pob ïon wedi'i amgylchynu gan y chwe chymydog agosaf sydd â gwefr ddirgroes – maen nhw'n ffurfio corneli ciwb. Mae Ffigur 10.7 yn dangos hyn. Mae Ffigur 10.8 yn dangos y ffordd symlaf o luniadu trefn yr ïonau yn y ddellten – hon yw **cell uned** sodiwm clorid.

parhad...

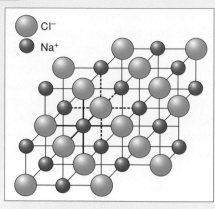

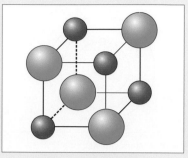

Ffigur 10.8 Rhan o ddellten sodiwm clorid

Ffigur 10.7 Dellten ïonau sodiwm clorid.

Defnyddio'r model adeileddol i egluro'r prif briodweddau ffisegol

Mae ymdoddbwyntiau uchel cyfansoddion ïonig, a sodiwm clorid yn enwedig, yn cael eu hegluro gan y ffaith bod grymoedd electrostatig cryf iawn rhwng yr ïonau sodiwm a'r ïonau clorid – mae angen llawer o egni i oresgyn y rhain. Gallwn ni ddarparu'r egni hwn drwy wresogi, ond mae angen tymheredd uchel i roi digon o egni i dorri'r bondiau electrostatig. Dydy cyfansoddion ïonig solet ddim yn dargludo trydan oherwydd mae'r ïonau sodiwm a'r ïonau clorid wedi'u dal mewn safleoedd penodol yn eu dellten a dydyn nhw ddim yn rhydd i symud. Os nad oes gronynnau â gwefr yn symud, does dim dargludedd trydanol. Pan mae cyfansoddion ïonig yn dawdd, neu pan maen nhw wedi'u hydoddi mewn dŵr, maen nhw'n dargludo trydan oherwydd mae'r ddellten yn ymddatod ac mae'r ïonau'n rhydd i symud – mae'r ïonau sy'n symud yn creu cerrynt trydanol.

Mae breuder yn un o briodweddau nodweddiadol sylweddau ïonig. Os caiff grisial ei roi dan ddiriant, gan symud yr haenau ïonau ychydig, bydd yr haenau ïonau'n tueddu i neidio dros ei gilydd (Ffigur 10.9). Bydd hyn yn rhoi ïonau â'r un wefr wrth ochr ei gilydd a byddan nhw'n gwrthyrru ei gilydd. Bydd y grisial yn torri yn hytrach nag ymestyn.

diriant →

Ffigur 10.9 Mae halen yn frau.

Pwynt Trafod

Mae halen yn anhygoel o bwysig i ni fel bodau dynol. Darganfyddwch pam mae ein cyrff yn dibynnu cymaint ar halen a pham mae'n bwysig rheoli faint o halen sydd yn y bwyd rydym ni'n ei fwyta.

CWESTIYNAU

6 Sut caiff **ïonau** sodiwm a chlorid eu ffurfio o **atomau** sodiwm a chlorin?

7 Pam mae sodiwm clorid (halen cyffredin) yn cael ei ddefnyddio fel cyflasyn a chyffeithydd mewn bwyd?

8 Eglurwch pam mae grisialau sodiwm clorid yn frau.

9 Beth sy'n digwydd pan mae grisialau sodiwm clorid yn cael eu hychwanegu at ddŵr?

10 Mae sodiwm clorid tawdd a solet yn cynnwys yr un ïonau sodiwm a chlorid. Pam mae sodiwm clorid tawdd yn dargludo trydan, ond dydy sodiwm clorid solet ddim yn dargludo trydan?

11 Mae calsiwm ocsid yn gyfansoddyn ïonig arall. Mae dau electron ym mhlisgyn allanol calsiwm, ac mae chwe electron ym mhlisgyn allanol ocsigen. Lluniwch ddiagramau dot a chroes i ddangos sut mae calsiwm ocsid yn cael ei ffurfio pan fydd electronau'n cael eu trosglwyddo o atomau calsiwm i atomau ocsigen.

12 Lluniwch ddiagramau dot a chroes i ddangos sut mae'r cyfansoddion canlynol yn cael eu ffurfio:

a Lithiwm fflworid o lithiwm a fflworin

b Sodiwm sylffid o sodiwm a sylffwr

c Magnesiwm clorid o fagnesiwm a chlorin.

DŴR – MOLECIWL COFALENT SYML

Ffigur 10.10 Dŵr ar ffurf solid, hylif a nwy (rhew, dŵr ac ager).

Priodweddau ffisegol

- **Ymdoddbwynt (a berwbwynt) isel.**
- **Hylif ar dymheredd ystafell** – mae'r rhan fwyaf o foleciwlau cofalent syml yn nwyon neu'n hylifau ar dymheredd ystafell.
- **Dargludydd trydan gwael** – dydy'r rhan fwyaf o foleciwlau cofalent syml ddim yn dargludo.
- **Hydoddydd rhagorol** – mae'r rhan fwyaf o foleciwlau cofalent syml yn hydawdd mewn dŵr.

Adeiledd dŵr

Mae dŵr yn enghraifft o gyfansoddyn moleciwlaidd cofalent, ac mae pob un o'r rhain yn bodoli ar ffurf gronynnau niwtral o'r enw moleciwlau. Caiff moleciwlau eu ffurfio o atomau pan maen nhw'n rhannu electronau. Mae bond cofalent yn ffurfio pan mae dau atom yn rhannu pâr o electronau. Pan mae moleciwlau dŵr yn ffurfio wrth i hydrogen adweithio ag ocsigen, mae dau atom hydrogen yn uno ag un atom ocsigen. Mae un electron ym mhlisgyn allanol hydrogen, ac mae angen un arall i gael dau (yr un nifer â'r nwy nobl heliwm). Mae chwe electron ym mhlisgyn allanol ocsigen, ac mae angen cael dau arall i gyrraedd yr un nifer â'r nwy nobl neon.

Mae Ffigur 10.11 yn dangos diagram dot a chroes hydrogen ac ocsigen yn ffurfio dŵr. Mae'r atom ocsigen a'r ddau atom hydrogen yn rhannu electronau – yna mae plisgyn electronau allanol llawn gan bob atom.

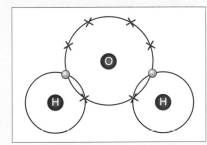

Ffigur 10.11 Moleciwl dŵr.

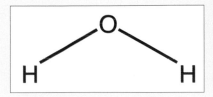

Ffigur 10.12 Fformiwla adeileddol dŵr.

Defnyddio'r model adeileddol i egluro'r prif briodweddau ffisegol

Pâr o electronau sy'n cael ei rannu rhwng dau atom yw'r bond cofalent. Mae bondiau cofalent yn gryf iawn. Mae'n cymryd llawer o egni i'w torri. Fodd bynnag, dim ond atyniad gwan iawn sydd rhwng y moleciwlau, gan fod pob moleciwl yn niwtral. Mae hyn yn golygu bod gan sylweddau cofalent solet ymdoddbwyntiau isel, oherwydd does dim angen llawer o egni o gwbl i wahanu'r moleciwlau a throi'r solid yn hylif. Mae'r grymoedd rhyngfoleciwlaidd gwan hyn yn egluro pam mae cymaint o gyfansoddion cofalent fel dŵr yn hylifau neu'n nwyon ar dymheredd ystafell. Fel rheol, caiff bondiau cofalent eu cynrychioli gan linell rhwng yr atomau i ddangos ble mae'r bond. Enw'r math hwn o ddiagram yw fformiwla adeileddol, ac er bod y moleciwlau eu hunain mewn 3 dimensiwn, caiff fformiwlâu adeileddol eu lluniadu mewn dau ddimensiwn fel rheol. Mae Ffigur 10.12 yn dangos fformiwla adeileddol dŵr.

Mae dŵr yn foleciwl anarferol mewn llawer o ffyrdd. Darganfyddwch rai o briodweddau dŵr sy'n ei wneud yn wahanol i gyfansoddion moleciwlaidd syml eraill. Er enghraifft, pam mae dŵr yn dargludo trydan o gwbl, a pham mae rhew'n arnofio?

CWESTIYNAU

13 Beth yw bond cofalent?

14 Sut mae dŵr yn cael ei ffurfio o hydrogen ac ocsigen?

15 Pam mae dŵr yn hylif ar dymheredd ystafell?

16 Pam mae dŵr yn ddargludydd trydan gwael?

17 Lluniwch ddiagramau dot a chroes i ddangos y bondiau cofalent yn y moleciwlau canlynol:

  a hydrogen clorid

  b amonia

  c methan

18 Mae rhai atomau'n gallu ffurfio bondiau cofalent dwbl. Yn y moleciwlau hyn, mae pob atom yn rhannu pedwar electron (mewn dau bâr). Mae carbon deuocsid yn enghraifft o foleciwl sy'n cynnwys bondiau cofalent dwbl.

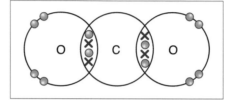

Lluniwch ddiagramau dot a chroes a fformiwlâu adeileddol y moleciwlau canlynol sy'n cynnwys bondiau cofalent dwbl:

  a sylffwr deuocsid

  b nwy ocsigen

FFEIL FFEITHIAU — DIEMWNT A GRAFFIT – SYLWEDDAU COFALENT ENFAWR

Ffigur 10.13 Diemwnt a graffit.

Tabl 10.1 Priodweddau ffisegol diemwnt a graffit.

Priodweddau ffisegol diemwnt	Priodweddau ffisegol graffit
Tryloyw a grisialog – yn cael ei ddefnyddio fel carreg mewn gemwaith	**Solid sgleiniog llwyd/du**
Caled dros ben – yn cael ei ddefnyddio i dorri gwydr, a chaiff diemwntau diwydiannol bach eu defnyddio mewn ebillion dril i archwilio am olew ac ati.	**Meddal iawn** – yn cael ei ddefnyddio fel iraid ac mewn pensiliau (y meddalaf yw'r pensil, y mwyaf o graffit sydd yn y 'plwm')
Ynysydd trydanol	**Anfetel sy'n dargludo trydan**. Caiff graffit ei ddefnyddio i wneud electrodau mewn rhai prosesau gweithgynhyrchu
Ymdoddbwynt uchel iawn, dros 3500 °C	**Ymdoddbwynt uchel iawn**, dros 3600 °C

Adeiledd diemwnt a graffit

Mae rhai sylweddau cofalent yn bodoli ar ffurf adeileddau enfawr ag ymdoddbwyntiau uchel, oherwydd mae'r atomau i gyd wedi'u dal at ei gilydd gan fondiau cofalent cryf iawn. Mae graffit a diemwnt yn enghreifftiau o adeileddau cofalent enfawr. Mae diemwnt a graffit yn ddwy ffurf ffisegol wahanol o garbon – enw'r rhain yw **alotropau** (ffurfiau ffisegol gwahanol o'r un sylwedd). Mae diemwnt a graffit ill dau'n cynnwys bondiau cofalent rhwng atomau carbon.

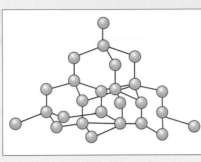

Ffigur 10.14 Adeiledd diemwnt.

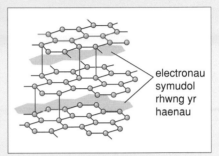

electronau symudol rhwng yr haenau

Ffigur 10.15 Adeiledd graffit.

Mae'r atomau carbon mewn diemwnt i gyd wedi'u cysylltu â phedwar atom carbon arall gan fond cofalent cryf. Mae'r adeiledd yn ddellten 3 dimensiwn yn seiliedig ar gell uned detrahedrol, gyda phob atom carbon ar gornel tetrahedron (gweler Ffigur 10.16).

Mae graffit, ar y llaw arall, wedi'i wneud o haenau o atomau carbon, wedi'u trefnu mewn cylchoedd hecsagonol. Mae pob atom carbon yn ffurfio bond cofalent cryf â thri arall yn yr un haen. Fodd bynnag, mae'r bondiau rhwng yr haenau'n eithaf gwan ac yn galluogi'r haenau o gylchoedd hecsagonol i lithro dros ei gilydd.

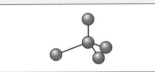

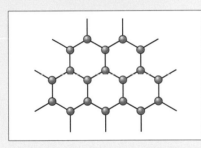

Ffigur 10.16 Cell uned detrahedrol diemwnt.

Ffigur 10.17 Adeiledd haenau hecsagonol graffit.

Defnyddio'r modelau adeileddol i egluro'r prif briodweddau ffisegol

Mae'r atomau carbon yn yr haenau o graffit wedi'u dal at ei gilydd gan dri bond cofalent cryf, sy'n ffurfio'r haen o gylchoedd hecsagonol. Mae carbon yn elfen Grŵp 4, felly mae ganddo bedwar electron allanol; mae angen iddo rannu pedwar electron arall i gael plisgyn electronau allanol llawn. Mae'n cael tri o'r electronau hyn o'r atomau carbon yn y cylch hecsagonol. Mae'r pedwerydd electron o bob atom, sydd ddim yn cael ei ddefnyddio yn y bondiau **o fewn** yr haenau, yn ymuno â system ddadleoledig o electronau **rhwng** yr haenau o atomau carbon. Mae graffit yn dargludo trydan yn eithaf da ar hyd yr haenau gan fod ganddo electronau wedi'u gwefru sy'n rhydd i symud, gan ffurfio cerrynt trydanol. Dydy graffit ddim yn dargludo trydan ar draws yr haenau. Mae'r haenau hecsagonol mewn graffit yn gallu llithro ar draws ei gilydd (oherwydd mae'r bondiau rhwng yr haenau'n wan iawn), sy'n rhoi teimlad llithrig a phriodweddau iro i'r graffit. Mae bondiau cofalent cryf yn dal yr atomau carbon at ei gilydd, felly dydy gwres ddim yn cael llawer o effaith ar graffit ac mae ei ymdoddbwynt yn uchel.

Mewn diemwnt, mae'r pedwar electron allanol i gyd yn bondio'n gofalent â phedwar atom carbon arall. Canlyniad hyn yw adeiledd cofalent anhyblyg enfawr. Does dim electronau rhydd i ddargludo trydan. Dyma beth sy'n gwneud diemwnt yn anhygoel o galed ac yn rhoi ymdoddbwynt uchel iddo, oherwydd mae angen llawer o egni i dorri'r ddellten. Yn wahanol i graffit, mae diemwnt yn ddefnydd tryloyw.

CWESTIYNAU

19 Beth yw alotrop?

20 Sut mae adeileddau graffit a diemwnt yn wahanol?

21 Pam mae ymdoddbwyntiau uchel iawn gan ddiemwnt a graffit?

22 Pam mae diemwnt yn galed, ond graffit yn feddal?

23 Eglurwch pam mae graffit yn anfetel, er ei fod yn dargludo trydan.

Pwynt Trafod

Mae alotropau'n bodoli mewn elfennau eraill hefyd. Chwiliwch am wybodaeth am alotropau gwahanol yr elfennau canlynol:

- ffosfforws
- ocsigen
- sylffwr
- tun

GWAITH YMARFEROL · GWNEUD MODELAU MOLECIWLAIDD

Dyma weithgaredd sy'n eich helpu i:
★ gwneud modelau adeileddol o ddefnyddiau.

Bydd eich athro/athrawes yn rhoi pecyn modelu moleciwlau i chi fel pecyn Molymod®. Eich tasg chi yw defnyddio'r pecyn i wneud enghreifftiau o'r defnyddiau canlynol:

1 Cell uned sodiwm clorid

2 Cell uned diemwnt

3 Cell uned hecsagonol graffit

Lluniwch ddiagram wedi'i labelu i ddangos darnau cydrannol pob adeiledd.

Nanotiwbiau carbon

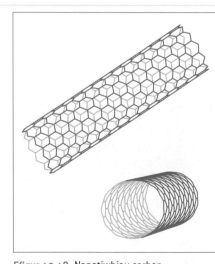

Ffigur 10.18 Nanotiwbiau carbon.

Mae nanotiwbiau carbon hefyd yn alotrop carbon. Maen nhw wedi'u gwneud o diwbiau graddfa-foleciwlaidd o ffurf o garbon tebyg i graffit, ac mae ganddynt briodweddau arbennig. Mae nanotiwbiau carbon ymysg y ffibrau cryfaf a mwyaf anystwyth sy'n hysbys i ni (maen nhw'n gallu bod pum gwaith yn gryfach na dur) ac mae ganddynt briodweddau electronig anhygoel: gan ddibynnu ar eu hunion adeiledd, gallant ddargludo trydan yn well na chopr – a hyn i gyd mewn tiwb sydd tua 10 000 gwaith yn fwy tenau na blewyn dynol.

Caiff nanotiwbiau carbon eu ffurfio pan mae haenau graffit yn ffurfio ac yna'n rholio i wneud tiwbiau yn lle cael eu gosod mewn haenau. Mae bondiau cofalent yr haenau carbon hecsagonol yn golygu bod nanotiwbiau carbon yn anhygoel o gryf, ac mae'r electronau rhydd yn golygu eu bod nhw'n dargludo trydan yn dda. Un ffordd arfaethedig o ddefnyddio nanotiwbiau carbon yw ar gyfer cysylltiadau mewn cylchedau electronig bach iawn. Wrth i gylchedau electronig fynd yn llai, dydy cysylltiadau confensiynol ddim yn ymarferol, ac efallai mai technoleg nanotiwbiau fydd yr ateb. Y broblem ar hyn o bryd yw trefnu miloedd o nanotiwbiau mewn patrwm diffiniedig i wneud cylched – dydy'r dechnoleg ddim yn gadael i ni wneud hyn eto. Hyd yma, mae'r defnydd o nanotiwbiau carbon ar y cyfan yn seiliedig ar eu cryfder. Caiff defnyddiau swmp eu gwneud o fàs o nanotiwbiau a'u defnyddio ar gyfer cydrannau beiciau, cyrff cychod a resinau epocsi i fondio cydrannau perfformiad uchel mewn tyrbinau gwynt a chyfarpar chwaraeon.

Mae nanotiwbiau carbon hefyd wedi cael eu defnyddio mewn microsgopau grym atomig, mewn sgaffaldiau ar gyfer meinwe esgyrn ac wrth drin canser.

Ffigur 10.19 Beic wedi'i wneud o nanotiwbiau carbon.

CWESTIYNAU

24 Beth yw nanotiwbiau carbon?

25 Pam mae defnyddiau sydd wedi'u gwneud o nanotiwbiau carbon yn ddewis da ar gyfer cydrannau beic?

26 Pam mae nanotiwbiau carbon yn dargludo trydan? Sut gallem ni eu defnyddio fel cysylltiadau trydanol mewn dyfeisiau electronig?

Pwynt Trafod

Mae nanotiwbiau carbon yn sicr yn ddefnydd ar gyfer y dyfodol — allwch chi feddwl am ffyrdd da o ddefnyddio defnydd sy'n ysgafn iawn, yn anhygoel o gryf ac yn dargludo trydan?

Beth yw defnyddiau clyfar? Pam defnyddio'r gair 'clyfar'? Mae gan ddefnyddiau clyfar briodweddau sy'n newid gyda newid yn eu hamgylchoedd ond sydd hefyd yn gildroadwy (yn gallu newid yn ôl). Mae pigmentau clyfar, er enghraifft, sy'n cael eu defnyddio mewn rhai paentiau, yn newid lliw.

Mae **pigmentau thermocromig** yn ddefnyddiau sy'n sail i baentiau arbennig sy'n newid eu lliw ar dymheredd penodol.

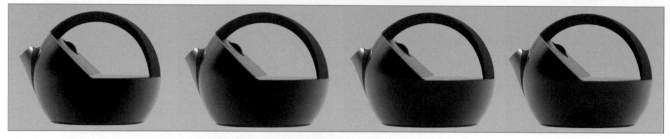

Ffigur 10.20 Paent thermocromig: mae'r tegell yn newid lliw wrth iddo boethi.

Mae'r rhan fwyaf o ddefnyddiau thermocromig yn seiliedig ar dechnoleg grisialau hylif, yn debyg i'r defnyddiau sy'n cael eu defnyddio mewn setiau teledu sgrin fflat. Ar dymheredd penodol, mae'r grisialau hylif yn aildrefnu eu hunain ac mae'r lliw i bob golwg yn newid. Pan mae'r tymheredd yn gostwng, maen nhw'n mynd yn ôl i'w siâp a'u lliw gwreiddiol. Mae pigmentau thermocromig wedi cael eu defnyddio mewn mygiau sy'n newid lliw pan mae hylif poeth ynddynt, mewn dangosyddion pŵer batri ac mewn crysau T sy'n newid lliw gan ddibynnu ar dymheredd y corff!

Mae **pigmentau ffotocromig** yn newid lliw yn ôl arddwysedd golau. Mae pigmentau ffotocromig yn cynnwys moleciwlau organig arbennig sy'n newid lliw mewn golau, yn enwedig golau uwchfioled. Mae'r golau'n torri bond yn y moleciwl, sydd yna'n aildrefnu ei hun, gan ffurfio moleciwl sydd â lliw gwahanol. Pan gaiff y moleciwl ei symud o'r golau, mae'n mynd yn ôl i'w ffurf wreiddiol. Fel rheol, bydd gwneuthurwyr yn cynnig pedwar lliw sylfaenol – fioled, glas, melyn a choch – ac mae'n bosibl gwneud lliwiau eraill drwy gymysgu'r rhain.

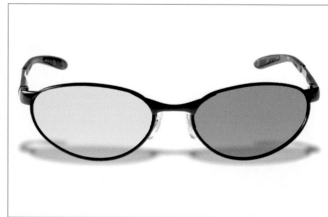

Ffigur 10.21 Crysau T a lensys ffotocromig.

Mae pigmentau ffotocromig wedi cael eu defnyddio mewn crysau T, ond efallai mai'r ffordd fwyaf cyffredin o'u defnyddio yw yn y lensys mewn sbectol ffotocromig (Ffigur 10.21).

Mae **polymerau sy'n cofio siâp** yn 'blastigion' sy'n gallu adennill eu siâp gwreiddiol wrth gael eu gwresogi. Mae'r polymerau hyn rywle rhwng thermoplastigion a thermosetiau. Pan gaiff ei wresogi am y tro cyntaf mae'r polymer yn meddalu, a gall gael ei estyn neu ei anffurfio – neu ei wasgu i siâp penodol gan beiriant. Pan fydd yn oeri, mae'n cadw ei siâp newydd. Pan gaiff ei wresogi eto, mae'n 'cofio' ei siâp gwreiddiol ac yn mynd yn ôl i'r siâp hwnnw. Enw'r briodwedd hon yw dargadwedd siâp. Mae polymerau sy'n cofio siâp yn cael eu defnyddio yn y diwydiant adeiladu i selio o gwmpas fframiau ffenestri ac i gynhyrchu dillad chwaraeon fel helmedau a thariannau ceg.

Dwy ffordd bosibl o ddefnyddio'r rhain yw i dynnu tolc o gorff car plastig drwy ei wresogi, ac i wneud pwythau meddygol sy'n addasu'n awtomatig i'r tensiwn cywir ac yn fioddiraddadwy, fel na fydd angen llawdriniaeth i'w tynnu.

Mae **aloion sy'n cofio siâp** yn aloion metel sydd hefyd yn adennill eu siâp gwreiddiol wrth gael eu gwresogi (fel polymerau sy'n cofio siâp). Mae rhai aloion, yn enwedig rhai aloion nicel/titaniwm (sy'n aml yn cael eu galw'n NiTi neu'n nitinol) ac aloion copr/alwminiwm/nicel, yn dangos dwy briodwedd arbennig: ffug-elastigedd (mae'n ymddangos eu bod nhw'n elastig), a dargadwedd siâp (os ydynt wedi cael eu hanffurfio, maen nhw'n dychwelyd i'w siâp gwreiddiol ar ôl cael eu gwresogi).

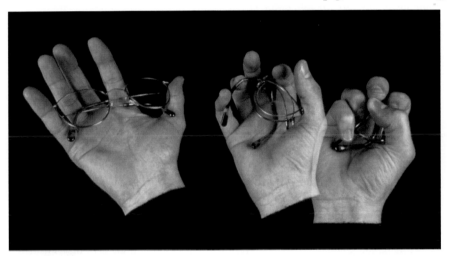

Ffigur 10.22 Sbectol sy'n gallu cael ei hanffurfio.

Rhai ffyrdd o ddefnyddio'r rhain yw mewn fframiau sbectol sy'n gallu cael eu hanffurfio (Ffigur 10.22); platiau llawfeddygol i uno toresgyrn (wrth i'r corff gynhesu'r platiau, maen nhw'n rhoi mwy o dyniant ar y torasgwrn na phlatiau confensiynol); gwifrau llawfeddygol sy'n cymryd lle tendonau; thermostatau i ddyfeisiau trydanol fel potiau coffi; ac yn y diwydiant awyrennau, er enghraifft, gellir defnyddio cerrynt trydanol i wresogi gwifrau aloi sy'n cofio siâp i wneud iddynt symud fflapiau adenydd yn lle'r systemau hydrolig confensiynol.

Mae **hydrogeliau** yn bolymerau sy'n amsugno neu'n allyrru dŵr ac yn chwyddo neu'n crebachu (hyd at 1000 gwaith eu cyfaint) oherwydd newidiadau mewn pH neu dymheredd. Mae hydrogeliau yn bolymerau sydd wedi'u trawsgysylltu ac sydd, oherwydd natur agored yr adeiledd trawsgysylltiedig, yn galluogi amsugno dŵr (neu rai hydoddiannau dyfrllyd) i'r adeiledd gan achosi i'r adeiledd chwyddo. Mae newidiadau bach i'r ysgogiad (naill ai pH neu dymheredd) yn rheoli faint maen nhw'n chwyddo neu'n crebachu.

Rhai ffyrdd o ddefnyddio'r rhain yw: cyhyrau artiffisial; rhwystro dŵr dan ddaear yn y diwydiant olew (drwy reoli cyfaint y gel â pH); ysgogyddion robotig (sydd mewn rhai achosion yn fwy effeithiol nag aloion sy'n cofio siâp); a thai sydd dan fygythiad gan danau coedwig lle gall hydrogeliau fod yn fwy effeithiol nag ewyn diffodd tân.

CWESTIYNAU

27 Beth yw 'defnydd clyfar'?

28 Eglurwch y gwahaniaeth rhwng:

   a pigment **thermocromig** a phigment **ffotocromig**

   b **polymer** sy'n cofio siâp ac **aloi** sy'n cofio siâp

29 Sut gallwn ni wneud i hydrogeliau amsugno mwy neu lai o ddŵr?

30 Eglurwch pam mae defnyddiau clyfar yn cael eu defnyddio i gynhyrchu:

   a sbectol hyblyg ffotocromig

   b tariannau ceg ar gyfer chwaraeon

   c dangosyddion pŵer batri

   ch crysau T â nodweddion arbennig

Crynodeb o'r bennod

○ Mae priodweddau gwahanol gan fetelau, cyfansoddion ïonig, sylweddau cofalent moleciwlaidd syml a sylweddau cofalent enfawr.

○ Gallwn ni ddefnyddio'r model adeileddol o 'fôr' o electronau/dellten o ïonau positif i egluro priodweddau ffisegol metelau.

○ Mae adeiledd electronig atomau'n gallu helpu i egluro sut caiff ïonau eu ffurfio.

○ Mae diagramau dot a chroes yn gallu dangos sut mae bondio ïonig yn digwydd mewn cyfansoddion deuaidd syml wedi'u ffurfio o elfennau Grŵp 1 neu 2 ac elfennau o Grŵp 6 neu 7.

○ Mae'r model adeileddol sydd wedi'i dderbyn ar gyfer adeileddau ïonig enfawr yn egluro priodweddau ffisegol sylweddau ïonig.

○ Mae adeiledd electronig atomau'n gallu helpu i egluro sut caiff bondiau cofalent eu ffurfio.

○ Mae diagramau dot a chroes yn gallu dangos y bondio cofalent mewn moleciwlau syml, gan gynnwys enghreifftiau sy'n cynnwys bondiau dwbl.

○ Mae'r model adeileddol o fondio rhyngfoleciwlaidd mewn adeileddau moleciwlaidd syml yn gallu helpu i egluro priodweddau ffisegol sylweddau moleciwlaidd syml.

○ Gallwn ni ddisgrifio a thrafod adeileddau a phriodweddau diemwnt, graffit a nanotiwbiau carbon yn nhermau eu bondio a'u hadeiledd.

○ Mae priodweddau nanotiwbiau carbon, a sut mae'n nhw'n cael eu defnyddio, yn gysylltiedig â'u bondio a'u hadeiledd.

○ Defnyddiau clyfar yw'r enw ar bigmentau thermocromig, pigmentau ffotocromig, hydrogeliau, aloion sy'n cofio siâp a pholymerau sy'n cofio siâp, ac mae ganddynt briodweddau sy'n newid yn gildroadwy gyda newidiadau yn eu hamgylchoedd:

● mae pigmentau thermocromig yn newid lliw wrth i'r tymheredd newid

● mae pigmentau ffotocromig yn newid lliw wrth i arddwysedd y golau newid

● mae hydrogeliau'n amsugno/allyrru dŵr ac yn chwyddo/crebachu (hyd at 1000 gwaith eu cyfaint) oherwydd newidiadau mewn pH neu dymheredd

● mae aloion sy'n cofio siâp yn adennill eu siâp gwreiddiol wrth gael eu gwresogi

● mae polymerau sy'n cofio siâp yn adennill eu siâp gwreiddiol wrth gael eu gwresogi.

○ Mae'r defnydd o ddefnyddiau clyfar yn dibynnu ar eu priodweddau.

11 Cyfraddau adweithiau a chyfrifiadau cemegol

Mae'n cymryd amser ac arian i gynhyrchu cemegion ar raddfeydd mawr, diwydiannol. Yn wir, yn y diwydiant cemegion, amser yw arian! Yn gyffredinol, y cyflymaf y caiff cemegyn ei wneud, y mwyaf proffidiol ydyw, ond mae hefyd yn bwysig ystyried llawer o ffactorau eraill fel gofynion egni, argaeledd defnyddiau, y ffatri a'r gweithlu a chyflwr cyfredol y farchnad economaidd. Mae cemegwyr a pheirianwyr yn treulio llawer o amser ac ymdrech yn dadansoddi adweithiau cemegol i sicrhau bod adweithiau'n digwydd yn y ffordd gywir (i sicrhau eu bod nhw'n cael y cynnyrch cywir) a bod yr amodau gweithgynhyrchu wedi eu hoptimeiddio i gynhyrchu cymaint o gynnyrch â phosibl cyn gynted â phosibl.

Ffigur 11.1 Gwaith cemegion enfawr yn Billingham, Teeside.

Mesur cyfradd adwaith

Mae llawer o ffyrdd o fesur cyfradd adwaith. Ystyr cyfradd yma yw 'faint o gynnyrch sy'n cael ei gynhyrchu mewn cyfnod penodol' (eiliad fel rheol). Gallwn ni ganfod cyfradd adwaith drwy fesur faint o gynnyrch sy'n cael ei gynhyrchu (fel rheol yn ôl màs neu gyfaint) dros amser. Drwy astudio graff o swm o gynnyrch yn erbyn amser, gallwn ni bennu cyfradd yr adwaith drwy fesur graddiant y graff – mae hwn yn dweud wrthym ni faint o gynnyrch sy'n cael ei gynhyrchu ym mhob uned amser.

Mae tair ffordd syml o fesur cyfraddau adweithiau mewn labordy ysgol:

■ Dal nwy sy'n cael ei gynhyrchu mewn adwaith a mesur ei gyfaint.
■ Mesur a chofnodi newid màs mewn adwaith.
■ Mesur a chofnodi faint o olau sy'n mynd drwy adwaith cemegol (e.e. wrth iddo gynhyrchu gwaddod).

Dyma weithgaredd sy'n eich helpu i:

★ gweithio fel rhan o dîm
★ cynhyrchu asesiad risg
★ mesur cyfradd adweithiau cemegol
★ cymharu dulliau gwahanol o fesur cyfraddau adweithiau cemegol.

Mesur adweithiau sy'n cynnwys nwyon

Mae'n eithaf syml astudio adweithiau cemegol sy'n rhyddhau nwy. Gallwn ni ganfod cyfradd yr adwaith drwy ddadansoddi canlyniadau arbrofion lle mae cyfaint y nwy sy'n cael ei gynhyrchu yn cael ei fesur yn erbyn amser.

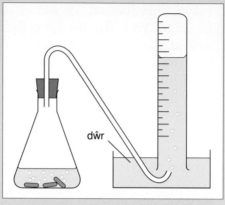

Ffigur 11.2 Yr adwaith rhwng calsiwm carbonad ac asid hydroclorig sy'n ffurfio carbon deuocsid, mewn tiwb graddedig.

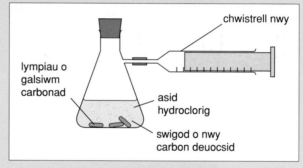

Ffigur 11.3 Yr un adwaith, mewn chwistrell nwy.

Yn y gwaith ymarferol hwn, byddwch chi'n astudio adwaith calsiwm carbonad ag asid hydroclorig sy'n ffurfio calsiwm clorid, dŵr a nwy carbon deuocsid.

calsiwm carbonad + asid hydroclorig $\rightarrow$ calsiwm clorid + dŵr + carbon deuocsid

$$CaCO_3(s) + 2HCl(dyfrllyd) \rightarrow CaCl_2(dyfrllyd) + H_2O(h) + CO_2(n)$$

Bydd eich athro/athrawes yn rhoi ffurflen asesiad risg wag i chi ac unrhyw gyfarwyddyd CLEAPSS priodol i'ch galluogi i gwblhau asesiad risg ar gyfer yr arbrofion hyn.

Byddwch chi'n mesur faint o nwy sy'n cael ei gynhyrchu mewn dwy ffordd.
- yn ôl dadleoliad dŵr
- drwy ddefnyddio chwistrell nwy.

GWAITH YMARFEROL *parhad*

Cyfarpar

* sglodion calsiwm carbonad
* asid hydroclorig gwanedig
* fflasg gonigol
* tiwb cludo nwy a thopyn
* tiwb graddedig (silindr mesur/bwred wyneb i waered)
* baddon dŵr â silff cwch gwenyn
* fflasg gonigol braich ochr (fflasg Büchner) gyda thiwb cludo
* chwistrell nwy gyda stand, clamp a chnap
* stopwatsh

Dull

1 Gwnewch dabl i gofnodi cyfaint y nwy sy'n cael ei gynhyrchu bob 30 s am tua 5 munud (ar gyfer y ddau ddull).

2 Bydd eich athro/athrawes yn dweud wrthych chi tua faint o bob sylwedd i'w ddefnyddio yn y ddau arbrawf.

3 Cydosodwch y cyfarpar fel yn Ffigur 11.2.

4 Rhowch y sglodion calsiwm carbonad yn y fflasg, arllwyswch yr asid hydroclorig i mewn a rhowch y caead yn ôl yn gyflym. **Dechreuwch y stopwatsh.**

5 Mesurwch a chofnodwch gyfaint y nwy sy'n cael ei gynhyrchu yn y tiwb graddedig bob 30 eiliad.

6 Daliwch ati nes bod y tiwb graddedig yn llawn nwy neu nes bod swm y nwy sydd wedi'i gynhyrchu yn aros yr un fath am 1 munud.

7 Defnyddiwch gyfarpar Ffigur 11.3 i ailadrodd yr arbrawf.

Dadansoddi eich canlyniadau a mesur cyfradd yr adwaith

Plotiwch graff o gyfaint y nwy a gafodd ei gynhyrchu yn erbyn amser ar gyfer y ddau ddull – ceisiwch blotio'r rhain ar echelinau ar yr un raddfa. Dylai eich graff (ar gyfer un o'r arbrofion) edrych fel y graff yn Ffigur 11.4.

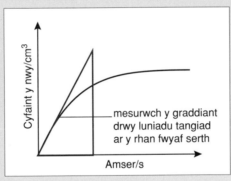

Ffigur 11.4 Cyfradd rhyddhau nwy.

1 Beth yw siâp eich graff?

2 Beth mae eich graff yn ei ddweud wrthych chi? Ble mae cyfradd yr adwaith ar ei chyflymaf?

3 Allwch chi ddweud pryd mae'r adwaith wedi cwblhau?

4 Cyfrifwch gyfradd yr adwaith ar ran fwyaf serth eich graff drwy luniadu llinell tangiad a mesur ei graddiant (yr unedau fydd cm³/s).

5 Ailadroddwch gyfrifiad cyfradd yr adwaith ar gyfer y ddau ddull. Ydy'r cyfraddau'r un fath? A ddylen nhw fod yr un fath? Pam gallai'r ddwy gyfradd fod yn wahanol?

Mesur adweithiau lle mae màs yn newid

Gallwn ni fesur yr un adwaith cemegol drwy ddefnyddio dull sy'n seiliedig ar fesur màs yr adweithyddion. Wrth i'r adwaith ryddhau nwy carbon deuocsid, bydd yn dianc o'r fflasg gonigol a bydd màs y fflasg a'r adweithyddion yn gostwng. Drwy blotio graff o fàs yn erbyn amser, gallwch chi gyfrifo cyfradd yr adwaith drwy fesur graddiant cromlin y màs ar unrhyw amser.

parhad...

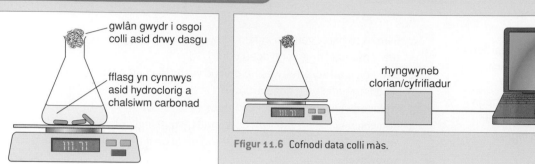

Ffigur 11.5 Pwyso fflasg.

Ffigur 11.6 Cofnodi data colli màs.

Cyfarpar

* sglodion calsiwm carbonad
* asid hydroclorig gwanedig
* fflasg
* caead gwlân gwydr
* stopwatsh
* clorian electronig
* (dewisol) cofnodwr data, cyfrifiadur a meddalwedd cofnodi data

Dull

1 Gwnewch dabl i gofnodi màs y fflasg a'i chynnwys bob 30 s am tua 5 munud.
2 Bydd eich athro/athrawes yn dweud wrthych chi faint o bob sylwedd i'w defnyddio.
3 Cydosodwch y cyfarpar fel yn Ffigur 11.5, neu yn Ffigur 11.6 os ydych chi'n defnyddio'r cyfarpar cofnodi data dewisol.
4 Mae'n well dechrau'r arbrawf hwn drwy ychwanegu'r sglodion calsiwm carbonad at yr asid ac yna cau'r fflasg â chaead gwlân gwydr (i atal tasgu).
5 Mesurwch a chofnodwch fàs y system bob 30 s am tua 5 munud.
6 Daliwch ati nes bod màs y fflasg a'i chynnwys yn aros yr un fath am tuag 1 munud.

Dadansoddi eich canlyniadau a mesur cyfradd yr adwaith

Plotiwch graff o fàs y fflasg a'i chynnwys yn erbyn amser, neu llwythwch i lawr y data sydd wedi'u cofnodi. Dylai eich graff edrych fel yr un yn Ffigur 11.7.

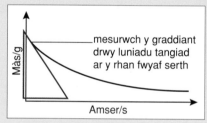

Ffigur 11.7 Graff o gyfanswm màs yn erbyn amser.

1 Beth yw siâp eich graff?
2 Beth mae eich graff yn ei ddweud wrthych chi? Ble mae cyfradd yr adwaith ar ei chyflymaf?
3 Allwch chi ddweud pryd mae'r adwaith wedi cwblhau?
4 Cyfrifwch gyfradd yr adwaith ar ran fwyaf serth eich graff drwy luniadu llinell tangiad a mesur ei graddiant (yr unedau fydd g/s).

Cyfarpar

* Hydoddiant sodiwm thiosylffad
* Asid hydroclorig gwanedig
* Chwistrell
* Fflasg
* Tarian golau (papur du)
* Trybedd
* Stand, cnap × 2, clamp × 2
* Bwlb golau prif gyflenwad a daliwr
* Synhwyrydd golau a mesurydd
* Stopwatsh
* (Dewisol) cofnodwr data, cyfrifiadur, meddalwedd cofnodi data

Mesur adweithiau lle mae trawsyriant golau drwy waddod yn newid

Yn yr adwaith hwn, mae sodiwm thiosylffad yn adweithio ag asid hydroclorig i ffurfio sylffwr solet (melyn). Gallwch chi fesur cyfradd yr adwaith drwy gofnodi trawsyriant golau drwy'r hydoddiant wrth i'r gwaddod sylffwr ffurfio'n raddol, gan droi'r hydoddiant yn fwy a mwy cymylog. Gallwch chi ddefnyddio cofnodwr data a synhwyrydd golau i fesur trawsyriant golau. Drwy blotio graff o arddwysedd y golau sy'n cael ei drawsyrru yn erbyn amser, gallwch chi gyfrifo cyfradd yr adwaith ar unrhyw adeg drwy fesur graddiant y gromlin. Gallwn ni grynhoi'r adwaith gyda'r hafaliad:

$$\text{sodiwm thiosylffad} + \text{asid hydroclorig} \rightarrow \text{sodiwm clorid} + \text{dŵr} + \text{sylffwr deuocsid} + \text{sylffwr}$$

$$Na_2S_2O_3 + 2HCl \rightarrow 2NaCl + H_2O(h) + SO_2(n) + S(s)$$
(dyfrllyd) *(dyfrllyd)* *(dyfrllyd)*

parhad...

GWAITH YMARFEROL *parhad*

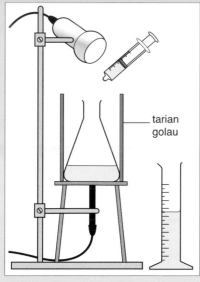

Ffigur 11.8 Mesur newidiadau yn nhrawsyriant golau drwy waddod.

Dull

1 Gwnewch dabl i gofnodi eich canlyniadau – bydd angen i chi gofnodi arddwysedd y golau bob 30 s am tua 5 munud.
2 Cydosodwch y cyfarpar fel yn Ffigur 11.8.
3 Bydd eich athro/athrawes yn dweud wrthych chi faint o bob cemegyn i'w ddefnyddio.
4 Defnyddiwch y chwistrell i ychwanegu'r asid hydroclorig at yr hydoddiant sodiwm thiosylffad.
5 Mesurwch a chofnodwch arddwysedd y golau sy'n cael ei drawsyrru bob 30 s am tua 5 munud (neu defnyddiwch y cofnodwr data a'r meddalwedd dewisol).

Dadansoddi eich canlyniadau

Plotiwch graff o arddwysedd golau yn erbyn amser, neu llwythwch i lawr fersiwn y cofnodwr data. Dylai eich graff edrych fel yr un yn Ffigur 11.9.

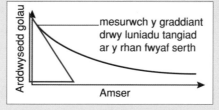

Ffigur 11.9 Graff o arddwysedd golau yn erbyn amser.

1 Beth yw patrwm/siâp eich graff?
2 Beth mae eich graff yn ei ddweud wrthych chi? Ble mae cyfradd yr adwaith ar ei chyflymaf?
3 Allwch chi ddweud pryd mae'r adwaith wedi cwblhau?

CWESTIYNAU

1 Beth yw ystyr **cyfradd** adwaith?
2 Eglurwch sut rydych chi'n defnyddio graff i fesur cyfradd adwaith.
3 Sut gallwch chi ddweud o graff cyfradd adwaith ble mae'r adwaith:
   a ar ei chyflymaf?
   b wedi cwblhau?
4 Mewn arbrawf calsiwm carbonad ac asid hydroclorig, mae myfyriwr yn casglu'r nwy carbon deuocsid ac yn cynhyrchu'r graff cyfradd adwaith yn Ffigur 11.10. Ar gopi o'r graff hwn, brasluniwch y graff y byddech chi'n ei ddisgwyl o gynnal arbrofion tebyg gyda:
   a asid ar ddwywaith y crynodiad ond ar yr un tymheredd
   b yr un faint o'r ddau gemegyn, ond ar dymheredd uwch.
   Eglurwch eich brasluniau.

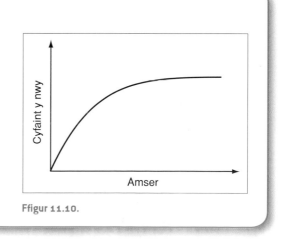

Ffigur 11.10.

Egluro cyfradd adwaith

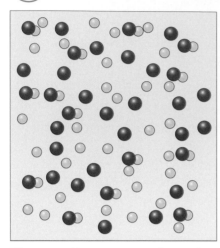

Ffigur 11.11 Mae gronynnau nwy'n symud ar hap.

Mae adwaith cemegol yn digwydd wrth i'r moleciwlau, yr atomau neu'r ïonau sy'n adweithio wrthdaro â'i gilydd. Dydy pob gwrthdrawiad ddim yn arwain at adwaith cemegol, ond pan fydd digon o egni mewn gwrthdrawiad i fondiau dorri a chael eu hailffurfio yna mae adwaith yn gallu digwydd. Mae nifer y gwrthdrawiadau llwyddiannus yn ganran bach o gyfanswm y gwrthdrawiadau sy'n digwydd mewn unrhyw gyfnod penodol – enw nifer y gwrthdrawiadau llwyddiannus yr eiliad yw'r amlder gwrthdrawiadau. Yr uchaf yw'r amlder gwrthdrawiadau, yr uchaf yw cyfradd yr adwaith.

Yr adweithiau hawddaf eu dychmygu yw'r rhai sy'n digwydd rhwng nwyon. Mae gronynnau'r ddau nwy'n symud ar hap yn gyson, gan wrthdaro â'i gilydd ac â waliau'r cynhwysydd sy'n eu dal ac, yn hollbwysig, â gronynnau'r nwy arall.

Mae Ffigur 11.11 yn dangos gronynnau dau nwy gwahanol yn adweithio (wedi'u dangos mewn melyn a choch). Mae'r gronynnau i gyd yn symud ar fuanedd uchel ac i gyfeiriadau ar hap. Pan fydd un o'r gronynnau coch yn gwrthdaro ag un o'r gronynnau melyn â digon o egni, bydd yr adwaith yn digwydd.

Ffactorau sy'n effeithio ar gyfradd adwaith cemegol

1 Tymheredd yr adwaith – mae tymheredd uwch yn golygu cyfradd adwaith uwch

Mae cynyddu tymheredd adwaith yn cynyddu cyflymder cymedrig y gronynnau. Os yw'r gronynnau'n symud yn gyflymach, maen nhw'n debygol y byddan nhw'n gwrthdaro â'i gilydd gyda'r egni angenrheidiol yn fwy aml – mae amlder y gwrthdrawiadau'n cynyddu. Mae amlder gwrthdrawiadau uwch yn golygu cyfradd adwaith uwch. Bydd yr adwaith yn gyflymach. Mewn nifer o adweithiau, mae cynnydd 10 °C yn y tymheredd yn dyblu cyfradd yr adwaith.

2 Crynodiad yr adweithyddion – mae crynodiad uwch yn golygu cyfradd adwaith uwch

Effaith cynyddu crynodiad yr adweithyddion yw cynyddu cyfanswm nifer y gronynnau sy'n adweithio yn yr un cyfaint. Os oes mwy o ronynnau, mae'n debygol y bydd mwy o wrthdrawiadau â digon o egni – mae amlder y gwrthdrawiadau'n cynyddu, ynghyd â chyfradd yr adwaith.

Ffigur 11.12

3 Arwynebedd arwyneb yr adweithyddion – mae arwynebedd arwyneb mwy'n golygu cyfradd adwaith uwch

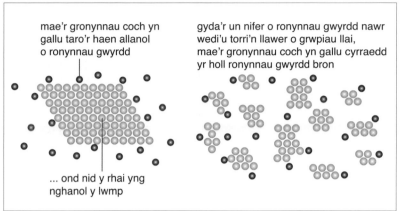

mae'r gronynnau coch yn gallu taro'r haen allanol o ronynnau gwyrdd

gyda'r un nifer o ronynnau gwyrdd nawr wedi'u torri'n llawer o grwpiau llai, mae'r gronynnau coch yn gallu cyrraedd yr holl ronynnau gwyrdd bron

... ond nid y rhai yng nghanol y lwmp

Ffigur 11.13

Mae Ffigur 11.13 yn dangos, pan mae un o'r adweithyddion mewn lwmp mawr, nad yw'r adweithydd arall yn gallu adweithio â'r gronynnau sydd yng nghanol y lwmp. Pan gaiff y lwmp ei dorri'n ddarnau, **gan gynyddu'r arwynebedd arwyneb**, mae mwy o'r adweithyddion yn gallu gwrthdaro â'i gilydd gyda'r egni angenrheidiol. Mae hyn yn cynyddu amlder y gwrthdrawiadau a chyfradd yr adwaith. Y mwyaf yw'r arwynebedd arwyneb, yr uchaf fydd cyfradd yr adwaith – neu, mewn geiriau eraill, mae adweithyddion ar ffurf powdr yn adweithio'n gynt na lympiau o adweithyddion!

4 Defnyddio catalydd – mae catalydd yn gallu cynyddu cyfradd adwaith

Mae catalyddion yn sylweddau sy'n cynyddu cyfradd adwaith cemegol ond sydd ddim wedi newid yn gemegol erbyn diwedd yr adwaith.

Mae yna nifer o gatalyddion sydd ond yn gweithio ar gyfer un adwaith penodol, ac mae angen defnyddio catalydd i wneud rhai adweithiau diwydiannol yn bosibl ar raddfa fawr.

Mae catalydd yn gweithio am ei fod yn rhoi 'arwyneb' lle gall y moleciwlau sy'n adweithio wrthdaro â'i gilydd – mae hyn yn golygu bod angen llai o egni ar wrthdrawiad i fod yn llwyddiannus. Mae llai o egni'n golygu y bydd mwy o ronynnau'n gallu adweithio mewn amser penodol, gan gynyddu amlder y gwrthdrawiadau a chynyddu cyfradd yr adwaith.

Er bod rhai adweithiau ond yn digwydd gydag un catalydd penodol, mae rhai defnyddiau'n gweithredu fel catalyddion i nifer o wahanol adweithiau.

Pwysigrwydd catalyddion

Mae cemegwyr a pheirianwyr cemegol yn amcangyfrif bod catalyddion yn cael eu defnyddio rywbryd ym mhrosesau cynhyrchu 90% o bob cynnyrch cemegol sy'n cael ei weithgynhyrchu'n fasnachol. Caiff catalyddion eu defnyddio wrth gynhyrchu cemegion swmp, fel asid sylffwrig, amonia a pholymerau; cemegion manwl (*fine*) fel llifynnau a moddion; petrocemegion, fel petrol a diesel; ac wrth brosesu bwyd, yn enwedig wrth gynhyrchu margarin. Yn 2005, cafodd catalyddion eu defnyddio i gynhyrchu gwerth dros £500 biliwn o gynhyrchion cemegol ledled y byd, sydd yr un faint â holl gynnyrch mewnwladol crynswth (CMC) Awstralia!

Mae defnyddio catalyddion mewn prosesau cemegol yn bwysig iawn, ac nid dim ond oherwydd ffactorau economaidd. Mae catalyddion yn lleihau faint o egni sydd ei angen i gynhyrchu cynnyrch cemegol. Yn ei dro mae hyn yn arbed cronfeydd tanwydd y byd ac yn lleihau faint o nwyon tŷ gwydr sy'n cael eu hallyrru o ganlyniad i losgi tanwyddau ffosil.

Caiff amonia ei gynhyrchu drwy ddefnyddio catalyddion mewn adwaith o'r enw Proses Haber.

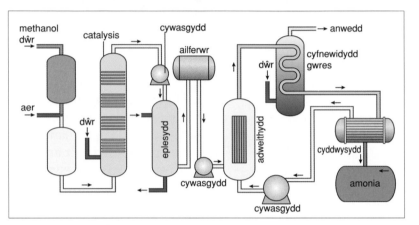

Ffigur 11.14 Proses Haber.

Caiff amonia ei ddefnyddio i gynhyrchu dros 100 miliwn tunnell fetrig o wrtaith planhigion sy'n cynnwys llawer o nitrogen bob blwyddyn, gan gyfrannu at fwydo dros draean o boblogaeth y byd. Y catalyddion mwyaf cyffredin ar gyfer cynhyrchu amonia drwy gyfrwng Proses Haber yw'r elfennau metel haearn a rwtheniwm. Heb y catalyddion, mae'r adwaith mor araf nes nad oes prin ddim adwaith yn digwydd o fewn unrhyw gyfnod amser diwydiannol call. Mae tua 2.3 biliwn o bobl yn dibynnu ar wrtaith planhigion, ac felly maen nhw'n ddyledus iawn i'r catalyddion sy'n cyflymu graddfa gynhyrchu amonia drwy Broses Haber.

Pwynt Trafod

Mae Proses Haber yn anhygoel o bwysig i holl boblogaeth y byd. Yn ogystal â defnyddio catalydd ar gyfer yr adwaith rhwng nitrogen a hydrogen, caiff y broses ei hoptimeiddio drwy addasu tymheredd a gwasgedd yr adwaith. Bydd eich athro/athrawes yn dangos animeiddiad o'r broses lle gallwch chi addasu tymheredd a gwasgedd yr adwaith. Darganfyddwch yr amodau sy'n rhoi'r cynnyrch optimwm.
www.freezeray.com/flashFiles/theHaberProcess.htm

CWESTIYNAU

5 Beth yw catalydd?

6 Sut gallwn ni gynyddu cyfradd adwaith calsiwm carbonad ag asid hydroclorig?

7 Pan mae magnesiwm yn adweithio ag asid hydroclorig, caiff nwy hydrogen ei gynhyrchu. Mewn arbrawf penodol ar 20 °C, cafodd 50 cm³ o nwy hydrogen ei gynhyrchu mewn 3 munud. Beth fyddai canlyniad yr adwaith pe bai'r un symiau o adweithydd yn cael eu defnyddio ond bod yr adwaith yn cael ei gynnal ar 30 °C?

8 Pam mae'n bwysig i gwmni cemegion gynyddu cynnyrch adwaith?

9 Pam mae defnyddio catalyddion wrth gynhyrchu cemegion yn bwysig i'r amgylchedd?

TASG

TASG — EFELYCHU CYFRADDAU ADWAITH

Dyma weithgaredd sy'n eich helpu i:

★ defnyddio animeiddiad neu efelychiad cyfrifiadurol
★ archwilio'r ffactorau sy'n effeithio ar gyfradd adwaith
★ plotio graffiau sy'n dangos cyfraddau adweithiau a'r ffactorau sy'n effeithio ar gyfradd adwaith
★ chwilio am batrymau mewn data
★ egluro patrymau mewn data.

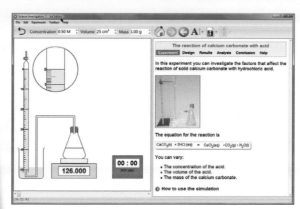

Ffigur 11.15 Efelychydd cyfradd adwaith gwyddonol. Wedi'i atgynhyrchu drwy ganiatâd Focus Educational Software Ltd.

Mae nifer o efelychiadau meddalwedd gwyddonol yn eich galluogi i ymchwilio i'r ffactorau sy'n effeithio ar gyfradd adwaith. Rydych chi'n mynd i ddefnyddio un o'r efelychiadau hyn (neu bydd eich athro/athrawes yn arddangos un i chi) i fodelu adwaith penodol. Rhaid i chi ymchwilio i bob un o'r pedwar ffactor sy'n effeithio ar gyfradd adwaith: tymheredd, arwynebedd arwyneb, crynodiad ac effaith defnyddio catalydd. Ar gyfer pob ffactor, rhaid i chi gynhyrchu tabl o ddata, graff cyfradd adwaith a graff yn dangos effaith pob ffactor ar gyfradd yr adwaith. Rydym ni'n awgrymu eich bod chi'n defnyddio Excel i grynhoi eich data a llunio eich graffiau.

GWAITH YMARFEROL — YMCHWILIO I GYFRADD ADWAITH

Dyma weithgaredd sy'n eich helpu i:

★ gweithio fel tîm
★ ymchwilio i ffactor sy'n effeithio ar gyfradd adwaith
★ cynllunio arbrawf
★ cynhyrchu asesiad risg
★ gwneud mesuriadau gwyddonol
★ casglu a chofnodi data arbrofol
★ cyfrifo cyfraddau adwaith
★ llunio graffiau sy'n dangos data arbrofol a data wedi'u cyfrifo
★ dadansoddi data sydd wedi cael eu casglu er mwyn dod i gasgliadau gwyddonol
★ cynnal gwerthusiad beirniadol o'r dull o gasglu data, ansawdd y data ac i ba raddau mae'r data'n cefnogi eich casgliad.

Cynlluniwch a chynhaliwch arbrawf i ymchwilio i effaith un ffactor ar gyfradd adwaith. Bydd eich athro/athrawes yn rhoi cyfres o adweithiau addas i chi a dewis o ffactorau i chi ddewis o'u plith. Bydd angen i chi weithio gyda phartner. Defnyddiwch y rhestr wirio ganlynol i gynnal eich ymchwiliad:

• Dewiswch pa adwaith a pha ffactor y byddwch chi'n ymchwilio iddynt. Ysgrifennwch 'gyflwyniad' i'r ymchwiliad gan gynnwys: hafaliad geiriau a hafaliad symbolau cytbwys ar gyfer yr adwaith; datganiad o'r hyn rydych chi'n disgwyl iddo ddigwydd (gyda rhesymu gwyddonol); diagram o'ch arbrawf; a rhestr o'r cyfarpar y byddwch chi'n ei ddefnyddio.
• Cynlluniwch ffordd addas o gydosod yr arbrawf ymarferol er mwyn ymchwilio i'ch adwaith a'ch ffactor yn ddiogel.
• Gwnewch restr o gyfarpar priodol a chysylltwch â'ch athro/athrawes a'ch technegydd gwyddoniaeth i archebu'r cyfarpar.
• Cynlluniwch dabl cofnodi data addas i gasglu a chofnodi eich mesuriadau.
• Ysgrifennwch 'Dull' ar gyfer eich arbrawf.
• Defnyddiwch dempled asesu risg a roddir i chi, a chyfarwyddyd CLEAPSS perthnasol, i gynhyrchu asesiad risg i'ch arbrawf a gofalwch fod eich athro/athrawes yn gwirio hyn a'i gymeradwyo **cyn** i chi roi cynnig ar y gwaith arbrofol.
• Cydosodwch eich cyfarpar a chynhaliwch eich arbrawf, gan weithio'n ofalus ac yn ddiogel i fesur a chofnodi unrhyw ddata arbrofol perthnasol.

parhad...

- Os gallwch chi (bydd eich athro/athrawes yn dweud wrthych chi a oes gennych chi ddigon o amser), ailadroddwch eich mesuriadau, neu cysylltwch â grŵp arall i gael cyfres o fesuriadau ailadroddol (gan ofalu bod yr ailadroddiadau'n 'brofion teg'). Defnyddiwch eich ailadroddiadau i gael gwerthoedd cymedrig.
- Lluniwch graffiau cyfradd adwaith a defnyddiwch nhw i fesur y gyfradd adwaith gyflymaf ar gyfer pob un o werthoedd y newidyn annibynnol rydych chi'n ymchwilio iddo.
- Lluniwch graff o gyfradd adwaith yn erbyn y newidyn annibynnol rydych chi'n ymchwilio iddo.
- Ysgrifennwch ddadansoddiad o'r graff cyfradd adwaith yn erbyn newidyn annibynnol:
  - Nodwch siâp/tuedd/patrwm y graff.
  - Defnyddiwch y siâp/tuedd/patrwm i bennu'r berthynas rhwng cyfradd yr adwaith a'r ffactor newidiol rydych chi wedi ymchwilio iddo.
  - Beth yw eich casgliad chi o edrych ar eich canlyniadau?
- Ysgrifennwch werthusiad o'ch arbrawf drwy feddwl am y canlynol:
  - Y dull arbrofol a sut gallech chi ei wella.
  - Ansawdd y data rydych chi wedi'u casglu a sut gallech chi wella eu hansawdd.
  - I ba raddau mae eich data'n cefnogi eich casgliad? (Pa mor sicr ydych chi am eich casgliad gan ystyried y data rydych chi wedi'u casglu?)
- Coladwch eich adroddiad a'i gyflwyno i gael ei asesu gan eich athro/athrawes. Dylai gynnwys y canlynol:
  - cyflwyniad
  - asesiad risg
  - tabl(au) o ddata
  - graffiau
  - dadansoddiad ysgrifenedig
  - gwerthusiad ysgrifenedig.

Cyfrifiadau cemegol

Mae'r Tabl Cyfnodol yn trefnu elfennau yn nhrefn eu rhif atomig. Mae'r tabl hefyd yn dangos màs pob elfen. Mae masau atomau unigol yn anhygoel o fach (màs atom hydrogen yw 1.7×10^{-27} kg), felly mae'n llawer mwy cyfleus datgan masau'r atomau amrywiol yn gymharol i'w gilydd. Màs atomig cymharol (A_r) elfen yw màs atom o'r elfen honno wedi'i gymharu â màs atom o garbon-12. Rhoddir gwerth o 12 yn union i'r atom carbon hwn. Yn y Tabl Cyfnodol yn Ffigur 11.17, caiff y màs atomig cymharol ei ddangos gan y rhif uchaf ym mhob blwch, a'r rhif isaf yw rhif atomig yr elfen. Mae Ffigur 11.16 yn dangos enghraifft o hyn.

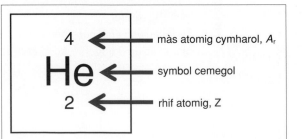

Ffigur 11.16 Safle màs atomig cymharol a rhif atomig pob elfen.

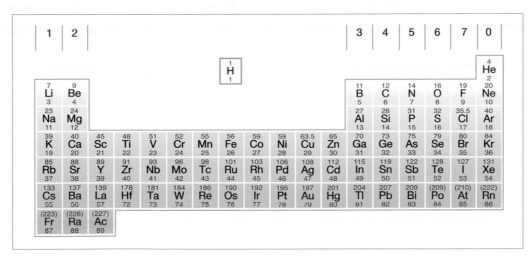

Ffigur 11.17 Y Tabl Cyfnodol.

Mae gwybod masau atomig cymharol yr elfennau yn ein galluogi i gyfrifo **masau moleciwlaidd cymharol (M_r)** unrhyw gyfansoddion sy'n cynnwys yr elfennau hynny.

- **Dŵr (H_2O):** Yn y moleciwl hwn, mae dau atom hydrogen ac un atom ocsigen. Y màs moleciwlaidd cymharol yw $[(2 \times 1) + 16] = 18$.
- **Carbon deuocsid (CO_2):** Yn y moleciwl hwn, mae dau atom ocsigen ac un atom carbon. Y màs moleciwlaidd cymharol yw $[12 + (2 \times 16)] = 44$.

Ar gyfer cyfansoddion ïonig fel sodiwm clorid, mae'n fwy cywir defnyddio'r term **màs fformiwla cymharol**, oherwydd does dim moleciwlau ar wahân mewn cyfansoddion ïonig.

- **Sodiwm clorid (NaCl):** Yn y cyfansoddyn hwn, mae un ïon sodiwm i bob un ïon clorid. Y màs fformiwla cymharol yw $[23 + 35.5] = 58.5$.
- **Sodiwm carbonad (Na_2CO_3):** Yn y cyfansoddyn hwn, mae dau ïon sodiwm ac un ïon carbonad sy'n cynnwys un atom carbon a thri atom ocsigen. Y màs fformiwla cymharol yw $[(2 \times 23) + 12 + (3 \times 16)] = [46 + 12 + 48] = 106$.

Cyfrifo cyfansoddiad canrannol cyfansoddion

Màs atomig cymharol carbon yw 12, a màs atomig cymharol ocsigen yw 16. Màs moleciwlaidd cymharol carbon deuocsid (CO_2) yw 44. Gallwn ni gyfrifo cyfansoddiad canrannol (yn ôl màs) carbon ac ocsigen mewn carbon deuocsid fel hyn:

$$\text{canran } \textbf{carbon} \text{ mewn } CO_2 = \frac{\text{cyfanswm màs cymharol } \textbf{carbon} \text{ mewn moleciwl}}{\text{màs moleciwlaidd cymharol carbon deuocsid}} \times 100\%$$

$$= \frac{12}{44} \times 100 = 27.3\%$$

$$\text{canran } \textbf{ocsigen} \text{ mewn } CO_2 = \frac{\text{cyfanswm màs cymharol } \textbf{ocsigen} \text{ mewn moleciwl}}{\text{màs moleciwlaidd cymharol carbon deuocsid}} \times 100\%$$

$$= \frac{32}{44} \times 100 = 72.7\%$$

C Cyfrifwch gyfansoddiad canrannol lithiwm sylffad, Li_2SO_4, yn ôl màs.

A Masau atomig cymharol: Li = 7; S = 32; O = 16

Màs fformiwla cymharol Li_2SO_4 = $(2 \times 7) + 32 + (4 \times 16)$ = 110

$$\% \text{ Li} = \frac{14}{110} \times 100 = 12.7\%$$

$$\% \text{ S} = \frac{32}{110} \times 100 = 29.1\%$$

$$\% \text{ O} = \frac{64}{110} \times 100 = 58.2\%$$

CWESTIYNAU

Defnyddiwch y Tabl Cyfnodol, Ffigur 11.17, i'ch helpu gyda'r cwestiynau hyn.

10 Cyfrifwch fàs moleciwlaidd cymharol, M_r, y moleciwlau canlynol.

   a nwy ocsigen, O_2

   b sylffwr deuocsid, SO_2

   c methan, CH_4

   ch nitrogen deuocsid, NO_2

   d carbon tetraclorid, CCl_4

   dd amonia, NH_3

   e ethan, C_2H_6

11 Cyfrifwch fàs fformiwla cymharol y cyfansoddion ïonig canlynol.

   a lithiwm clorid, $LiCl$

   b potasiwm ocsid, K_2O

   c sodiwm sylffid, Na_2S

   ch magnesiwm carbonad, $MgCO_3$

   d calsiwm nitrad, $Ca(NO_3)_2$

   dd beryliwm ocsid, BeO

   e rwbidiwm carbonad, Rb_2CO_3

   f amoniwm sylffad, $(NH_4)_2SO_4$

12 Cyfrifwch gyfansoddiad canrannol pob moleciwl neu gyfansoddyn yng Nghwestiynau 10 ac 11.

Cyfrifo masau adweithyddion a chynhyrchion

Gallwn ni ddefnyddio masau moleciwlaidd cymharol a masau fformiwla cymharol i gyfrifo masau adweithyddion a chynhyrchion mewn adwaith cemegol. Adwaith magnesiwm carbonad ag asid hydroclorig yw:

magnesiwm carbonad + asid hydroclorig → magnesiwm clorid + dŵr + carbon deuocsid

$MgCO_3(s)$ + $2HCl(dyfrllyd)$ → $MgCl_2(dyfrllyd)$ + $H_2O(h)$ + $CO_2(n)$

Cyfanswm màs yr adweithyddion

màs $MgCO_3$ + 2 × (màs HCl) =
(24 + 12 + (3 × 16)) + 2 × (1 + 35.5) = 157

Cyfanswm màs y cynhyrchion

màs $MgCl_2$ + màs H_2O + màs CO_2 =
(24 + (2 × 35.5)) + ((2 × 1) + 16) + (12 + (2 × 16)) = 157

Sylwch fod cyfanswm màs y cynhyrchion yn hafal i gyfanswm màs yr adweithyddion, oherwydd does dim atomau'n cael eu creu na'u dinistrio yn ystod adwaith cemegol.

CWESTIWN

13 Cyfrifwch gyfanswm màs yr adweithyddion a'r cynhyrchion yn yr adweithiau canlynol:

a $N_2(n) + 3H_2(n) \rightarrow 2NH_3(n)$

b $2H_2(n) + O_2(n) \rightarrow 2H_2O(n)$

c $Mg(s) + H_2SO_4(dyfrllyd) \rightarrow MgSO_4(dyfrllyd) + H_2(n)$

ch $NaOH(dyfrllyd) + HNO_3(dyfrllyd) \rightarrow NaNO_3(dyfrllyd) + H_2O(h)$

Defnyddio hafaliadau i gyfrifo màs cynhyrchion mewn adwaith

Mae hafaliad cytbwys yn ffordd law-fer o grynhoi adwaith cemegol. Gallwn ni ddefnyddio'r hafaliad cytbwys i ragfynegi'r berthynas rhwng masau cyfansoddion sy'n adweithio a'r cynhyrchion maen nhw'n eu ffurfio.

Enghreifftiau

C Darganfyddwch fàs y carbon deuocsid sy'n cael ei ffurfio pan mae 5.3 g o sodiwm carbonad yn adweithio'n llwyr â gormodedd o asid hydroclorig.

$Na_2CO_3(s) + 2HCl(dyfrllyd) \rightarrow 2NaCl(dyfrlllyd) + H_2O(h) + CO_2(n)$

A Màs fformiwla cymharol sodiwm carbonad yw 106.
Màs moleciwlaidd cymharol carbon deuocsid yw 44.

Wedi i ni ddewis y moleciwlau sydd o ddiddordeb i ni, rydym ni'n defnyddio'r màs moleciwlaidd neu'r màs fformiwla i ysgrifennu'r datganiadau canlynol:

- Mae 106 g o sodiwm carbonad yn ffurfio 44 g o garbon deuocsid.

- Mae 1 g o sodiwm carbonad yn ffurfio $\frac{44}{106}$ g o garbon deuocsid.

- Mae 5.3 g o sodiwm carbonad yn ffurfio $(\frac{44}{106} × 5.3)$ g o garbon deuocsid.

Màs y carbon deuocsid sy'n cael ei ffurfio yw 2.2 g.

C Cyfrifwch fàs y carbon monocsid sydd ei angen i rydwytho 1000 g o haearn(III) ocsid yn llwyr mewn ffwrnais chwyth.

$$Fe_2O_3(s) + 3CO(n) \rightarrow 2Fe(h) + 3CO_2(n)$$

A Màs fformiwla cymharol haearn(III) ocsid yw 160.

Màs moleciwlaidd cymharol carbon monocsid yw 28.

- Mae 160 g o haearn(III) ocsid yn cael ei rydwytho gan $(3 \times 28 = 84)$ g o garbon monocsid.
- Mae 1 g o haearn(III) ocsid yn cael ei rydwytho gan $\frac{84}{160}$ g o garbon monocsid.
- Mae 1000 g o haearn(III) ocsid yn cael ei rydwytho gan $(\frac{84}{160} \times 1000)$ g = 525 g o garbon monocsid.

CWESTIYNAU

14 Cyfrifwch fàs y calsiwm ocsid sy'n cael ei ffurfio pan mae 5 kg o galsiwm carbonad yn dadelfennu'n llwyr.

$$CaCO_3(s) \rightarrow CaO(s) + CO_2(n)$$

15 Cyfrifwch fàs y sodiwm clorid sy'n gallu cael ei ffurfio drwy niwtralu 8 g o sodiwm hydrocsid ag asid hydroclorig.

$$NaOH(dyfrllyd) + HCl(dyfrllyd) \rightarrow NaCl(dyfrllyd) + H_2O(h)$$

16 Cyfrifwch fàs y calsiwm clorid sy'n gallu cael ei ffurfio gan adwaith 3 g o galsiwm carbonad â gormodedd o asid hydroclorig.

$$CaCO_3(s) + 2HCl(dyfrllyd) \rightarrow CaCl_2(dyfrllyd) + H_2O(h) + CO_2(n)$$

GWAITH YMARFEROL — CYFRIFO FFORMIWLA COPR(II) OCSID

Os byddwch chi'n gwresogi copr(II) ocsid mewn tiwb gwydr gan basio methan drosto, mae'r copr(II) ocsid yn adweithio â'r methan i gynhyrchu copr, dŵr a charbon deuocsid. Os yw'r adweithyddion a'r cynhyrchion yn cael eu pwyso'n ofalus, gallwn ni ddiddwytho fformiwla'r copr(II) ocsid.

Asesiad risg

Bydd eich athro/athrawes yn rhoi asesiad risg i chi ar gyfer yr arbrawf hwn.

Dull

1 Pwyswch y tiwb rhydwytho gyda'r topyn tiwb cludo ynddo. Cofnodwch hwn fel **màs 1**.
2 Rhowch ddau sbatwla o gopr(II) ocsid yn y tiwb a'i wasgaru mor llyfn â phosibl ar hyd y tiwb rhydwytho.
3 Pwyswch y tiwb eto, gyda'r copr(II) ocsid ynddo. Cofnodwch hwn fel **màs 2**.
4 Cydosodwch y cyfarpar fel yn Ffigur 11.18, ond peidiwch â rhoi'r llosgydd Bunsen o dan y cyfarpar eto. Gwnewch yn sicr eich bod chi'n clampio'r tiwb rhydwytho mor agos at y topyn â phosibl.
5 Agorwch y tap nwy sydd wedi'i gysylltu â'r tiwb rhydwytho. Addaswch lif y nwy i tua hanner ffordd i gael llif cyson o nwy methan dros y copr(II) ocsid.

Dyma weithgaredd sy'n eich helpu i:
★ gweithio fel tîm
★ gwneud mesuriadau gwyddonol gofalus
★ cyfrifo fformiwla cyfansoddion syml.

Cyfarpar
* copr(II) ocsid
* tiwb rhydwytho
* topyn tiwb cludo i ffitio'r tiwb rhydwytho
* tiwbin rwber
* stand, cnap a chlamp
* llosgydd Bunsen
* mat gwrth-wres
* sbatwla
* clorian electronig

GWAITH YMARFEROL *parhad*

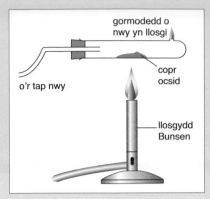

gormodedd o
nwy yn llosgi

copr
ocsid

o'r tap nwy

llosgydd
Bunsen

Ffigur 11.18 Gwresogi copr(II) ocsid a methan.

6 Pan mae'r aer i gyd wedi'i wacáu o'r tiwb, cyneuwch y nwy sy'n dod o'r twll gwacáu ar ddiwedd y tiwb. Gofalwch nad ydych chi'n pwyso dros y tiwb wrth gynnau'r nwy. Addaswch y tap nwy fel bod uchder y fflam tua 3 cm.

7 Cyneuwch y llosgydd Bunsen dan y tiwb rhydwytho a gwresogwch y copr ocsid yn y tiwb â fflam las. Codwch waelod y llosgydd Bunsen a rhowch ran boethaf y fflam dan y copr(II) ocsid i ofalu bod pob rhan o'r copr(II) ocsid yn cael ei wresogi – bydd hyn yn cymryd tuag 20 munud.

8 Os oes rhannau o'r copr(II) ocsid sy'n edrych fel nad ydyn nhw wedi adweithio, defnyddiwch y stand clamp i ysgwyd y tiwb rhydwytho'n ysgafn – **peidiwch â chyffwrdd â'r tiwb rhydwytho poeth**.

9 Pan mae'r copr ocsid i gyd wedi adweithio (bydd yn edrych fel copr lliw pinc eog), daliwch i'w wresogi am funud yna diffoddwch y llosgydd Bunsen.

10 Parhewch i basio'r methan dros y copr wrth iddo oeri i'w atal rhag adweithio ag unrhyw ocsigen sy'n bresennol a throi'n ôl yn gopr ocsid (cadwch y fflam wacáu'n llosgi). Pan mae gweddill y tiwb rhydwytho wedi oeri, diffoddwch y cyflenwad nwy.

11 Pwyswch y tiwb rhydwytho gyda'r topyn tiwb cludo a'r cynnyrch. Cofnodwch hwn fel **màs 3**.

Dadansoddi'r canlyniadau a chyfrifo fformiwla copr(II) ocsid

1 Cyfrifwch fàs yr adweithydd **copr(II) ocsid** (**màs 2 – màs 1**).

2 Cyfrifwch fàs y cynnyrch **copr** (**màs 3 – màs 1**).

3 Cyfrifwch fàs yr **ocsigen** yn y copr(II) ocsid (**màs 2 – màs 3**).

4 Cyfrifwch gymhareb gymharol y copr mewn copr(II) ocsid:

$$= \frac{\text{màs y copr}}{\text{màs atomig cymharol copr}}$$

5 Cyfrifwch gymhareb gymharol yr ocsigen mewn copr(II) ocsid:

$$= \frac{\text{màs yr ocsigen}}{\text{màs atomig cymharol ocsigen}}$$

Cymharwch y ddwy gymhareb gymharol, rhannwch y gymhareb fwyaf â'r gymhareb leiaf a bydd hyn yn rhoi cymhareb atomau copr i atomau ocsigen mewn copr(II) ocsid i chi.

Os yw'r gymhareb yn 1:1 y fformiwla yw CuO; os yw'r gymhareb yn 2:1 y fformiwla yw Cu_2O; ac os yw'n 1:2 y fformiwla yw CuO_2, ac yn y blaen.

GWAITH YMARFEROL | CYFRIFO FFORMIWLA MAGNESIWM OCSID

Pan gaiff magnesiwm ei wresogi mewn aer, mae'n adweithio â'r ocsigen. Yn ystod yr adwaith ocsidio hwn, caiff y cyfansoddyn llwyd magnesiwm ocsid ei gynhyrchu. Mae hyn yn cynyddu cyfanswm y màs. O wybod màs y magnesiwm i ddechrau, a màs y cynnyrch magnesiwm ocsid, mae'n bosibl cyfrifo màs yr ocsigen sydd wedi adweithio â'r magnesiwm. Gallwn ni ddefnyddio'r masau hyn i gyfrifo fformiwla magnesiwm ocsid.

Dyma weithgaredd sy'n eich helpu i:
★ gweithio fel tîm
★ gwneud mesuriadau gwyddonol gofalus
★ cyfrifo fformiwlâu cyfansoddion syml.

parhad...

Cyfarpar

* rhuban magnesiwm (tua 10 cm)
* darn bach o bapur gwydrog
* mat gwrth-wres
* trybedd
* llosgydd Bunsen
* triongl pibau clai
* crwsibl a chaead
* gefel
* clorian electronig

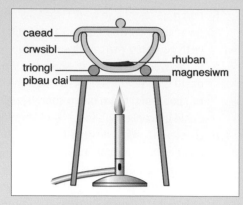

Ffigur 11.19 Cydosodiad cyfarpar llosgi magnesiwm mewn aer.

! Asesiad risg

Bydd eich athro/athrawes yn rhoi asesiad risg i chi ar gyfer yr arbrawf hwn.

Dull

1 Defnyddiwch y glorian electronig i bwyso'r crwsibl gwag gyda'i gaead. Cofnodwch hwn fel **màs 1**.
2 Defnyddiwch y papur gwydrog i lanhau'r darn o ruban magnesiwm, yna torchwch ef o amgylch pensil.
3 Rhowch y torch o ruban magnesiwm yn y crwsibl a rhowch y caead arno.
4 Pwyswch y crwsibl, y caead a'r magnesiwm gyda'i gilydd. Cofnodwch hwn fel **màs 2**.
5 Rhowch y crwsibl, y caead a'r magnesiwm ar driongl pibau clai ar ben trybedd. Peidiwch â chau'r caead yn llwyr fel y gall aer fynd i mewn i'r crwsibl.
6 Gwresogwch y crwsibl oddi isod hyd nes bod yr adwaith wedi gorffen (bydd y magnesiwm yn goleuo i ddechrau, yna'n troi'n dorch llwyd).
7 Diffoddwch y llosgydd Bunsen a gadewch i'r crwsibl oeri.
8 Pwyswch y crwsibl gyda'i gaead a'r holl gynnwys. Cofnodwch hwn fel **màs 3**.

Dadansoddi'r canlyniadau a chyfrifo fformiwla magnesiwm ocsid

1 Cyfrifwch fàs yr adweithydd **magnesiwm** (**màs 2 – màs 1**).
2 Cyfrifwch fàs y cynnyrch **magnesiwm ocsid** (**màs 3 – màs 1**).
3 Cyfrifwch fàs yr **ocsigen** yn y magnesiwm ocsid (**màs 3 – màs 2**). Màs atomig cymharol magnesiwm yw 24 ac mae ocsigen yn 16.
4 Cyfrifwch gymhareb gymharol y magnesiwm mewn magnesiwm ocsid:

$$= \frac{\text{màs y magnesiwm}}{\text{màs atomig cymharol magnesiwm}}$$

5 Cyfrifwch gymhareb gymharol yr ocsigen mewn magnesiwm ocsid:

$$= \frac{\text{màs yr ocsigen}}{\text{màs atomig cymharol ocsigen}}$$

Cymharwch y ddwy gymhareb gymharol, rhannwch y gymhareb fwyaf â'r gymhareb leiaf a bydd hyn yn rhoi cymhareb atomau magnesiwm i atomau ocsigen mewn magnesiwm ocsid i chi.

Os yw'r gymhareb yn 1:1 y fformiwla yw MgO; os yw'r gymhareb yn 2:1 y fformiwla yw Mg_2O; ac os yw'n 1:2 y fformiwla yw MgO_2, ac yn y blaen.

Cyfrifo cynnyrch adwaith cemegol

Mae adwaith magnesiwm ag ocsigen, sy'n cael ei ddefnyddio yn y gwaith ymarferol **Cyfrifo fformiwla magnesiwm ocsid,** yn cynhyrchu magnesiwm ocsid. Hafaliadau cemegol yr adwaith hwn yw:

$$magnesiwm + ocsigen \rightarrow magnesiwm \ ocsid$$

$$2Mg(s) + O_2(n) \rightarrow 2MgO(s)$$

Màs atomig cymharol magnesiwm yw 24 ac mae ocsigen yn 16. Mae hyn yn golygu bod màs fformiwla cymharol magnesiwm ocsid yn 40. Mae'r hafaliad yn dweud wrthym ni fod (2×24) g o fagnesiwm yn cynhyrchu (2×40) g o fagnesiwm ocsid. Felly:

mae 48 g o fagnesiwm yn gwneud 80 g o fagnesiwm ocsid

mae 1 g o fagnesiwm yn gwneud $\dfrac{80}{48}$ = 1.7 g o fagnesiwm ocsid

Felly, mewn arbrawf sy'n defnyddio 5 g o fagnesiwm, byddech chi'n disgwyl cael (5×1.7) = 8.5 g o fagnesiwm ocsid. Hwn yw **cynnyrch damcaniaethol** yr adwaith.

Os dim ond 7.9 g o fagnesiwm ocsid sy'n cael ei gynhyrchu, hwn yw **cynnyrch gwirioneddol** yr adwaith.

Y cyfrifiad ar gyfer canran cynnyrch yr adwaith yw:

$$canran \ cynnyrch = \frac{cynnyrch \ gwirioneddol}{cynnyrch \ damcaniaethol} \times 100\%$$

Felly ar gyfer yr adwaith hwn:

$$canran \ cynnyrch = \frac{7.9}{8.5} \times 100\% = 92.9\%$$

CWESTIYNAU

17 Cyfrifwch ganran cynnyrch y gwaith ymarferol **Cyfrifo fformiwla magnesiwm ocsid** (tudalennau 125-6).

18 Caiff chwe thunnell fetrig o ethanol ei gynhyrchu o 15 tunnell fetrig o ethen pan mae'n adweithio â gormodedd o ddŵr. Cyfrifwch ganran cynnyrch yr adwaith.
$C_2H_4(n) + H_2O(n) \rightarrow C_2H_5OH(n)$

19 Darganfyddwch ganran cynnyrch yr adwaith os yw 5 g o CO_2 yn cael ei ryddhau wrth ddadelfennu 10 g o $CaCO_3$.
$CaCO_3(s) \rightarrow CaO(s) + CO_2(n)$

Cyfrifo newidiadau egni

Pan mae adweithiau cemegol yn digwydd, caiff sylweddau newydd (y cynhyrchion) eu ffurfio o'r sylweddau sy'n adweithio (yr adweithyddion). Mae hylosgiad yn fath penodol o adwaith lle mae tanwydd yn llosgi mewn ocsigen. Yn achos hylosgiad llwyr hydrocarbonau, fel methan, yr adweithyddion yw'r hydrocarbon ac ocsigen, a'r cynhyrchion yw carbon deuocsid a dŵr. Yn yr adwaith hylosgiad, caiff bondiau eu torri yn yr adweithyddion a'u hailffurfio i ffurfio'r cynhyrchion. Dim ond atomau carbon a hydrogen sydd mewn moleciwl hydrocarbon, ac yn ystod yr adwaith mae'r atomau hyn yn ffurfio bondiau ag atomau ocsigen.

Ystyriwch hylosgiad methan (gweler Ffigur 11.20):

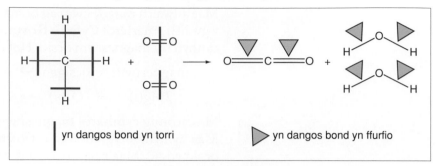

Ffigur 11.20 Mae hylosgiad methan yn cynnwys torri ac ailffurfio bondiau.

methan + ocsigen → carbon deuocsid + dŵr

$CH_4(n)$ + $2O_2(n)$ → $CO_2(n)$ + $2H_2O(n)$

Mae **torri** bond yn **endothermig**. Mae hyn yn golygu bod angen **rhoi egni i mewn**. Mae **ffurfio** bond yn **ecsothermig – mae'n rhyddhau egni**. Y gwahaniaeth rhwng cyfanswm yr egni sydd ei angen i dorri'r bondiau i gyd a chyfanswm yr egni sy'n cael ei ryddhau pan gaiff y bondiau newydd eu ffurfio sy'n penderfynu a yw'r adwaith cyfan yn ecsothermig neu'n endothermig.

Data egni bondiau

Mae'r tabl isod yn dangos gwerthoedd egni rhai bondiau cofalent.

Tabl 11.1 Gwerthoedd egni bondiau cofalent

Bond	Egni'r bond (kJ)
O=O	496
C–H	412
H–H	436
C=O	743
O–H	463
C–C	348
N≡N	944
C=C	612
N–H	388

Er mwyn i fondiau dorri, rhaid rhoi i mewn swm o egni sydd yn gywerth ag egni'r bond. Pan gaiff bondiau eu ffurfio, bydd egni sydd yn gywerth ag egni'r bond yn cael ei ryddhau.

Enghraifft

Hafaliad hylosgiad llwyr methan yw:

$CH_4(n) + 2O_2(n) \rightarrow CO_2(n) + 2H_2O(n)$

Y bondiau sy'n cael eu torri yw pedwar bond C–H a dau fond O=O (Ffigur 11.20), felly cyfanswm yr egni sy'n mynd i mewn yw:

4 × C–H = (4 × 412) = 1648 kJ

2 × O=O = (2 × 496) = 992 kJ

cyfanswm egni i mewn = 2640 kJ

Y bondiau sy'n cael eu ffurfio yw dau fond C=O a phedwar bond O–H:

2 × C=O = (2 × 743) = 1486 kJ
4 × O–H = (4 × 463) = 1852 kJ
cyfanswm egni allan = 3338 kJ

Y gwres hylosgi yw:
cyfanswm egni allan – cyfanswm egni i mewn = 3338 – 2640 = 698 kJ.
Yn yr enghraifft hon, fel sy'n wir am bob tanwydd, caiff mwy o egni ei ryddhau nag sy'n cael ei gymryd i mewn, felly mae'r adwaith yn **ecsothermig** ac yn rhyddhau egni bob tro (sef holl bwynt llosgi tanwydd).

Mae adweithiau **ecsothermig** yn **rhyddhau gwres** i'r amgylchoedd. Mae adweithiau **endothermig** yn **cymryd gwres** o'r amgylchoedd.

Enghraifft

C Caiff amonia ei wneud drwy gyfuno nwy nitrogen a nwy hydrogen. Fel y gwelsom ni'n gynharach yn y bennod, Proses Haber yw'r enw ar y broses hon pan gaiff ei defnyddio ar raddfa ddiwydiannol. Darganfyddwch a yw'r adwaith isod yn ecsothermig neu'n endothermig.

$N_2(n) + 3H_2(n) \rightarrow 2NH_3(n)$

A Y bondiau sy'n cael eu torri yw un bond N≡N a thri bond H–H. Yr egni sy'n cael ei gymryd i mewn yw:

1 × N≡N = 944 kJ

3 × H–H = (3 × 436) = 1308 kJ

cyfanswm egni i mewn = 2252 kJ

Y bondiau sy'n cael eu ffurfio yw chwe bond N–H, felly'r egni sy'n cael ei ryddhau yw:
6 × N–H = (6 × 388) = 2328 kJ

cyfanswm egni allan = 2328 kJ

newid egni = cyfanswm egni allan – cyfanswm egni i mewn

= 2328 – 2252 = **76 kJ**

Caiff mwy o egni ei ryddhau pan mae'r amonia'n ffurfio na phan mae'r moleciwlau nitrogen a hydrogen yn torri. Felly, mae'r adwaith yn ecsothermig.

CWESTIYNAU

Gwnewch gyfrifiadau egni i benderfynu a yw'r adweithiau canlynol yn ecsothermig neu'n endothermig.

20 Hylosgiad ethanol: $C_2H_5OH(h) + 3O_2(n) \rightarrow 2CO_2(n) + 3H_2O(n)$
21 Niwtraliad sodiwm hydrocsid gan asid hydroclorig:
$HCl(dyfrllyd) + NaOH(dyfrllyd) \rightarrow NaCl(dyfrllyd) + H_2O(h)$
22 Adwaith lithiwm â dŵr: $2Li(s) + H_2O(h) \rightarrow 2LiOH(dyfrllyd) + H_2(n)$
23 Adwaith nwyon nitrogen ac ocsigen: $N_2(n) + O_2(n) \rightarrow 2NO(n)$.

Crynodeb o'r bennod

○ Cynllunio a chynnal arbrofion i astudio effaith unrhyw ffactor perthnasol ar gyfradd adwaith cemegol, gan ddefnyddio technoleg briodol e.e. synhwyrydd golau a chofnodwr data i ddilyn gwaddodiad sylffwr yn ystod yr adwaith rhwng sodiwm thiosylffad ac asid hydroclorig.

○ Dadansoddi'r data sy'n cael eu casglu er mwyn llunio casgliadau, a rhoi gwerthusiad beirniadol o'r dull casglu data, ansawdd y data ac i ba raddau mae'r data'n cefnogi'r casgliad.

○ Archwilio eglurhad damcaniaeth gronynnau o newidiadau cyfradd sy'n codi o newid crynodiad, tymheredd a maint gronynnau, gan ddefnyddio amrywiaeth o ffynonellau gan gynnwys gwerslyfrau ac efelychiadau cyfrifiadurol.

○ Mae catalydd yn cynyddu cyfradd newid cemegol heb newid yn gemegol ei hun, ac mae'n golygu bod angen llai o egni er mwyn i wrthdrawiad fod yn llwyddiannus.

○ Mae pwysigrwydd economaidd ac amgylcheddol mawr i ddatblygu catalyddion newydd gwell, o ran cynyddu cynnyrch, arbed defnyddiau crai, lleihau costau egni ac ati.

○ Gallwn ni gyfrifo fformiwla cyfansoddyn deuaidd, e.e. magnesiwm ocsid, drwy ddefnyddio data arbrofol sydd wedi'u casglu neu ddata sydd wedi'u rhoi.

○ Gallwn ni gyfrifo cyfansoddiad canrannol cyfansoddion syml drwy ddefnyddio masau atomig cymharol yr elfennau a màs fformiwla cymharol y moleciwl.

○ Gallwn ni gyfrifo masau adweithyddion neu gynhyrchion o hafaliad symbolau cytbwys adwaith.

○ Gallwn ni gyfrifo canran cynnyrch adwaith.

○ Mae adweithiau endothermig yn cymryd egni i mewn.

○ Mae adweithiau ecsothermig yn rhyddhau egni.

○ Gallwn ni ddefnyddio data a roddir am egni bondiau i gyfrifo cyfanswm newid egni adwaith a chanfod a yw'n ecsothermig neu'n endothermig.

12 Cemeg organig

Cemeg organig yw cemeg cyfansoddion sy'n seiliedig ar garbon. Mae'n arbennig o bwysig oherwydd mae'r holl fywyd ar y blaned yn seiliedig ar garbon, ac felly mae angen llawer o gyfansoddion organig ar gyfer prosesau bywyd. Mae llawer o ffyrdd o ddefnyddio cyfansoddion sy'n seiliedig ar garbon yn ddiwydiannol hefyd.

Pam mae olew mor bwysig?

Mae'r olew crai sy'n cael ei echdynnu o ffynhonnau olew yn gymysgedd o hydrocarbonau, hynny yw, cemegion organig sy'n cynnwys carbon a hydrogen yn unig. Roedd y cemegion hyn yn arfer bod yn rhan o bethau byw, oherwydd caiff olew ei ffurfio drwy broses ffosileiddio. Dyna pam rydym ni'n galw olew'n **danwydd ffosil**. Mae olew'n hollbwysig i economi'r byd, oherwydd gallwn ni wneud llawer o gynhyrchion defnyddiol ohono drwy broses distyllu ffracsiynol. Dysgoch chi am y broses hon yn y cwrs TGAU Gwyddoniaeth.

Mae distyllu ffracsiynol yn ffordd o wahanu gwahanol 'ffracsiynau' o'r olew. Mae'r ffracsiynau'n dal i gynnwys cymysgedd o gyfansoddion, ond gan eu bod nhw'n cynnwys llai o gemegion na'r olew gwreiddiol, mae'n haws eu puro.

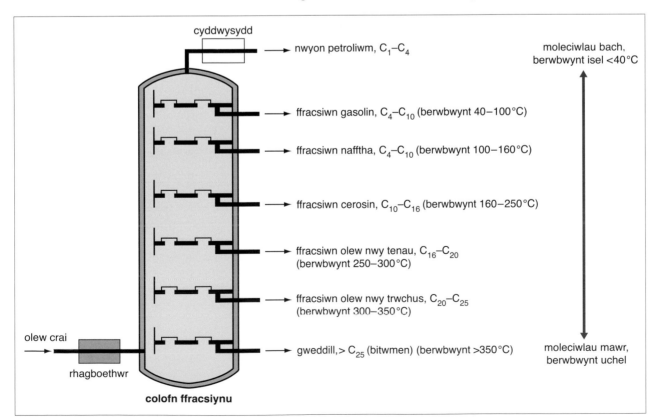

Ffigur 12.1 Distyllu ffracsiynol olew crai.

Mae berwbwyntiau gwahanol gan y gwahanol gemegion sydd mewn olew crai. Y berwbwynt hefyd yw'r tymheredd lle bydd y nwy'n cyddwyso'n hylif pan gaiff ei oeri. Caiff yr olew ei wresogi, gan achosi iddo anweddu a throi'n gymysgedd o nwyon, ac wrth i'r anwedd godi yn y golofn distyllu ffracsiynol, mae'n oeri. Ar wahanol bwyntiau, caiff yr hylif sy'n cyddwyso ei echdynnu o'r golofn, fel mae Ffigur 12.1 yn ei ddangos. Y mwyaf yw'r moleciwl, yr uchaf fydd ei ferwbwynt, felly mae'r moleciwlau sy'n cael eu hechdynnu yn mynd yn llai wrth i chi fynd i fyny'r golofn.

Mae'r cemegion yn y gwahanol ffracsiynau'n cael eu defnyddio i wneud amrywiaeth eang o gynhyrchion defnyddiol, gan gynnwys petrol, diesel, paraffin, methan, olew iro a bitwmen. Caiff cynhyrchion olew eu defnyddio hefyd i wneud plastigion.

Alcanau ac alcenau

Mae alcanau ac alcenau yn ddau gategori o hydrocarbon. Hydrocarbonau **dirlawn** yw alcanau. Dim ond bondiau sengl sydd ynddynt, felly maen nhw'n 'ddirlawn' o hydrogen (h.y. maen nhw'n cynnwys cymaint â phosibl o hydrogen). Y gwahaniaeth rhwng gwahanol alcanau yw nifer yr atomau carbon sydd ynddynt. Mae Tabl 12.1 yn dangos y pedwar cyntaf.

Tabl 12.1 Alcanau a'u hadeiledd.

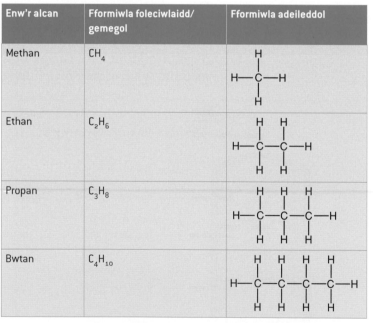

Enw'r alcan	Fformiwla foleciwlaidd/ gemegol	Fformiwla adeileddol
Methan	CH_4	
Ethan	C_2H_6	
Propan	C_3H_8	
Bwtan	C_4H_{10}	

Hydrocarbonau annirlawn yw alcenau, ac mae ganddynt o leiaf un bond dwbl rhwng atomau carbon. Mae Ffigur 12.2 yn dangos dau alcen.

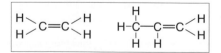

Ffigur 12.2 Adeiledd dau alcen.

Gallwn ni gynhyrchu alcenau o alcanau drwy wresogi'r alcan gyda chatalydd – proses o'r enw **cracio**.

Adweithiau adio alcenau

Mae presenoldeb o leiaf un bond dwbl carbon–carbon mewn alcenau'n golygu bod atomau eraill yn gallu cael eu hychwanegu at y moleciwl. Enw adweithiau sy'n gwneud hyn yw **adweithiau adio**, ac mae hydrogen a bromin yn ddau atom sy'n gallu cael eu hychwanegu fel hyn.

Pan gaiff hydrogen ei ychwanegu at alcen (**hydrogeniad**), mae'r alcan cyfatebol yn ffurfio. Caiff yr adwaith hwn ei gynnal drwy wresogi'r alcen dan wasgedd, ym mhresenoldeb catalydd metelig. Mae hydrogeniad ethen i ffurfio ethan wedi'i ddangos isod.

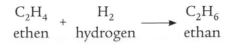

$$C_2H_4 \quad + \quad H_2 \quad \longrightarrow \quad C_2H_6$$
$$\text{ethen} \qquad \text{hydrogen} \qquad\qquad \text{ethan}$$

Mae adwaith adio arall yn digwydd gyda bromin i ffurfio **deubromoalcan**. Mae'r bond dwbl yn torri ac mae dau atom bromin yn cael eu hychwanegu at y moleciwl.

Mae'r adwaith hwn yn ddefnyddiol oherwydd gallwn ni ei ddefnyddio i brofi am bresenoldeb alcen. Mae dŵr bromin melyn yn adweithio â'r alcen ac mae ei liw'n diflannu gan fod y cynnyrch sy'n cael ei ffurfio'n ddi-liw.

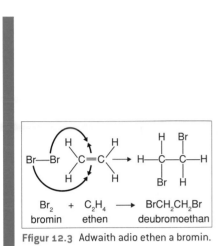

Ffigur 12.3 Adwaith adio ethen a bromin.

GWAITH YMARFEROL — GWNEUD ALCENAU O ALCANAU

Yn y gweithgaredd hwn, caiff paraffin (cymysgedd o alcanau) ei wresogi gan ddefnyddio catalydd i gynhyrchu alcenau.

Asesiad risg

Gwisgwch sbectol ddiogelwch.
Bydd eich athro/athrawes yn rhoi asesiad risg i chi.

Dyma weithgaredd sy'n eich helpu i:
★ dilyn cyfarwyddiadau manwl
★ trin cyfarpar.

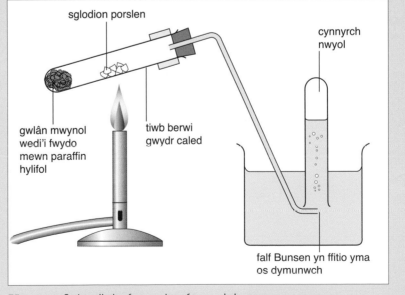

Ffigur 12.4 Cydosodiad cyfarpar arbrawf gwneud alcenau.

parhad......

Cyfarpar (i bob grŵp)

* 4 tiwb profi
* topynnau, i ffitio'r tiwbiau profi
* rhesel tiwbiau profi
* tiwb berwi
* rhoden wydr
* topyn ag un twll i ffitio'r tiwb berwi
* tiwb cludo wedi'i osod â falf Bunsen
* cafn gwydr neu fasn plastig bach i gasglu nwy dros ddŵr
* llosgydd Bunsen
* mat gwrth-wres
* stand a chlamp
* piped diferu
* sblint pren
* tua 2 cm^3 o baraffin meddyginiaethol (paraffin hylifol – NID y tanwydd)
* potyn mandyllog neu ddarnau o garreg bwmis
* tua 2 cm^3 o ddŵr bromin, 0.02 mol dm^{-3}, wedi'i wanedu i liw melyn-oren golau
* tua 2 cm^3 o hydoddiant potasiwm manganad(VII) asidiedig, tua 0.001 mol dm^{-3}
* gwlân mwynol ('Superwool' yn ddelfrydol)

Dull

1. Rhowch ddyfnder o tua 2 cm o wlân mwynol yng ngwaelod y tiwb berwi a'i wasgu'n ysgafn i'w le â rhoden wydr. Gollyngwch tua 2 cm^3 o baraffin hylifol ar y gwlân, gan ddefnyddio piped diferu. Defnyddiwch ddigon o baraffin i fwydo'r gwlân mwynol yn llwyr, ond dim cymaint nes bod y paraffin yn rhedeg ar hyd ochr y tiwb pan gaiff ei osod yn llorweddol.

2. Clampiwch y tiwb berwi'n agos at ei geg fel ei fod ychydig bach ar ogwydd am i fyny, fel mae Ffigur 12.4 yn ei ddangos. Rhowch domen o gatalydd (carreg bwmis neu ddarnau o bot mandyllog) yng nghanol y tiwb a gosodwch y tiwb cludo'n sownd ato.

3. Llenwch y cafn at tua dau draean o'i gyfaint â dŵr, a rhowch y cyfarpar fel bod pen y tiwb cludo wedi'i drochi'n ddwfn yn y dŵr.

4. Llenwch bedwar tiwb profi â dŵr a'u gosod wyneb i waered yn y cafn. Hefyd, rhowch y topynnau tiwbiau profi wyneb i waered yn y dŵr.

5. Gwresogwch y catalydd yng nghanol y tiwb yn gryf am rai munudau, nes bod y gwydr yn cyrraedd gwres coch pŵl. Peidiwch â gwresogi'r tiwb yn rhy agos at y topyn rwber.

6. Gan gadw'r catalydd yn boeth, ffliciwch y fflam o dro i dro i ben y tiwb am rai eiliadau i anweddu rhywfaint o'r paraffin hylifol. Ceisiwch gynhyrchu llif cyson o swigod o'r tiwb cludo. Byddwch yn ofalus i beidio â gwresogi'r paraffin hylifol yn rhy gryf na gadael i'r catalydd oeri. I osgoi sugno'n ôl, peidiwch â symud y fflam o fod yn gwresogi'r tiwb tra bod y nwy'n cael ei gasglu. Os yw'n edrych fel bod sugno'n ôl ar fin digwydd, codwch y cyfarpar cyfan drwy godi'r stand clamp.

7. Pan welwch lif cyson o swigod nwy, casglwch lond pedwar tiwb o nwy drwy eu dal dros y falf Bunsen. Byddwch yn ofalus i beidio â chodi'r tiwbiau llawn dŵr allan o'r dŵr wrth eu symud, er mwyn osgoi gadael aer i mewn iddynt. Seliwch y tiwbiau llawn drwy eu gwasgu i lawr ar y topynnau, yna rhowch nhw mewn rhesel.

8. Ar ôl gorffen casglu'r nwy, yn gyntaf, tynnwch y tiwb cludo o'r dŵr drwy ogwyddo neu godi'r stand clamp. Dim ond bryd hynny y dylech chi stopio gwresogi.

9. Profwch y tiwbiau o nwy fel hyn:

   a. Aroglwch y tiwb profi cyntaf yn ofalus, a chymharwch yr arogl ag arogl y paraffin hylifol.

   b. Defnyddiwch sblint wedi'i danio i weld a yw'r nwy'n fflamadwy. Mae'n bosibl mai aer fydd yn y tiwb cyntaf gan mwyaf. Os nad yw'n tanio, rhowch gynnig ar yr ail diwb. Ar ôl i'r nwy danio, trowch y tiwb prawf wyneb i waered i adael i'r nwy sy'n drymach nag aer lifo allan a llosgi.

   c. Ychwanegwch 2–3 diferyn o ddŵr bromin at y trydydd tiwb o nwy, caewch ef â thopyn ac ysgydwch ef yn dda.

   ch. Ychwanegwch 2–3 diferyn o hyddodiant potasiwm manganad(VII) asidiedig at y pedwerydd tiwb, caewch ef â thopyn ac ysgydwch ef yn dda. Mae hwn yn brawf arall am alcenau; os ydyn nhw'n bresennol, bydd lliw'r hylif yn troi'n frown neu'n ddi-liw.

CWESTIYNAU

1 Edrychwch ar y fformiwla adeileddol yn Ffigur 12.5. Ydy'r cemegyn hwn yn alcan neu'n alcen? Rhowch reswm dros eich ateb.

2 Mae alcenau'n fwy adweithiol nag alcanau. Awgrymwch reswm dros hyn, gan ddefnyddio'r hyn rydych chi'n ei wybod am eu hadeiledd cemegol.

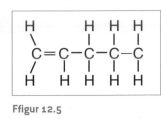

Ffigur 12.5

Sut gallwn ni droi alcenau'n bolymerau?

Mae'n bosibl cydosod niferoedd mawr o foleciwlau alcen gyda'i gilydd i wneud amrywiaeth o **bolymerau** defnyddiol, fel polythen, polypropen, polytetrafflworoethen (PTFE) a pholyfinylclorid (PVC).

Enw'r moleciwlau bach (fel ethen) sy'n cael eu defnyddio i wneud polymerau yw **monomerau**. Mae dau fath o bolymer:

- **polymerau adio**, sy'n cael eu gwneud o un monomer yn unig
- **polymerau cyddwyso**, sy'n cael eu gwneud o ddau neu ragor o fonomerau gwahanol.

Mae'n bosibl cydosod moleciwlau ethen i ffurfio'r polymer adio poly(ethen) – **polythen** yw'r enw cyffredin arno. Caiff hyn ei wneud drwy wresogi ethen dan wasgedd. Mae nifer y moleciwlau sy'n uno'n amrywio, ond fel rheol mae rhwng 2000 ac 20 000 (gweler Ffigur 12.6).

Mae polythen yn cael ei ddefnyddio'n aml i wneud bagiau plastig. Mae'n hyblyg ond ddim yn gryf iawn.

Mae Tabl 12.2 yn dangos rhai polymerau adio eraill.

Ffigur 12.6 Ffurfio'r polymer adio poly(ethen) o ethen (mae *n* yn rhif mawr sy'n gallu amrywio).

Tabl 12. Polymerau adio a ffyrdd o'u defnyddio.

Enw	Uned sy'n ailadrodd	Sut caiff ei ddefnyddio
Polypropen		Cynwysyddion bwyd diogel i beiriannau golchi llestri; peipiau; darnau o geir; carpedi gwrth-ddŵr
Polyfinylclorid PVC		Yn cael ei ddefnyddio'n eang iawn; peipiau; fframiau ffenestri a drysau; dillad; ynysiad trydanol
Polytetrafflworoethen PTFE		Caiff ei alw'n Teflon; arwynebau gwrthlud i offer coginio, haearnau smwddio, llafnau sychwyr ac ati.

Beth yw'r gwahaniaeth rhwng thermoplastig a thermoset?

Efallai y byddwch chi wedi sylwi bod rhai polymerau, fel polythen, yn mynd yn feddal wrth iddynt gael eu gwresogi ac yn caledu eto wrth iddynt oeri. Mae plastigion eraill, fel y rhai sy'n cael eu defnyddio i wneud coesau sosbenni, yn gallu gwrthsefyll gwres. Mae plastigion sy'n meddalu wrth gael eu gwresogi'n cael eu galw'n blastigion thermo-feddalu, neu'n **thermoplastigion**. Mae'r plastigion sy'n gallu gwrthsefyll gwres yn cael eu galw'n blastigion thermosodol, neu'n **thermosetiau**.

Mae llawer o thermoplastigion yn cael eu defnyddio ar gyfer cynwysyddion yn y cartref fel powlenni a bwcedi, ac ar gyfer defnyddiau pacio. Caiff thermosetiau eu defnyddio mewn ffitiadau golau trydan, coesau sosbenni, a chynhyrchion eraill lle mae'r gallu i wrthsefyll gwres yn bwysig. Gallwn ni egluro'r gwahaniaeth yn ymddygiad y ddau fath hyn o bolymer yn nhermau eu hadeileddau. Mae thermoplastigion wedi'u gwneud o gadwynau o bolymerau. Dydy'r cadwynau hyn ddim wedi'u cysylltu â'i gilydd ac felly maen nhw'n gallu llithro dros ei gilydd. Mae hyn yn golygu eu bod nhw'n hawdd eu toddi. Mewn thermosetiau, mae trawsgysylltiadau cryf rhwng y cadwynau o bolymerau, sy'n dal yr adeiledd at ei gilydd ac yn ei alluogi i wrthsefyll gwres (gweler Ffigur 12.7).

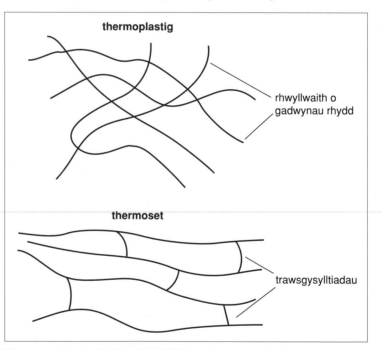

Ffigur 12.7 Gwahaniaethau adeileddol rhwng thermoplastigion a thermosetiau.

Ffigur 12.8 Mae glud epocsi'n blastig thermoset. Mae'r adwaith cemegol rhwng y resin a'r caledwyr yn caledu'r glud, ac yna mae'n setio. Ar ôl iddo setio, mae'n gallu gwrthsefyll gwres.

Mae'n bosibl mowldio plastigion thermoset. Fel rheol, maen nhw'n dechrau ar ffurf hylif a gallwn ni eu setio â gwres, adweithiau cemegol neu ymbelydredd. Ar ôl iddynt setio, fodd bynnag, dydy hi ddim yn bosibl eu toddi eto.

PAM DEFNYDDIO'R PLASTIG HWN?

Dyma weithgaredd sy'n eich helpu i:
★ ymchwilio i wybodaeth ar y rhyngrwyd
★ datblygu sgiliau cyfathrebu.

Dewch o hyd i eitem yn eich cartref sydd wedi'i gwneud o blastig. Chwiliwch am farc ailgylchu arni (bydd yn edrych ychydig yn debyg i Ffigur 12.9, ond efallai y bydd y rhif a'r llythrennau'n wahanol).

1 Defnyddiwch yr arwydd ailgylchu i ymchwilio ar y rhyngrwyd i ganfod o ba blastig mae'r eitem hon wedi'i gwneud.
2 Chwiliwch am briodweddau'r plastig hwn, ac awgrymwch pam y cafodd ei ddefnyddio ar gyfer yr eitem rydych chi wedi'i dewis.

Ffigur 12.9 Arwydd ailgylchu ar eitem blastig.

Crynodeb o'r bennod

○ Mae distyllu ffracsiynol olew crai'n golygu gwresogi ac anweddu'r olew, ac yna cyddwyso ffracsiynau gwahanol ar dymereddau gwahanol wrth i'r anwedd godi i fyny'r golofn.

○ Mae alcanau ac alcenau'n ddwy enghraifft o hydrocarbonau. Mae alcanau'n ddirlawn a does dim bondiau dwbl ynddynt, ond mae alcenau'n cynnwys o leiaf un bond dwbl carbon–carbon.

○ Mae ethen yn gallu gwneud adweithiau adio gyda hydrogen a bromin. Gallwn ni ddefnyddio'r adwaith â bromin fel prawf am alcenau.

○ Caiff polymerau adio eu ffurfio drwy uno niferoedd mawr o foleciwlau o un monomer.

○ Mae thermoplastigion yn ymdoddi'n hawdd ond mae thermosetiau'n gallu gwrthsefyll gwres. Mae hyn oherwydd y gwahaniaeth yn eu hadeileddau.

Dŵr

Mae dŵr yn gemegyn pwysig iawn. Mae'n hanfodol i fywyd ar ein planed, a dŵr yw'r rhan fwyaf o'r corff dynol (a chyrff anifeiliaid a phlanhigion eraill). Yn y diwydiannau cemegol, mae dŵr yn ddefnydd crai pwysig sy'n cael ei ddefnyddio fel:

- hydoddydd – mae llawer o brosesau'n cynnwys hydoddiannau o gyfansoddion mewn dŵr.
- oerydd – mae llawer o adweithiau cemegol yn cynhyrchu gwres mae'n rhaid i ni gael gwared ag ef; mae dŵr yn oeri prosesau, yna caiff y dŵr ei hun ei oeri cyn cael ei ddychwelyd i'r amgylchedd.

Yn y bennod hon byddwn ni'n edrych ar faterion yn ymwneud â chyflenwad a defnydd dŵr yn ein cartrefi, ac ar rai o'i ddefnyddiau fel hydoddydd.

Sut rydym ni'n cael dŵr glân?

Ym Mhrydain, mae dŵr yn cael ei beipio i gartrefi pawb bron, ac mae'r dŵr hwn yn ffit i'w yfed yn syth o'r tap. Mae'r dŵr yn dod o law gan mwyaf, ond rhaid iddo gael ei lanhau a'i drin cyn y bydd yn ddiogel i'w yfed. Caiff y glaw ei gasglu mewn llynnoedd neu mewn cronfeydd dŵr wedi'u gwneud gan bobl lle caiff ei storio. Mae ffynonellau dŵr eraill yn cynnwys afonydd a dŵr tanddaearol. Mae Ffigur 13.1 yn dangos argae Caban Coch yng Nghwm Elan; caiff dŵr o Gwm Elan ei ddefnyddio gan ddinas Birmingham yn Lloegr. Mae tua 2000 o gronfeydd dŵr o'r fath yn cyflenwi dŵr yfed yn y DU.

Ffigur 13.1 Argae Caban Coch yng Nghwm Elan ym Mhowys.

Bydd y dŵr sy'n dod o gronfa ddŵr yn cynnwys llawer o ronynnau mewn daliant a bacteria. Rhaid cael gwared â'r rhain i wneud y dŵr yn dderbyniol ac yn ddiogel i'w yfed. Mae hyn yn digwydd mewn gweithfeydd trin dŵr, ac mae Ffigur 13.2 yn dangos prif gamau'r broses hon.

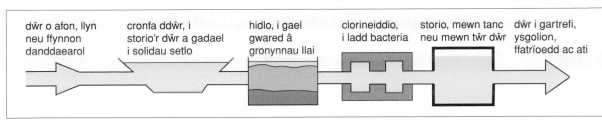

| dŵr o afon, llyn neu ffynnon danddaearol | cronfa ddŵr, i storio'r dŵr a gadael i solidau setlo | hidlo, i gael gwared â gronynnau llai | clorineiddio, i ladd bacteria | storio, mewn tanc neu mewn twr dŵr | dŵr i gartrefi, ysgolion, ffatrïoedd ac ati |

Ffigur 13.2 Y camau wrth drin dŵr yfed.

CWESTIYNAU

1 Mewn rhannau o'r byd lle nad yw'r dŵr yfed yn cael ei drin yn llawn, neu pan mae lle i gredu bod y dŵr wedi cael ei halogi, caiff pobl eu cynghori i ferwi'r dŵr am sawl munud ac yna'i oeri cyn ei yfed. Awgrymwch y rheswm dros hyn.

2 Awgrymwch bum ffordd y gallai cartref cyffredin ddefnyddio llai o ddŵr bob dydd.

Pwynt Trafod

Mae'r dŵr ar y blaned yn cael ei ailgylchu'n gyson gan y gylchred ddŵr. Felly pam mae angen i ni arbed dŵr os bydd yn y pen draw yn dychwelyd i afonydd a chronfeydd dŵr beth bynnag?

Pan mae'r dŵr yn y gronfa ddŵr, mae'r gronynnau solet mwyaf yn setlo i'r gwaelod (**gwaddodiad**). Pan gaiff y dŵr ei echdynnu o'r gronfa ddŵr, caiff ei hidlo i gael gwared â gronynnau llai (**hidliad**), ond dydy'r hidlo ddim yn cael gwared â bacteria. I ladd y bacteria, rhaid **clorineiddio** y dŵr (ychwanegu clorin ato), ac mewn rhai ardaloedd caiff fflworid ei ychwanegu at y dŵr fel mesur iechyd cyhoeddus, oherwydd y gred ei fod yn helpu i atal pydredd dannedd, yn enwedig mewn plant ifanc. Yna, caiff y dŵr wedi'i drin ei storio mewn twr dŵr neu mewn tanc nes bod ei angen.

Oes angen i ni fod yn ofalus faint o ddŵr rydym ni'n ei ddefnyddio?

Mae rhai pobl wedi amcangyfrif bod pob unigolyn yn y Deyrnas Unedig yn defnyddio tua 150 litr o ddŵr bob dydd, i yfed, ymolchi, glanhau a fflysio. Dim ond defnydd domestig yw hyn a dydy'r ffigur ddim yn cynnwys y dŵr mae busnesau a ffatrïoedd yn ei ddefnyddio. Yn ystod hafau sych, gall lefel y dŵr mewn cronfeydd fynd mor isel nes bod awdurdodau lleol yn gorfod gwahardd pobl rhag dyfrhau eu gerddi a golchi eu ceir.

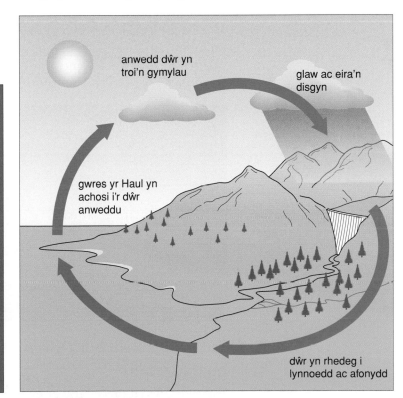

Ffigur 13.4 Y gylchred ddŵr.

ARBED DŴR

MAE'R BYD YN EICH DWYLO CHI

Ffigur 13.3 Poster arbed dŵr.

Ydym ni'n gallu cael dŵr yfed o'r môr?

Er bod y Deyrnas Unedig wedi'i hamgylchynu gan y môr, dydym ni ddim yn gallu yfed dŵr môr. Mae'r halen ynddo'n gwneud iddo flasu'n annymunol, ond mae hefyd yn golygu y byddai ei yfed yn eich dadhydradu chi.

Fodd bynnag, mewn gwahanol rannau o'r byd, mae rhai gwledydd yn edrych ar y posibilrwydd o dynnu'r halen o ddŵr môr (**dihalwyno**) er mwyn ei ddefnyddio i'w yfed. Agorodd y gwaith dihalwyno cyntaf yn y Deyrnas Unedig yn 2010.

Yr enw ar y broses ddihalwyno arferol yw osmosis gwrthdro. Caiff dŵr môr ei hidlo dan wasgedd drwy bilen sy'n gweithredu fel hidlen foleciwlaidd – mae'n gadael y moleciwlau dŵr bach yn unig drwyddi ond yn cadw'r halen allan.

Mae nifer o broblemau'n gysylltiedig â defnyddio dihalwyno i gyflenwi dŵr yfed:

■ Mae'r broses yn defnyddio llawer o egni oherwydd bod angen cynhyrchu gwasgeddau uchel – llawer mwy na'r prosesau eraill sy'n cael eu defnyddio i gynhyrchu dŵr yfed.

■ Mae'r broses yn ddrud oherwydd yr egni sydd ei angen.

■ Mae'r gweithfeydd dihalwyno'n cynhyrchu nwyon tŷ gwydr; ychydig iawn o'r rhain sy'n cael eu cynhyrchu mewn gweithfeydd trin dŵr arferol.

■ Ar ôl i'r dŵr croyw gael ei echdynnu, mae'r dŵr hallt iawn sy'n weddill yn llygrydd a rhaid bod yn ofalus wrth gael gwared ag ef.

■ Mae rhai o'r gwledydd sydd â phroblem sychder yn dlawd iawn, a dydyn nhw ddim yn gallu fforddio dihalwyno. Hefyd does dim arfordir gan rai gwledydd, sy'n golygu y byddai'n rhaid peipio'r dŵr dros bellteroedd hir.

Mae llawer o ddihalwyno'n cael ei wneud yn y Dwyrain Canol, lle mae glawiad yn isel iawn ac mae'r gwladwriaethau'n tueddu i fod yn gyfoethog. Mae gan lawer o'r gwledydd yno arfordiroedd, ac mae llawer yn cynhyrchu olew, sy'n golygu nad yw eu costau egni mor uchel.

CWESTIWN

3 Darganfyddwch pam mae yfed dŵr hallt yn eich dadhydradu chi.

Ffigur 13.5 Gwaith dihalwyno cyntaf y Deyrnas Unedig, a agorodd ger Llundain yn 2010.

Sut gallwch chi buro dŵr sydd wedi'i gymysgu â hylifau eraill?

Pan mae dŵr yn cael ei drin ar gyfer ei yfed, caiff gronynnau solet eu gwahanu drwy hidlo. Os yw rhywbeth wedi'i hydoddi mewn dŵr, gallwn ni echdynnu'r dŵr drwy ei anweddu a chyddwyso'r anwedd, gan adael yr hydoddyn ar ôl. Ond beth os yw'r dŵr wedi'i gymysgu â hylif arall? Mae angen techneg arall i ddelio â hyn (rydym ni eisoes wedi sôn amdani mewn cysylltiad ag olew crai ym Mhennod 12) – **distyllu**.

Mae gan bob cemegyn ei ferwbwynt ei hun, a 100 °C yw berwbwynt dŵr. Os gwresogwch chi gymysgedd o hylifau at 100 °C, dŵr fydd unrhyw hylif sy'n anweddu ar y pwynt hwnnw. Bydd hylifau eraill yn berwi ar dymereddau is neu uwch.

GWAITH YMARFEROL — GWAHANU ETHANOL A DŴR

Gallwch chi wneud y gwaith ymarferol hwn fel arbrawf yn y dosbarth, neu gall eich athro/athrawes arddangos yr arbrawf i chi.

Dyma weithgaredd sy'n eich helpu i
★ gwerthuso dulliau arbrofol
★ datblygu sgiliau cyfathrebu.

⚠ Asesiad risg

Bydd eich athro/athrawes yn rhoi asesiad risg i chi ar gyfer yr arbrawf hwn.

Dull
1 Cydosodwch y cyfarpar fel yn Ffigur 13.6.
2 Gwresogwch y fflasg ddistyllu'n ysgafn, gan gadw llygad ar y thermomedr.
3 Berwbwynt ethanol yw 78°C. Pan mae'r gymysgedd yn cyrraedd y tymheredd hwn, dylai anwedd ethanol ddechrau cyrraedd y cyddwysydd lle caiff ei oeri i ffurfio'r hylif. Cadwch y tymheredd mor agos â phosibl at 78°C drwy symud y llosgydd Bunsen a'i roi'n ôl, yn ôl yr angen.
4 Daliwch ati nes bod y distyllad yn stopio diferu o'r cyddwysydd.
5 Pan fydd y fflasg ddistyllu wedi oeri, cymharwch arogl yr hylifau yn y fflasg ddistyllu a'r fflasg gonigol.

Cyfarpar
*stand clamp × 2
*rhwyllen
*llosgydd Bunsen
*fflasg ddistyllu
*thermomedr
*cyddwysydd
*fflasg gonigol
*cymysgedd ethanol/dŵr

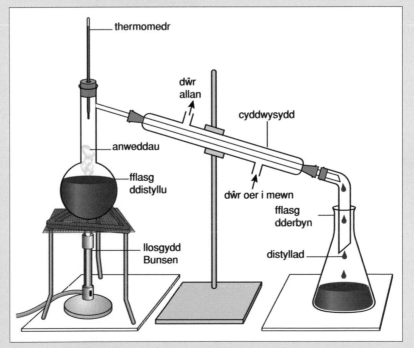

Ffigur 13.6 Cydosodiad arbrawf distyllu syml.

Gwerthuso eich arbrawf
Gwerthuswch y dull hwn o wahanu ethanol a dŵr. Ydy'n bosibl gwella'r dull arbrofol mewn unrhyw ffordd?

Mae'r dull distyllu syml hwn yn ddigon da i wahanu dau hylif sydd â berwbwyntiau gwahanol iawn. Ar gyfer cymysgeddau sy'n cynnwys sawl hylif gwahanol, byddwn ni'n defnyddio colofn ffracsiynu (gweler Ffigur 13.7). Mae gan y golofn ffracsiynu arwynebedd arwyneb mwy, sy'n annog yr hylifau i gyddwyso, yn enwedig y rhai â berwbwyntiau uwch.

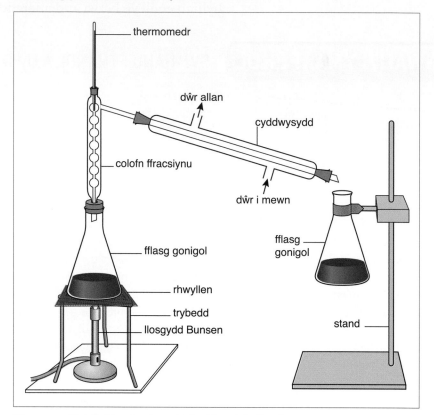

Ffigur 13.7 Distyllu ffracsiynol gan ddefnyddio colofn ffracsiynu.

Sut gallwn ni adnabod y sylweddau sydd mewn hydoddiant?

Weithiau, byddwn ni eisiau adnabod a gwahanu sylweddau mewn hydoddiant cymysg. Dydy distyllu ddim yn ddefnyddiol mewn achosion fel hyn, oherwydd dim ond un hydoddydd sydd. Yn lle hynny, gallwn ni ddefnyddio **cromatograffaeth**. Mewn cromatograffaeth papur, caiff diferyn o'r gymysgedd ei roi ar bapur cromatograffaeth a chaiff y papur ei roi mewn cynhwysydd o hydoddydd, fel bod lefel yr hydoddydd ychydig yn is na lefel y smotyn (gweler Ffigur 13.8).

Mae'r hydoddydd yn mwydo i mewn i'r papur ac yn symud i fyny. Bydd unrhyw sylwedd hydawdd yn y pigment yn hydoddi yn yr hydoddydd ac yn symud i fyny'r papur gydag ef. Mae'r sylweddau mwyaf hydawdd yn mynd mor bell â'r hydoddydd, ond mae sylweddau llai hydawdd yn 'llusgo ar ei hôl hi'. O ganlyniad, gallwn ni weld y sylweddau gwahanol ar y papur (os oes lliw ganddynt – gweler Ffigur 13.9).

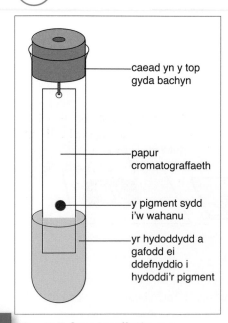

Ffigur 13.8 Cromatograffaeth papur.

Gallwn ni adnabod y sylweddau drwy edrych pa mor bell maen nhw wedi symud. I fesur hyn, mae gwyddonwyr yn mesur rhywbeth o'r enw gwerth R_f. Mae Ffigur 13.10 yn dangos sut caiff hwn ei gyfrifo.

Ffigur 13.9 Canlyniadau cromatograffaeth papur ar wahanol lifyddion.

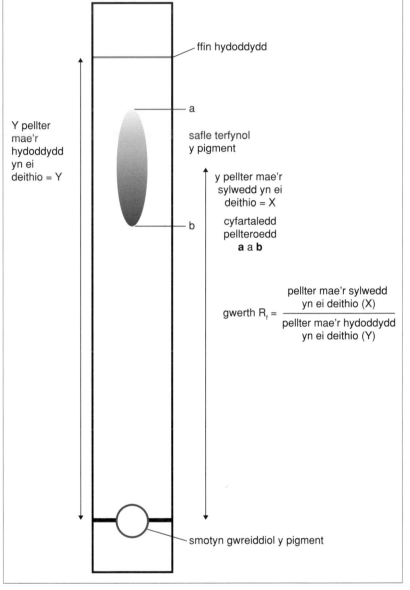

ffin hydoddydd

a

safle terfynol y pigment

y pellter mae'r sylwedd yn ei deithio = X

cyfartaledd pellteroedd **a** a **b**

b

Y pellter mae'r hydoddydd yn ei deithio = Y

$$\text{gwerth } R_f = \frac{\text{pellter mae'r sylwedd yn ei deithio (X)}}{\text{pellter mae'r hydoddydd yn ei deithio (Y)}}$$

smotyn gwreiddiol y pigment

Ffigur 13.10 Cyfrifo gwerth R_f.

Gan fod y smotyn wedi'i wasgaru fel arfer, caiff y pellter teithio ei gyfrifo drwy gymryd cyfartaledd o'r pellterau teithio mwyaf a lleiaf.

Mae gwerth R_f sylwedd yn wahanol mewn gwahanol hydoddyddion. Mae'n bosibl i ddau sylwedd gwahanol fod â'r un gwerth R_f mewn hydoddydd penodol, ond **ni** fyddai ganddynt yr un gwerthoedd R_f mewn llawer o wahanol hydoddyddion, felly weithiau rhaid gwneud cromatograffaeth mewn gwahanol hydoddyddion i adnabod hydoddyn yn bendant.

Mae Mr Davies wedi'i ganfod yn farw, ac mae'n ymddangos ei fod wedi gadael nodyn hunanladdiad. Fodd bynnag, mae'r heddlu'n amau ei fod wedi cael ei lofruddio a bod y llofrudd wedi ffugio'r nodyn. Mae cromatograffaeth wedi'i wneud ar inc y nodyn, ac rydych chi'n cael y canlyniadau. Rydych chi hefyd yn cael samplau o inc o bin ysgrifennu Mr Davies ac o binnau ysgrifennu'r tri unigolyn sydd dan amheuaeth.

Mae SAMPL INC A yn dod o bin ysgrifennu Mr Davies.
Mae SAMPL INC B yn dod o bin ysgrifennu gwraig Mr Davies, Emily.
Mae SAMPL INC C yn dod o bin ysgrifennu Jack Lee; mae lle i gredu ei fod yn cael perthynas ag Emily Davies.
Mae SAMPL INC Ch yn dod o bin ysgrifennu Tom Kelly, dyn busnes sy'n cystadlu yn erbyn Mr Davies.
Defnyddiwch gromatograffaeth i ddadansoddi'r samplau inc, a phenderfynwch:
A gafodd Mr Davies ei lofruddio, ac os felly, gan bwy?

Cyfarpar
* bicer 250 cm³
* papur cromatograffaeth
* piped diferu
* samplau inc A–Ch
* canlyniadau cromatograffaeth ar yr inc yn y nodyn hunanladdiad

(!) Asesiad risg
Does dim risgiau arwyddocaol yn yr arbrawf hwn.

Dull
1 Cyfrifwch werthoedd R_f y pigmentau inc ar y nodyn hunanladdiad.
2 Cydosodwch y cyfarpar fel yn Ffigur 13.11.

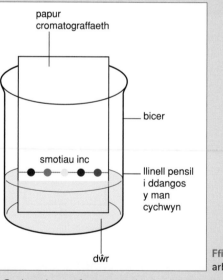

papur cromatograffaeth

bicer

smotiau inc

llinell pensil i ddangos y man cychwyn

dŵr

Ffigur 13.11 Cydosodiad cyfarpar yr arbrawf cromatograffaeth.

3 Gadewch y cyfarpar nes bod y dŵr wedi mwydo bron at dop y papur.
4 Tynnwch y papur allan a marciwch pa mor bell mae'r dŵr wedi cyrraedd (y 'ffin hydoddydd').
5 Cyfrifwch werth R_f pob pigment lliw ym mhob inc. Cofnodwch eich canlyniadau mewn tabl.
6 Defnyddiwch y dystiolaeth i awgrymu pwy laddodd Mr Davies. Cyfiawnhewch eich canlyniadau ac eglurwch gryfder y dystiolaeth.

Beth yw cromatograffaeth nwy?

Math arall o gromatograffaeth yw cromatograffaeth nwy. Techneg ddadansoddol yw hon, ac mae cemegwyr yn ei defnyddio i adnabod a mesur symiau bach o gemegion penodol sy'n bresennol mewn cymysgedd. Mae'n bosibl defnyddio'r dechneg i ganfod llygryddion mewn dŵr neu mewn aer, ac mae awdurdodau'n defnyddio'r dechneg hon i brofi am sylweddau gwaharddedig yng ngwaed athletwyr.

Mewn cromatograffaeth nwy, rhaid i'r gymysgedd fod ar ffurf nwy, naill ai'n naturiol, neu drwy wresogi ac anweddu hylif. Mae'r nwy'n symud drwy golofn ac mae'r gwahanol sylweddau'n cael eu hamsugno ar solid neu hylif anadweithiol yn y golofn. Priodweddau cemegol a ffisegol y sylweddau sy'n pennu pa mor bell maen nhw'n teithio ar hyd y golofn. Caiff eu safle yn y golofn ei ganfod yn electronig.

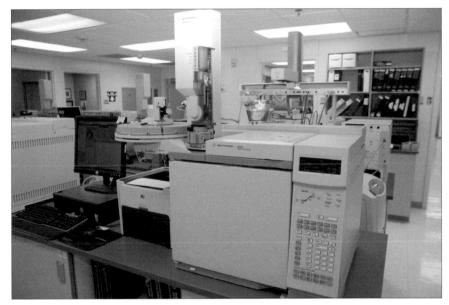

Ffigur 13.12 Cyfarpar cromatograff nwy. Mae'r peiriant yn awtomeiddio'r dull cromatograffaeth nwy, ac yn rhoi darlleniad uniongyrchol o'r canlyniadau.

TASG   SUT MAE TYMHEREDD YN EFFEITHIO AR HYDODDEDD?

Dyma weithgaredd sy'n eich helpu i:
★ darllen data oddi ar graff
★ dehongli data graff
★ datblygu sgiliau cyfathrebu.

Mae dŵr wedi cael ei ddisgrifio fel 'yr hydoddydd cyffredinol'. Mae amrywiaeth eang o sylweddau'n hydoddi ynddo, i wahanol raddau. Enw cemegyn sy'n hydoddi mewn hydoddydd yw **hydoddyn**. Dim ond hyn a hyn o unrhyw hydoddyn sy'n gallu hydoddi mewn hydoddydd. Pan nad oes dim mwy'n gallu hydoddi, rydym ni'n dweud bod yr hydoddiant yn **ddirlawn**, ond dan rai amgylchiadau mae'n bosibl cynyddu swm yr hydoddyn, gan roi hydoddiant **gorddirlawn**.

Mae Ffigur 13.13 yn dangos effaith tymheredd ar hydoddedd rhai cyfansoddion sodiwm a photasiwm. Yr enw ar graffiau fel hwn yw **cromliniau hydoddedd**.

parhad...

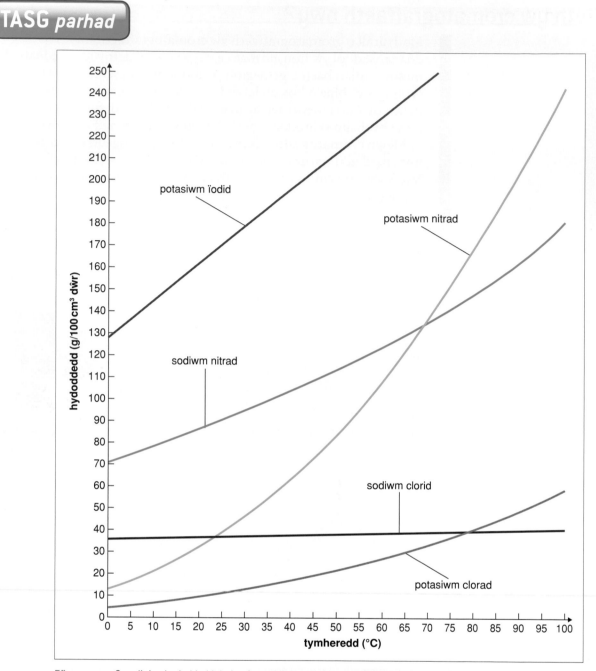

Ffigur 13.13 Cromliniau hydoddedd rhai cyfansoddion potasiwm a rhai cyfansoddion sodiwm.

1 Faint o sodiwm nitrad sy'n gallu hydoddi mewn dŵr ar 30 °C?

2 Pa gyfansoddyn yw'r lleiaf hydawdd ar 50 °C?

3 Hydoddedd pa gyfansoddyn sy'n newid leiaf gyda thymheredd?

4 Faint yn fwy o botasiwm ïodid sy'n gallu hydoddi mewn 100 cm³ o ddŵr os yw'r tymheredd yn cynyddu o 15 °C i 30 °C?

5 Ydy'r hydoddiannau canlynol yn annirlawn, yn ddirlawn neu'n orddirlawn?

   a   40 g/100 cm³ o sodiwm clorid ar 75 °C

   b   2 g/100 cm³ o botasiwm clorad ar 45 °C

   c   155 g/100 cm³ o botasiwm ïodid ar 15 °C

   ch 100 g/100 cm³ o sodiwm nitrad ar 30 °C

6 Cymharwch gromliniau hydoddedd potasiwm ïodid a photasiwm nitrad.

Beth sy'n gwneud dŵr yn galed neu'n feddal?

Mae'r dŵr sy'n dod allan o'ch tap yn gallu bod 'yn galed' neu 'yn feddal' gan ddibynnu ym mha ran o'r wlad rydych chi'n byw ac o ble mae eich dŵr yn dod. Dŵr caled yw dŵr sy'n cynnwys ïonau calsiwm (Ca^{2+}) ac ïonau magnesiwm (Mg^{2+}) wedi'u hydoddi.

Mae dŵr caled yn gallu bod **dros dro** neu **yn barhaol**, neu'n gymysgedd o'r ddau. Mae dŵr caled dros dro'n cynnwys calsiwm hydrogencarbonad a/neu fagnesiwm hydrogencarbonad. Pan gaiff y dŵr hwn ei wresogi, mae'n colli ei galedwch, wrth i galsiwm carbonad ffurfio.

$$Ca(HCO_3)_2(dyfrllyd) \rightarrow CaCO_3(s) + H_2O(h) + CO_2(n)$$

Mae hyn yn gallu achosi problem mewn boeleri, tanciau dŵr poeth a systemau oeri, oherwydd mae'r calsiwm carbonad sy'n ffurfio yn tagu'r peipiau ac yn cyfyngu ar lif dŵr (gweler Ffigur 13.14). Bydd dyddodion tebyg hefyd yn cronni mewn offer domestig fel tegellau, peiriannau golchi a pheiriannau golchi llestri mewn ardaloedd lle mae'r dŵr yn galed.

Mae dŵr caled parhaol yn cynnwys cloridau a/neu sylffadau calsiwm a magnesiwm, a dydy gwresogi'r dŵr hwn ddim yn ei feddalu. Wrth gwrs, mae'n bosibl i ddŵr gynnwys amrywiaeth o gyfansoddion calsiwm a magnesiwm, felly mae ei galedwch yn gallu bod yn gymysgedd o galedwch dros dro a chaledwch parhaol. Yn yr achosion hyn, bydd gwresogi'n cael gwared â rhywfaint o'r caledwch, ond nid y cyfan ohono.

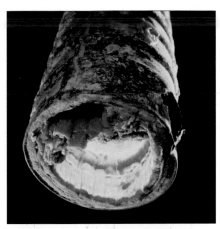

Ffigur 13.14 Effaith dŵr caled ar beipen wresogi.

GWAITH YMARFEROL

SUT GALLWN NI DDWEUD Y GWAHANIAETH RHWNG DŴR CALED A DŴR MEDDAL?

Mae dwthr meddal yn ffurfio trochion yn rhwydd gyda sebon, ond dydy dŵr caled ddim cystal. Mae sebon yn adweithio â dŵr caled i ffurfio halwyn calsiwm neu halwyn magnesiwm yr asid organig yn y sebon. Mae'r halwynau hyn yn anhydawdd ac maen nhw'n ffurfio llysnafedd sebon llwydaidd, ond dim trochion. Felly, gallwn ni brofi caledwch dŵr drwy weld pa mor dda mae'n ffurfio trochion pan gaiff sebon ei ychwanegu. Cofiwch fod berwi'n gallu cael gwared â chaledwch dros dro, ond nid caledwch parhaol.

Dyma weithgaredd sy'n eich helpu i:
★ cyflwyno canlyniadau mewn tablau a graffiau
★ dehongli canlyniadau
★ gwerthuso dulliau arbrofol

⚠ Asesiad risg

Gwisgwch sbectol ddiogelwch.
Bydd eich athro/athrawes yn rhoi asesiad risg i chi ar gyfer yr arbrawf hwn.

Cyfarpar
* fflasg gonigol a thopyn
* bwred
* silindr mesur 100 cm^3
* samplau dŵr wedi'u labelu A, B, C ac Ch
* samplau wedi'u berwi o A, B, C ac Ch
* stopwatsh
* hydoddiant sebon

parhad...

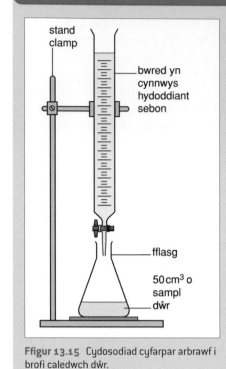

Ffigur 13.15 Cydosodiad cyfarpar arbrawf i brofi caledwch dŵr.

Labels on figure: stand clamp; bwred yn cynnwys hydoddiant sebon; fflasg; 50 cm³ o sampl dŵr

Dull

1 Mesurwch 50 cm³ o sampl dŵr A a'i roi mewn fflasg gonigol.
2 Defnyddiwch y fwred i ychwanegu 1 cm³ o hydoddiant sebon, rhowch y topyn i mewn ac ysgydwch y fflasg yn egnïol am 5 eiliad.
3 Ailadroddwch gam 2 nes bod y trochion yn ymddangos ac yn para am 30 eiliad.
4 Cofnodwch gyfanswm cyfaint yr hydoddiant sebon rydych chi wedi'i ychwanegu.
5 Ailadroddwch gamau 2–4 gyda 50 cm³ o sampl A wedi'i ferwi.
6 Ailadroddwch gamau 1–5 gyda samplau dŵr B, C ac Ch.
7 Cofnodwch eich canlyniadau i gyd mewn tabl.
8 Lluniwch graff bar o'ch canlyniadau.

Dadansoddi eich canlyniadau

1 Defnyddiwch eich canlyniadau i ddisgrifio caledwch pob sampl dŵr, gan nodi a yw hwn yn galedwch dros dro neu'n galedwch parhaol. Eglurwch y rhesymau dros bob penderfyniad.
2 Mae'r dull hwn yn *cymharu* caledwch y samplau dŵr yn eithaf llwyddiannus. Awgrymwch ffordd o wella'r dull i gael *mesur* mwy manwl gywir o galedwch dŵr.

Sut gallwn ni feddalu dŵr caled?

Mae tair prif ffordd o feddalu dŵr, ac mae gan bob un ei manteision a'i hanfanteision ei hun.

1 Berwi

Mae berwi'n cael gwared â chaledwch ac mae'n hawdd ac yn rhad, ond dim ond i symiau bach o ddŵr mae'n ymarferol, ac mae hefyd yn achosi dyddodion ar gynhwysydd y dŵr. Dydy berwi ddim yn gallu cael gwared â chaledwch parhaol.

2 Ychwanegu sodiwm carbonad

Gallwch chi brynu sodiwm carbonad ar ffurf soda golchi a chaiff ei ychwanegu at lwythi peiriannau golchi i feddalu'r dŵr. Mae'n atal yr ïonau calsiwm a magnesiwm rhag bondio at y glanedydd golchi, sy'n golygu nad oes rhaid defnyddio cymaint o lanedydd. Mae'n rhad ac mae'n gallu cael gwared â chaledwch parhaol, ond mae dyddodion yn dal i ffurfio.

3 Colofnau cyfnewid ïonau

Tiwb llawn resin yw colofn cyfnewid ïonau. Caiff dŵr ei basio drwy'r golofn ac mae ïonau sodiwm ar y resin yn cyfnewid â'r ïonau calsiwm a magnesiwm, gan eu tynnu o'r dŵr a'i feddalu. Yn y pen draw, rhaid 'atffurfio' y resin drwy basio sodiwm clorid crynodedig drwyddo i gymryd lle'r sodiwm sydd wedi'i golli. Mae meddalyddion dŵr yn eithaf drud ond gallant drin llawer o ddŵr, a gallant gael gwared â chaledwch dros dro a chaledwch parhaol. Mae'r gwastraff o'r broses atffurfio mewn gweithfeydd meddalu dŵr ar raddfa ddiwydiannol yn gallu gwaddodi 'cen' sy'n gallu ymyrryd â systemau carthffosiaeth.

YDY DŴR CALED YN GWNEUD LLES I'CH IECHYD CHI?

Dyma weithgaredd sy'n eich helpu i:
★ ystyried cryfder tystiolaeth
★ ystyried y cydbwysedd rhwng gwybodaeth anghyson wrth ffurfio casgliad
★ datblygu sgiliau cyfathrebu.

Er ei fod yn anghyfleus mewn nifer o ffyrdd, dydy dŵr caled ddim yn berygl i iechyd, ac mae'n aml yn blasu'n dipyn gwell na dŵr meddal. Mae rhai pobl wedi hawlio y gallai dŵr caled fod o fudd i iechyd, hyd yn oed. Mae calsiwm a magnesiwm yn fwynau hanfodol yn ein deiet, ac mewn ardaloedd lle mae'r dŵr yn galed iawn, gall yfed dŵr ddarparu swm sylweddol o'r anghenion deietegol. Yn y blynyddoedd diwethaf, mae pethau eraill wedi cael eu hawlio am fuddion iechyd dŵr caled, fel:

'Mae dŵr caled yn rhoi buddion iechyd anhygoel; mae'n ymddangos ei fod yn arwain at ddisgwyliad oes hirach a gwell iechyd'.

Mae angen archwilio tystiolaeth yr hawliadau iechyd hyn:

- Mae'n ymddangos bod pobl sy'n byw ledled y byd mewn ardaloedd â dŵr caled yn cael llai o glefyd y galon, ac mae cyfran y bobl sy'n marw o glefyd y galon yn is nag mewn ardaloedd â dŵr meddal.
- Mae'r gwahaniaethau yng nghlefyd y galon rhwng ardaloedd â dŵr caled ac ardaloedd â dŵr meddal yn eithaf bach, ac mae rhai astudiaethau wedi methu â chanfod cysylltiad o gwbl.
- Mae nifer o glefydau eraill sy'n fwy cyffredin mewn ardaloedd â dŵr meddal; dim ond rhai o'r rhain mae pobl yn meddwl eu bod nhw'n gysylltiedig â'r dŵr yfed.
- Mae pedair astudiaeth arbrofol reoledig wedi'u cynnal sydd heb ddangos dim cysylltiad rhwng naill ai caledwch dŵr yn gyffredinol, na lefelau calsiwm mewn dŵr, a chlefyd y galon.
- Mae saith arbrawf rheoledig wedi edrych ar effeithiau magnesiwm mewn dŵr yfed ar y nifer o achosion o glefyd y galon. Er bod y canlyniadau'n gymysg, ar y cyfan, mae'n ymddangos bod yna rywfaint o effaith amddiffynnol yn erbyn clefyd y galon os yw lefel y magnesiwm yn y dŵr yn 10 mg/l neu'n fwy.

Dyma gasgliad Sefydliad Iechyd y Byd (*World Health Organisation*: WHO):

'Er bod nifer o astudiaethau epidemiolegol wedi dangos perthynas wrthdro ystadegol arwyddocaol rhwng caledwch dŵr yfed a chlefyd cardiofasgwlar, mae'r data sydd ar gael yn annigonol i ganiatáu'r casgliad bod y cysylltiad yn achosol.'

Cwestiynau

1 Ysgrifennwch gasgliadau'r WHO yn eich geiriau eich hun.
2 Mae rhannau o'r byd sydd â dŵr caled yn tueddu i gael llai o achosion o glefyd y galon na rhannau â dŵr meddal. Yn eich barn chi, pam mae hyn yn cael ei ystyried yn dystiolaeth eithaf gwan o blaid y rhagdybiaeth bod yfed dŵr caled yn lleihau clefyd y galon?

Pwynt Trafod

Ar sail y dystiolaeth, ydych chi'n meddwl bod achos dros ychwanegu halwynau calsiwm a magnesiwm at ddŵr yfed mewn ardaloedd â dŵr meddal?

Cylchedau trydanol syml

Paneli solar – egni 'am ddim' o'r Haul?

Mae paneli solar yn bethau anhygoel. Mae golau o'r Haul (does dim rhaid i'r tywydd fod yn heulog hyd yn oed) yn taro arwyneb silicon sydd wedi'i baratoi'n arbennig, ac mae'r atomau silicon yn arwyneb y panel yn amsugno'r egni. Mae hyn yn rhyddhau electronau 'rhydd' i'r panel, ac mae'r electronau hyn yn cynhyrchu cerrynt sydd yn ei dro yn cynhyrchu foltedd.

Ffigur 14.1 Paneli solar ar ben to tŷ domestig.

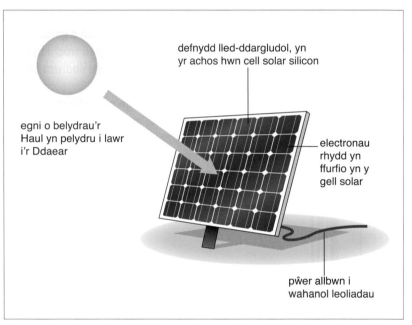

defnydd lled-ddargludol, yn yr achos hwn cell solar silicon

egni o belydrau'r Haul yn pelydru i lawr i'r Ddaear

electronau rhydd yn ffurfio yn y gell solar

pŵer allbwn i wahanol leoliadau

Ffigur 14.2 Sut mae panel solar yn cynhyrchu trydan.

Yna, mae'n bosibl bwydo'r trydan sy'n cael ei gynhyrchu yn uniongyrchol i'r tŷ fel y gall y preswylwyr ei ddefnyddio. Os caiff gormod o drydan ei gynhyrchu, gall gael ei allforio i'r Grid Cenedlaethol. Bydd y Grid Cenedlaethol yn talu perchennog y tŷ am y trydan hwn. Caiff y panel solar ei gysylltu mewn paralel â'r prif gyflenwad o'r Grid Cenedlaethol, ac mae angen blwch cysylltu i gydweddu'r trydan sy'n cael ei gynhyrchu yn y paneli solar â'r cylchedau domestig. Mae system paneli solar yn costio tua £12 000 ar gyfartaledd, ond mae'r arbedion yn gallu bod yn sylweddol. Mae'n bosibl arbed tuag 1 dunnell fetrig o garbon deuocsid y flwyddyn, ac mae system 2.2 kW yn gallu cynhyrchu tua 40% o anghenion trydan blynyddol cartref. Gallai Tariff Cyflenwi Trydan y Grid Cenedlaethol gynhyrchu tua £900 o arbedion ac incwm y flwyddyn, felly os ydych chi'n gwybod ychydig am gylchedau trydanol gallwch chi arbed llawer o arian a lleihau eich ôl troed carbon yn sylweddol.

Cylchedau trydanol syml

Mae'r diagramau cylched yn Ffigurau 14.3 a 14.4 yn dangos rhai o'r cylchedau symlaf posibl. Mae Ffigur 14.3 yn dangos **cylched gyfres**, ac mae Ffigur 14.4 yn dangos **cylched baralel**. Mae'r ddwy gylched yn cynnwys amedr wedi'i gysylltu mewn cyfres â'r batri i gofnodi'r cerrynt. Mae cydrannau mewn cyfres pan maen nhw wedi'u cysylltu un ar ôl y llall mewn dolen barhaus, fel bod y cerrynt **i gyd** yn mynd drwy un gydran, yna'r un nesaf. Mewn cylchedau paralel, mae dwy neu fwy o gydrannau wedi'u cysylltu â'r un pwyntiau yn y gylched ac mae'r cerrynt yn ymrannu, gyda rhywfaint ohono'n llifo drwy bob cydran.

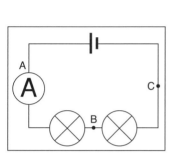

Ffigur 14.3 Cylched gyfres (cylched A).

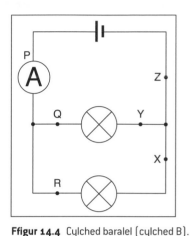

Ffigur 14.4 Cylched baralel (cylched B).

Mae **cerrynt** yn fesur o gyfradd llif electronau â gwefr negatif o amgylch cylched. Caiff cerrynt ei fesur drwy gysylltu amedr mewn cyfres â chydrannau eraill, fel bylbiau a batrïau, yn y gylched. Mae Ffigur 14.5 yn dangos y symbol cylched ar gyfer amedr.

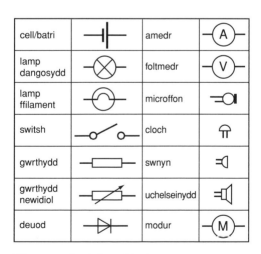

cell/batri		amedr	
lamp dangosydd		foltmedr	
lamp ffilament		microffon	
switsh		cloch	
gwrthydd		swnyn	
gwrthydd newidiol		uchelseinydd	
deuod		modur	

Ffigur 14.5 Symbolau cylched.

Caiff cerrynt ei fesur mewn amperau, ac yn aml caiff amper ei dalfyrru yn amp neu'r symbol A. Bydd ceryntau'n mesur sawl amp mewn cylchedau prif gyflenwad sy'n cynnwys eitemau fel gwresogyddion, moduron a phaneli solar. Caiff y ceryntau mewn cylchedau electronig, e.e. y cylchedau mewn cyfrifiaduron, eu mesur mewn miliamperau, mA (lle mae 1 mA = 0.001 A), neu hyd yn oed mewn microamperau, µA (lle mae 1 µA = 0.000 001 A).

GWAITH YMARFEROL — MESUR CERYNTAU MEWN CYLCHEDAU CYFRES A PHARALEL

Yn y gweithgaredd hwn, byddwch chi'n defnyddio amedr i fesur y cerrynt mewn cylchedau cyfres a pharalel sy'n cynnwys yr un cydrannau. Mae angen i chi chwilio am batrymau yn y darlleniadau cerrynt mewn gwahanol rannau o bob cylched.

⚠ Asesiad risg

Bydd eich athro/athrawes yn rhoi asesiad risg addas i chi ar gyfer y dasg hon.

Dull

1 Cydosodwch Gylched A fel yn Ffigur 14.3.
2 Lluniwch gopi o'r diagram cylched.
3 Defnyddiwch yr amedr i fesur y cerrynt ym mhob pwynt, A, B ac C, yn y diagram. Ym mhob achos, bydd angen i chi dorri'r gylched ar y pwynt hwnnw a chysylltu'r amedr mewn cyfres. Gwnewch yn sicr eich bod chi'n cysylltu'r amedr yn gywir: mae'r derfynell + ar yr amedr yn cysylltu mewn cyfres â'r derfynell + ar y batri. Os nad ydych chi'n siŵr am hyn, gofynnwch i'ch athro/athrawes am help.
4 Cofnodwch y cerrynt wrth ymyl pob pwynt ar eich diagram cylched.
5 Ailadroddwch yr arbrawf ar gyfer Cylched baralel B (Ffigur 14.4), gan fesur a chofnodi'r ceryntau yn P, Q ac R; ac yn X, Y a Z.

Chwilio am batrymau yn y ceryntau yn y cylchedau

Cylchedau cyfres (Cylched A) – astudiwch y gwerthoedd cerrynt yn A, B ac C. Dylech chi weld eu bod nhw i gyd yr un fath, neu'n agos iawn at ei gilydd. **Mae'r cerrynt mewn cylched gyfres yr un fath ym mhob cydran yn y gylched.**

Cylchedau paralel (Cylched B) – adiwch y cerrynt yn Q a'r cerrynt yn R. Cymharwch y gwerth hwn â'r cerrynt yn P – dylech chi weld eu bod nhw'n agos **iawn** at ei gilydd. Adiwch y cerrynt yn X a'r cerrynt yn Y, a chymharwch y gwerth hwn â'r cerrynt yn Z.

Mewn cylchedau paralel, mae cyfanswm (swm) y ceryntau sy'n mynd i mewn i gysylltle (*junction*) yn hafal i gyfanswm (swm) y ceryntau allan o'r cysylltle. Y person cyntaf i ddisgrifio'r canlyniad hwn oedd Gustav Kirchoff, yn 1845.

Cyfanswm cerrynt i mewn i'r cysylltle = cyfanswm cerrynt allan o'r cysylltle

Dyma weithgaredd sy'n eich helpu i:
★ gweithio fel tîm
★ cydosod cylchedau trydanol syml
★ defnyddio amedrau i fesur ceryntau
★ canfod patrymau mewn mesuriadau ac arsylwadau.

Cyfarpar
* batrïau a daliwr
* gwifrau cysylltu
* bylbiau golau × 2
* amedr

CWESTIYNAU

1 Astudiwch y cylchedau canlynol. Defnyddiwch eich gwybodaeth am ymddygiad cerrynt mewn cylchedau cyfres a pharalel i gyfrifo'r cerrynt ym mhob pwynt sydd wedi'i farcio ar y diagramau cylched (a i j yn Ffigur 14.6).

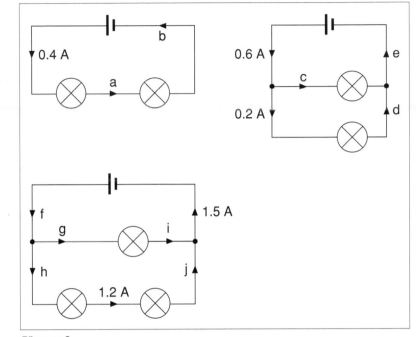

Ffigur 14.6

2 Mewn tŷ domestig, mae'r holl socedi trydanol a'r holl ddyfeisiau domestig, fel ffwrn drydan, wedi'u cysylltu mewn paralel â'r prif fwrdd cylchedau. Mewn un tŷ o'r fath yn gynnar gyda'r nos, mae'r goleuadau'n defnyddio 2.5 A, mae'r teledu'n defnyddio 0.5 A, mae'r ffwrn drydan yn defnyddio 13 A ac mae'r tegell yn defnyddio 10 A. Beth yw cyfanswm y cerrynt sy'n cael ei dynnu o'r prif fwrdd cylchedau?

3 Lluniwch gylchedau sy'n dangos y pethau canlynol:

   a Dau fwlb a switsh mewn cyfres gydag uned cyflenwad pŵer 6 V.

   b Cell solar wedi'i chysylltu mewn paralel â dwy lamp ffilament, a'r ddwy lamp â'i switsh ei hun mewn cyfres.

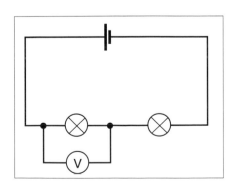

Ffigur 14.7 Foltmedr yn mesur foltedd ar draws bwlb.

Foltedd

Mesur o lif trydan o amgylch cylched yw cerrynt trydan. Mae cerrynt uwch yn golygu bod mwy o electronau â gwefr negatif yn llifo heibio i bwynt yn y gylched bob eiliad. **Foltedd** yw'r enw ar swm yr egni trydanol mae pob uned gwefr o electronau yn ei gludo. Caiff foltedd ei fesur mewn foltiau, V, gan **foltmedr**. Mae foltmedr yn gweithio drwy fesur y gwahaniaeth yn yr egni trydanol sy'n cael ei gludo gan yr electronau cyn y gydran ac ar ôl y gydran. Mae hyn yn golygu cysylltu y foltmedr mewn paralel â'r cydrannau bob amser. Mae Ffigur 14.7 yn dangos foltmedr yn mesur y foltedd ar draws cydran mewn cylched gyfres.

Dyma weithgaredd sy'n eich helpu i:
★ gweithio fel tîm
★ cydosod cylchedau trydanol syml
★ defnyddio amedrau i fesur ceryntau
★ canfod patrymau mewn mesuriadau ac arsylwadau

Yn y gweithgaredd hwn, byddwch chi'n defnyddio foltmedr i fesur folteddau mewn cylchedau cyfres a pharalel. Mae foltedd ar draws pob cydran (e.e. batri a bylbiau) mewn cylched, ac mae'n hawdd mesur y foltedd hwn â foltmedr. Ond mewn rhai achosion, er enghraifft gwifrau cysylltu, mae'r foltedd yn fach iawn, ac yn aml mae'n rhy fach i'w fesur gan foltmedr safonol mewn labordy ysgol. Gallai effaith gyfunol nifer o wifrau arwain at 'golli' (peidio â chofnodi) ychydig o foltedd mewn cylched oherwydd ei fod yn anodd ei fesur.

⚠ Asesiad risg

Bydd eich athro/athrawes yn rhoi asesiad risg addas i chi ar gyfer y dasg hon.

Dull

1 Cydosodwch y gylched gyfres sydd yn Ffigur 14.8.

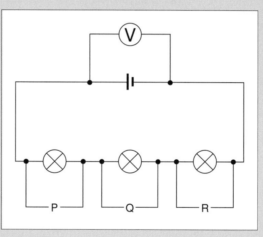

Ffigur 14.8

Cyfarpar
* batrïau a daliwr
* gwifrau cysylltu
* 3 bwlb golau
* foltmedr

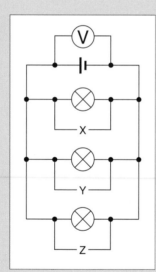

Ffigur 14.9

2 Mesurwch a chofnodwch y foltedd **i mewn** i'r gylched o'r batri.
3 Mesurwch a chofnodwch y folteddau **allan** o'r gylched ym mhwyntiau P, Q ac R.
4 Adiwch yr holl folteddau **allan** o'r gylched. Cymharwch gyfanswm y foltedd allan o'r gylched â'r foltedd **i mewn** i'r gylched wedi'i fesur ar draws y batri.
5 Gan gyfrif folteddau ar draws gwifrau a mannau cyswllt, dylai eich foltedd i mewn fod yn hafal (yn fras) i'r foltedd allan. Mae hyn yn arwain at ddeddf gyffredinol cylchedau, sy'n dweud bod cyfanswm y foltedd i mewn i gylched gyfres yn hafal i gyfanswm y foltedd allan o'r gylched.
6 Nawr cydosodwch y gylched yn Ffigur 14.9.
7 Mesurwch a chofnodwch y foltedd **i mewn** i'r gylched ar draws y batri.
8 Datgysylltwch y foltmedr a chysylltwch ef ar draws X, yna Y ac yna Z.
9 Ym mhob man cyswllt, X, Y a Z, mesurwch a chofnodwch y foltedd **allan** o'r gylched.
10 Fe welwch chi fod y foltedd **i mewn** i'r gylched yn hafal i'r foltedd **allan** o'r gylched ar draws **pob** cangen yn y gylched baralel, hynny yw, mae'r foltedd ar draws y batri'n hafal i'r foltedd ar draws pob bwlb.

Pwyntiau Trafod

1 Sut mae'r goleuadau yng nghegin (neu lolfa) eich cartref chi wedi'u cysylltu? Allwch chi lunio diagram cylched i ddangos sut maen nhw (a'u switshis) wedi'u cysylltu â'ch prif fwrdd ffiwsiau? Ydy'r goleuadau i gyd yn gweithredu ar yr un foltedd a phŵer (sy'n cael ei fesur mewn watiau)? Fel rheol, caiff cylchedau trydan domestig eu cysylltu mewn 'cylched cylch'. Darganfyddwch beth yw ystyr hyn a pham mae cylchedau domestig yn cael eu cysylltu fel hyn.

2 Mae bod yn drydanwr neu'n beiriannydd trydanol yn swydd dda iawn. Gallwch chi weithio i'ch hun neu i gwmni. Mae llawer iawn o gyfleoedd ar nifer o wahanol lefelau academaidd. Defnyddiwch y dolenni canlynol i gael gwybod mwy am yrfaoedd sy'n ymwneud â thrydan:
www.careerswales.com
www.connexions-direct.com

CWESTIYNAU

4 Mae Ffigur 14.10 yn dangos sut mae panel solar 12 V yn cael ei ddefnyddio i bweru tri bwlb mewn cartref.

a Mae Bethan yn cysylltu foltmedr ar draws y gell solar. Pa foltedd y byddai hi'n ei fesur yn ystod y dydd?

b Eglurwch pam byddai ei foltmedr hi'n darllen 0 V am hanner nos.

c Yn ystod y dydd, cysylltodd Bethan y foltmedr ar draws pwyntiau A a B yn y gylched, gan gau switsh 1. Beth fyddai'r darlleniad ar ei foltmedr hi?

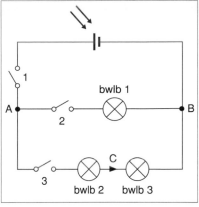

Ffigur 14.10

ch Eglurwch pam mae tri switsh gan y gylched oleuo. Beth mae pob switsh yn ei wneud?

d Rhowch enghraifft (o'ch tŷ chi) o gylched fel hon lle mae dau fwlb yn gweithio oddi ar yr un switsh.

dd Beth yw mantais cysylltu bwlb 1 ag un switsh o'i gymharu â bylbiau 2 a 3 sydd ag un switsh rhyngddynt?

e Os yw bwlb 2 a bwlb 3 yn union yr un fath (yr un gyfradd pŵer a'r un disgleirdeb), pa foltedd y byddai Bethan yn ei fesur pe bai hi'n cau'r switshis i gyd ac yn cysylltu ei foltmedr ar draws pwyntiau A ac C yn y gylched?

f Pam byddai cyfraddiad foltedd bwlb 1 yn wahanol i gyfraddau foltedd bylbiau 2 a 3?

5 Mae'n eithaf diogel mesur folteddau mewn cylchedau syml yn yr ysgol.

a Pam mae'n rhaid i drydanwyr fod yn llawer mwy gofalus wrth fesur folteddau ar draws cydrannau mewn cylched gwifrio mewn cartref?

b Pa ragofalon ydych chi'n meddwl y gallant eu cymryd i leihau'r risgiau iddyn nhw eu hunain?

c Pam mae hi bob amser yn syniad da gofyn i drydanwr wneud gwaith trydanol yn eich tŷ chi, os nad ydych chi'n hollol siŵr beth ydych chi'n ei wneud?

Defnyddio gwrthiant i reoli cerrynt

Pan gaiff foltedd ei roi ar draws dargludydd, mae cerrynt trydanol yn llifo drwy'r dargludydd. Yr uchaf yw'r foltedd, y mwyaf yw'r cerrynt. Mae hyn yn ddefnyddiol iawn o ran rheoli'r pŵer trydanol i ddyfeisiau, ond mae dyfeisiau'r prif gyflenwad, fel tegellau, tostwyr a sugnwyr llwch, wedi'u cyfyngu i'r 230 V sy'n dod o'r prif gyflenwad. Er mwyn rheoli'r cerrynt sy'n cael ei gyflenwi i ddyfais, er enghraifft er mwyn cael dau osodiad gwres ar sychwr gwallt, rhaid i ni ddod o hyd i ffordd arall o amrywio'r cerrynt heb newid y foltedd. Dyma pryd mae'n ddefnyddiol gwybod beth yw **gwrthiant** y gylched a sut i'w reoli.

Gwrthiant trydanol yw'r priodwedd sydd gan ddargludydd trydanol sy'n ceisio atal llif y cerrynt drwyddo. Os oes gwrthiant uchel gan ddefnyddiau a chydrannau, dim ond cerrynt bach fydd yn gallu mynd drwyddynt. Caiff gwrthiant ei fesur mewn **ohmau**, Ω. Mae cydrannau mewn cylchedau electronig yn gweithio ar gerrynt isel, sef rhai miliamperau fel rheol (1 mA = 0.001 A), felly maen nhw'n tueddu i fod â gwrthiant uchel o sawl cilohm, $k\Omega$

(1 kΩ = 1000 Ω). Mae cydrannau ynysu, fel casin gliniadur neu ffôn symudol, wedi'u gwneud o ddefnyddiau fel plastigion, gwydr a cherameg, ac mae gan y rhain wrthiant uchel iawn, yn aml yn filoedd o fegohmau, MΩ (1 MΩ = 1 000 000 Ω).

CWESTIYNAU

6 Copïwch a chwblhewch dabl 14.1 gan drawsnewid yr ohmau i gilohmau neu fegohmau.

Cofiwch: 1 MΩ = 1 000 000 Ω = 1000 kΩ
1 kΩ = 0.001 MΩ = 1000 Ω
1 Ω = 0.001 kΩ = 0.000 001 MΩ

Tabl 14.1

Gwrthiant mewn ohmau, Ω	Gwrthiant mewn cilohmau, kΩ	Gwrthiant mewn megohmau, MΩ
		1
	4	
2		
3000		
	220	
		6
	10	

O ble mae gwrthiant yn dod?

Pan mae electronau'n symud drwy ddargludydd, fel gwifren gopr, maen nhw'n aml yn gwrthdaro â'r atomau copr ac â'i gilydd. Mae'r gwrthdrawiadau'n atal yr electronau rhag symud yn rhydd drwy'r wifren – dyma beth yw gwrthiant y wifren. Mae gwrthdrawiadau amlach yn golygu gwrthiant uwch.

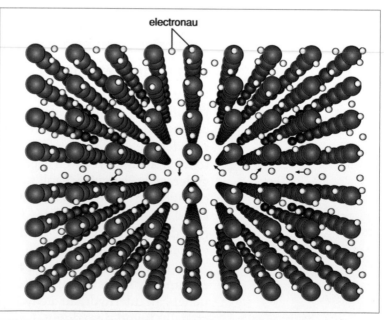

Ffigur 14.11 Dellten reolaidd o atomau gydag electronau'n symud drwyddi.

Ychydig iawn o electronau sy'n gallu symud drwy adeiledd ynysyddion sydd â gwrthiant uchel iawn.

Defnyddio gwrthyddion i reoli cerrynt a foltedd mewn cylchedau

Mae gwrthyddion newidiol yn gydrannau syml sy'n gallu rheoli'r cerrynt a'r foltedd mewn cylched. Mae'r llun a'r diagram yn Ffigur 14.12 yn dangos cylched lle mae gwrthydd newidiol yn rheoli'r cerrynt drwy wrthydd sefydlog a hefyd yn rheoli'r foltedd ar ei draws.

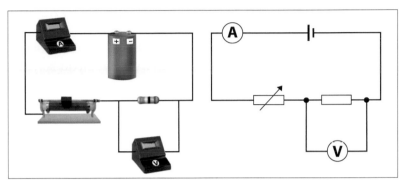

Ffigur 14.12 Gwrthydd newidiol yn rheoli'r cerrynt drwy wrthydd sefydlog, a hefyd y foltedd ar ei draws. Mae'r ddau ddiagram yn dangos yr un gylched yn union – mae un yn 'llun' ac mae'r llall yn 'ddiagram cylched'. **Wrth lunio cylchedau ar bapur, defnyddiwch y symbolau cylched cywir ar ddiagram cylched.**

GWAITH YMARFEROL — MESUR CERRYNT A FOLTEDD MEWN CYLCHEDAU SY'N CAEL EU RHEOLI GAN WRTHYDD NEWIDIOL

Bydd newid gwrthiant y gwrthydd newidiol yn y gylched uchod yn newid y cerrynt sy'n llifo drwy'r gwrthydd sefydlog, ac yn newid y foltedd ar ei draws. Yn y Gwaith ymarferol hwn, byddwch chi'n cynnal yr arbrawf hwn ac yn archwilio'r patrymau cerrynt a foltedd a gewch chi wrth newid gwrthiant y gwrthydd newidiol.

Dull

1 Defnyddiwch y cyfarpar sydd wedi'i roi i chi i gysylltu'r gylched yn Ffigur 14.12.
2 Symudwch y llithrydd ar draws y gwrthydd newidiol hyd nes i'r amedr fesur ei werth uchaf. Cofnodwch y gwerth hwn.
3 Symudwch y llithrydd i ben arall y gwrthydd newidiol hyd nes i'r amedr fesur ei werth isaf. Cofnodwch y gwerth hwn.
4 Cymerwch a chofnodwch bump o fesuriadau cerrynt a foltedd wedi'u gwasgaru ar draws amrediad cerrynt y gwrthydd sefydlog.
5 Ailadroddwch yr arbrawf gan ddefnyddio bwlb golau â gwrthiant isel yn lle'r gwrthydd sefydlog.

Dadansoddi eich canlyniadau

1 'Nodweddion trydanol' yw'r enw ar graffiau foltedd yn erbyn cerrynt cydrannau. Plotiwch graffiau nodweddion trydanol ar gyfer y gwrthydd sefydlog a'r bwlb. Os gallwch chi, plotiwch y ddau o'r rhain ar yr un graff gan ddefnyddio'r un echelinau.
2 Disgrifiwch batrymau'r ddau graff mewn geiriau. Mae hyn yn golygu bod rhaid i chi ddisgrifio sut mae'r foltedd (ar yr echelin-y) yn amrywio yn ôl y cerrynt (ar yr echelin-x).
3 Eglurwch sut gallwn ni ddefnyddio gwrthydd newidiol mewn cylched i reoli'r cerrynt drwy'r cydrannau eraill, ac i reoli'r foltedd ar eu traws.

Dyma weithgaredd sy'n eich helpu i:
★ gweithio mewn pâr
★ cydosod cylchedau trydanol mwy cymhleth
★ mesur a chofnodi cerrynt a foltedd
★ plotio graffiau nodweddion trydanol (foltedd yn erbyn cerrynt).

Cyfarpar
* cyflenwad pŵer cerrynt union wedi'i osod ar 6 V (neu becyn batri)
* gwifrau cysylltu
* gwrthydd newidiol mawr (weithiau caiff hwn ei alw'n **rheostat**)
* amedr
* foltmedr
* gwrthydd sefydlog (tua'r un gwrthiant â gwrthiant uchaf y gwrthydd newidiol)
* bwlb 6 V â gwrthiant isel

Deddf Ohm

Yn 1827, cyhoeddodd Georg Ohm, ffisegydd o'r Almaen, ganlyniadau a chasgliadau cyfres o arbrofion yn ymchwilio i'r cysylltiad rhwng cerrynt a foltedd mewn cylched syml. Defnyddiodd Ohm fath cynnar o fatri i roi foltedd ar draws cyfres o wifrau metel, a mesurodd y cerrynt oedd yn llifo drwy'r gwifrau. Gyda'r cyfarpar hwn, fe wnaeth Ohm ddarganfod, os oedd tymheredd y gwifrau'n cael ei gadw'n gyson, fod maint y cerrynt oedd yn llifo drwyddynt mewn cyfranedd union â'r foltedd ar eu traws. Drwy ddefnyddio cyfarpar gwell heddiw, mae hyn yn golygu, os caiff y foltedd ar draws gwrthydd sefydlog ei ddyblu, y bydd y cerrynt drwy'r gwrthydd sefydlog hefyd yn dyblu. Aeth Ohm ati hefyd i amrywio dimensiynau a defnydd y gwifrau roedd yn eu defnyddio, ac fe wnaeth ganfod, ar foltedd cyson, fod y cerrynt mewn cyfranedd gwrthdro â gwrthiant y wifren. Roedd hyn yn golygu, pan oedd yn dyblu gwrthiant y wifren (drwy ddyblu ei hyd), fod y cerrynt yn haneru. Heddiw, rydym ni'n defnyddio'r hafaliad canlynol i grynhoi canfyddiadau Ohm:

$$\text{cerrynt, I (amperau)} = \frac{\text{foltedd, V (foltiau)}}{\text{gwrthiant, R (ohmau)}}$$

$$I = \frac{V}{R}$$

Mae nifer o ffyrdd gwahanol o ysgrifennu'r berthynas hon:

$$V = I \times R, \textbf{ ac}$$

$$R = \frac{V}{I} \quad \text{neu} \quad I = \frac{V}{R}$$

CWESTIYNAU

7 Gan ddefnyddio'r data y gwnaethoch chi eu casglu yn y Gwaith ymarferol:
Mesur cerrynt a foltedd mewn cylchedau sy'n cael eu rheoli gan wrthydd newidiol, lluniwch ddau dabl. Bydd un tabl ar gyfer data'r gwrthydd sefydlog, a'r tabl arall ar gyfer y bwlb.

Cerrynt drwy'r gydran, I (amperau)	Foltedd ar draws y gydran, V (foltiau)	Gwrthiant y gydran, R (ohmau / Ω)

8 Disgrifiwch y patrymau yn eich canlyniadau i Gwestiwn 7. Sut mae gwrthiant y gwrthydd sefydlog yn amrywio yn ôl cerrynt (neu foltedd)? Sut mae gwrthiant y bwlb yn amrywio yn ôl cerrynt (neu foltedd)?

CWESTIYNAU *parhad*

9 Mae cerrynt 2 A yn llifo drwy wrthydd sefydlog 25 Ω. Cyfrifwch y foltedd ar draws y gwrthydd sefydlog.

10 Mewn cylched ffôn symudol, caiff 1.5 V ei roi ar draws cylched bysellfwrdd â gwrthiant 5000 Ω. Beth yw'r cerrynt sy'n llifo yn y gylched bysellfwrdd?

11 Mae Ffigur 14.13 yn dangos nodweddion trydanol bwlb car 12 V. Defnyddiwch y graff i gyfrifo gwrthiant y bwlb pan mae'r cerrynt drwy'r bwlb yn:

   a 0.2 A

   b 0.6 A

   c 1.0 A

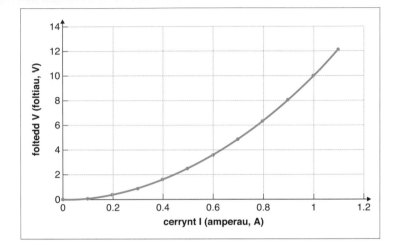

Ffigur 14.13 Graff nodweddion trydanol bwlb golau car.

12 Eglurwch pam mae gwrthiant bwlb yn newid pan gaiff mwy o gerrynt ei basio drwyddo. (*Awgrym*: pan fydd mwy o gerrynt yn mynd drwy'r bwlb, bydd yn fwy disglair ac **yn fwy poeth**. Sut gallai hyn effeithio ar adeiledd y ffilament metel?)

13 Caiff rheostat (gwrthydd newidiol mawr) ei gydosod â gwrthiant 12 Ω. Caiff cyflenwad pŵer newidiol 0–12 V ei gysylltu mewn cyfres ag amedr ac â'r rheostat.

   a Lluniwch ddiagram cylched o'r trefniant hwn.

   b Defnyddiwch y data sydd wedi'u cyflenwi a deddf Ohm i ganfod y cerrynt sy'n llifo drwy'r rheostat ar folteddau 0 V, 2 V, 4 V, 6 V, 8 V, 10 V a 12 V.

   c Plotiwch graff nodweddion trydanol y rheostat. Plotiwch y foltedd ar yr echelin-*y* a'r cerrynt ar yr echelin-*x*. Lluniwch linell ffit orau drwy'r pwyntiau a labelwch y llinell hon '12 Ω'.

   ch Cyfrifwch raddiant (goledd) y llinell ffit orau. Cymharwch y gwerth hwn â gwrthiant y rheostat.

   d Nawr, caiff gwrthiant y rheostat ei newid i 6 Ω. Ar yr un graff nodweddion trydanol, **brasluniwch** graff y gosodiad gwrthiant newydd a labelwch hwn yn '6 Ω'. Eglurwch sut gwnaethoch chi benderfynu ble i lunio'r llinell fras.

Pŵer trydanol

Pŵer yw'r term cyffredinol am **y gyfradd** mae dyfais yn trawsffurfio (newid) egni o un ffurf i ffurfiau eraill; mewn geiriau eraill, faint o egni mae'n gallu ei drawsffurfio bob eiliad. Pan mae dyfais yn trawsffurfio egni, rydym ni'n dweud ei bod hi'n gwneud **gwaith**. Caiff gwaith ei fesur mewn jouleau, J. Felly, pŵer trydanol yw'r **gyfradd** mae dyfais drydanol, fel bwlb golau neu fodur, yn newid egni trydanol yn fathau eraill mwy defnyddiol o egni fel golau, gwres ac egni cinetig. Mewn geiriau eraill, pŵer trydanol yw'r gwaith trydanol sy'n cael ei wneud bob eiliad. Mae dyfeisiau trydanol pwerus iawn fel driliau pŵer, peiriannau torri gwair, ffyrnau trydan a thegellau yn gallu trawsnewid swm mawr o egni trydanol bob eiliad i fathau defnyddiol eraill o egni. Caiff pŵer trydanol, fel pŵer mecanyddol neu thermol (gwres), ei fesur mewn watiau, W, lle mae $1\,W = 1\,J/s$.

Gallwn ni gyfrifo pŵer trydanol dyfais drwy luosi foltedd â cherrynt y ddyfais:

$$\text{pŵer trydanol} = \text{foltedd} \times \text{cerrynt}$$

$$P = VI$$

Enghreifftiau

C Cyfrifwch bŵer bwlb golau $12\,V$ pan mae cerrynt $0.5\,A$ yn llifo drwyddo.

A $P = VI = 12 \times 0.5 = 6\,W$.

C Pŵer peiriant torri gwair $220\,V$ yw $2000\,W$. Cyfrifwch y cerrynt sy'n llifo drwy'r peiriant.

A $P = VI$, felly $I = \dfrac{P}{V} = \dfrac{2000}{220} = 9.1\,A$

Cerrynt, gwrthiant a phŵer

Os yw $P = VI$ a $V = IR$

Yna, mae amnewid am V yn yr hafaliad pŵer yn rhoi:

$P = (IR) \times I = I^2R$ neu

$$\text{pŵer} = \text{cerrynt}^2 \times \text{gwrthiant}$$

Mae hwn yn hafaliad defnyddiol iawn i gyfrifo faint o bŵer sy'n cael ei ddefnyddio gan gydrannau trydanol mewn cylchedau mwy cymhleth. Mesurwch y cerrynt sy'n llifo drwy'r gydran, sgwariwch y gwerth hwn a'i luosi â'i wrthiant, a dyna i chi bŵer y gydran.

Enghraifft

C Mae cerrynt $0.75\,A$ yn llifo drwy wrthydd $400\,\Omega$. Cyfrifwch bŵer y gwrthydd.

A $P = I^2R = (0.75)^2 \times 400 = 225\,W$

CWESTIYNAU

14 Cyfrifwch bŵer bwlb tortsh 6 V sy'n tynnu cerrynt 0.8 A.

15 Mae cerrynt 5 A yn llifo drwy lamp â gwrthiant 2.4 Ω, ac yna drwy wyntyll oeri fach â gwrthiant 4 Ω. Cyfrifwch bŵer y ddwy gydran, a thrwy hyn, cyfrifwch gyfanswm y pŵer sy'n cael ei dynnu o'r gylched.

16 Astudiwch y diagram cylched yn Ffigur 14.14.

   a Cyfrifwch bŵer pob bwlb.

   b Cyfrifwch gyfanswm y pŵer sy'n cael ei dynnu o'r cyflenwad pŵer.

   c Cyfrifwch foltedd y cyflenwad pŵer.

   ch Cyfrifwch y foltedd ar draws pob bwlb.

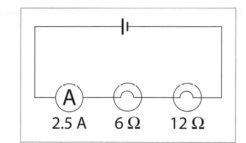

Ffigur 14.14

17 Mae sychwr gwallt prif gyflenwad yn gweithredu ar foltedd 220 V.

   a Cyfrifwch y pŵer pan mae ar ei osodiad UCHEL, ac yn tynnu cerrynt 8 A.

   b Mae'r gosodiad ISEL yn gweithredu â phŵer o 1 kW (1000 W). Cyfrifwch y cerrynt sy'n llifo drwy'r sychwr gwallt.

   c Mae'r sychwr gwallt hefyd yn gallu cael ei ddefnyddio yn yr Unol Daleithiau lle mae foltedd y prif gyflenwad yn wahanol. Mae'r pŵer sy'n cael ei roi gan y sychwr gwallt yr un fath ag yn y DU (eich ateb i ran **a**), ond mae'r cerrynt sy'n llifo drwy'r sychwr gwallt yn 16 A. Cyfrifwch foltedd y prif gyflenwad yn UDA.

Crynodeb o'r bennod

○ Mae cydrannau mewn cylched drydan yn gallu cael eu cysylltu mewn cyfres neu mewn paralel.

○ Mewn cyfres, caiff y cydrannau eu cysylltu un ar ôl y llall fel bod y cerrynt i gyd yn pasio drwy bob cydran.

○ Mewn cylchedau paralel, mae dwy neu ragor o gydrannau wedi'u cysylltu â'r un pwyntiau yn y gylched, ac mae'r cerrynt yn ymrannu fel bod rhywfaint ohono'n llifo drwy bob un o'r cydrannau paralel.

○ Mae'r cerrynt mewn cylched yn fesur o gyfradd llif electronau â gwefr negatif o amgylch y gylched.

○ Caiff cerrynt ei fesur gan amedr sydd wedi'i gysylltu mewn cyfres yn y gylched.

○ Uned cerrynt yw'r amper (neu amp neu A).

○ Mae'r cerrynt mewn cylched gyfres yr un fath i bob cydran yn y gylched.

○ Mewn cylchedau paralel, mae cyfanswm y ceryntau sy'n mynd i mewn i gysylltle'n hafal i gyfanswm y ceryntau sy'n dod allan o'r cysylltle.

○ Foltedd yw'r enw ar yr egni trydanol sy'n cael ei gludo gan yr electronau sy'n symud mewn cylched.

○ Caiff foltedd ei fesur mewn foltiau, V, gan foltmedr wedi'i gysylltu mewn paralel â'r gydran yn y gylched lle mae'r foltedd yn cael ei fesur.

- Gwrthiant trydanol yw'r priodwedd sy'n galluogi dargludydd trydanol i wrthsefyll llif y cerrynt drwyddo. Os oes gwrthiant uchel gan ddefnyddiau a chydrannau, dim ond cerrynt bach fydd yn gallu llifo drwyddynt.
- Caiff gwrthiant ei fesur mewn ohmau, Ω.
- Mae gwrthyddion newidiol yn gydrannau sy'n gallu cael eu cysylltu mewn cylchedau i reoli'r cerrynt a'r foltedd yn y gylched.
- Mae'r cerrynt sy'n llifo drwy gydran yn dibynnu ar y foltedd sy'n cael ei roi ar draws y gydran: yr uchaf yw'r foltedd, y mwyaf yw'r cerrynt.
- cerrynt = foltedd/gwrthiant neu $I = V/R$.
- Gallwn ni hefyd ysgrifennu hyn fel $V = IR$ a $R = V/I$.
- Pŵer trydanol yw'r gyfradd mae dyfais drydanol, er enghraifft bwlb golau neu fodur, yn newid egni trydanol yn fathau eraill o egni, h.y. y gwaith trydanol sy'n cael ei wneud bob eiliad.
- Caiff pŵer trydanol ei fesur mewn watiau, W, lle mae 1 W = 1 J/s.
- Mae $P = VI$, ac mae $V = IR$ felly mae $P = I^2R$.
- Gallwn ni ddefnyddio $P = I^2R$ i gyfrifo faint o bŵer mae cydrannau trydanol yn ei ddefnyddio.

15 Pellter, buanedd a chyflymiad

Yr anifeiliaid cyflymaf

Yr anifail cyflymaf ar y blaned yw'r hebog tramor (Ffigur 15.1). Pan mae'r hebog tramor yn deifio i hela, mae'n hedfan i uchder mawr ac yna'n deifio bron yn fertigol ar fuanedd dros 200 mya neu bron i 90 m/s! Fodd bynnag, dydy'r hebog tramor ddim hyd yn oed yn un o'r deg aderyn cyflymaf o ran hedfan ar lefel gyson. Y wennol gynffonfain (Ffigur 15.2) yw'r aderyn cyflymaf wrth hedfan ar lefel gyson ac mae'n gallu hedfan ar 106 mya neu 47 m/s.

Ffigur 15.1 Hebog tramor.

Ffigur 15.2 Gwennol gynffonfain.

Mesur buaneddau

Mae buanedd yn mesur pa mor gyflym neu araf mae gwrthrych neu anifail yn symud. Mae buanedd o 0 m/s yn golygu bod y gwrthrych yn ddisymud (h.y. dydy e ddim yn symud). Er mwyn cyfrifo buanedd, mae angen i ni wybod dau fesur arall: y **pellter** mae'r gwrthrych yn symud (wedi'i fesur mewn metrau, m) a'r **amser** gymerodd y gwrthrych i deithio'r pellter (wedi'i fesur mewn eiliadau, s).

Yna, gallwn ni ddefnyddio'r hafaliad canlynol i gyfrifo buanedd y gwrthrych:

$$\text{buanedd} = \frac{\text{pellter}}{\text{amser}}$$

Mae Ffigur 15.3 yn dangos sut gallwn ni ddefnyddio triongl hafaliad i gyfrifo un o'r gwerthoedd yn yr hafaliad os ydym ni'n gwybod beth yw'r ddau werth arall.

Pam rydych chi'n meddwl mai'r hebog tramor yw'r anifail cyflymaf ar y blaned (wrth ddeifio), ond nad yw hyd yn oed yn un o'r deg aderyn cyflymaf wrth hedfan ar lefel gyson?

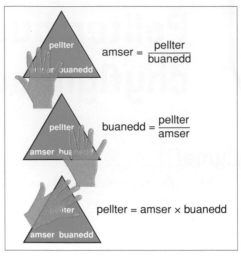

$$amser = \frac{pellter}{buanedd}$$

$$buanedd = \frac{pellter}{amser}$$

$$pellter = amser \times buanedd$$

Ffigur 15.3 Triongl buanedd, pellter, amser.

Enghreifftiau

C Mae hebog tramor sy'n deifio yn teithio 200 m mewn 2.2 eiliad. Cyfrifwch fuanedd yr hebog.

A $buanedd = \dfrac{pellter}{amser} = \dfrac{200}{2.2} = 91\,m/s$

C Pa mor bell mae gwennol gynffonfain yn gallu teithio mewn 1 munud (60 s) os yw'n hedfan ar 47 m/s?

A $buanedd = \dfrac{pellter}{amser}$ felly pellter $= buanedd \times amser = 47 \times 60 = 2820\,m = 2.82\,km$

TASG   ROWND DERFYNOL RAS 100 M GEMAU OLYMPAIDD YR ANIFEILIAID

Byddai rownd derfynol ras 100 m Gemau Olympaidd yr Anifeiliaid yn gystadleuaeth ddiddorol. Mae'r rheolau'n dweud mai dim ond un anifail o bob grŵp o anifeiliaid sy'n cael cymryd rhan. Cofiwch fod pobl yn anifeiliaid hefyd.

Dyma weithgaredd sy'n eich helpu i:
★ aildrefnu a defnyddio'r hafaliad buanedd–pellter–amser
★ defnyddio'r fformiwla i gyfrifo gwerthoedd
★ cymharu a dadansoddi mudiant gwahanol anifeiliaid.

Ffigur 15.4 Rownd derfynol ras 100 m Gemau Olympaidd yr Anifeiliaid.

PELLTER, BUANEDD A CHYFLYMIAD

Mae Tabl 15.1 yn dangos y buanedd uchaf mae'r anifeiliaid yn gallu ei gyrraedd wrth redeg.

Tabl 15.1 Buaneddau uchaf.

Anifail	Buanedd uchaf		
	mya	km/h	m/s
Tsita	70	113	31
Antelop	61	98	27
Llew	50	80	22
Llamfwch (*springbok*)	50	80	22
Ceffyl	48	77	21
Elc	45	72	20
Coiote	43	69	19
Usain Bolt	43	69	19

1 Mae pob anifail yn gorffen y ras 100 m. Defnyddiwch y data i gyfrifo amseroedd pob cystadleuydd.

2 Eglurwch pam, mewn gwirionedd, bydd amseroedd pob cystadleuydd yn fwy na'r rhai rydych chi wedi eu cyfrifo.

3 Torrodd Usain Bolt record 100 m y Byd yn rownd derfynol Gemau Olympaidd Beijing yn 2008, ac mae'r rhediad record hwn wedi cael ei ddadansoddi'n agos iawn ers hynny, er ei fod yna wedi torri ei record byd ei hun ym Mhencampwriaethau'r Byd yn 2009. Mae Tabl 15.2 yn dangos amseroedd cymedrig Usain Bolt yn ras 2008.

a Gwnewch gopi o'r tabl hwn, ond ychwanegwch drydedd golofn gyda'r pennawd 'Buanedd cymedrig, m/s'. Cyfrifwch fuanedd cymedrig Usain Bolt dros bob segment 10 m o'r ras a llenwch eich tabl.

b Plotiwch graff o fuanedd cymedrig Usain Bolt (ar yr echelin-*y*) yn erbyn pellter (ar yr echelin-*x*). Cymerwch fod y buanedd cymedrig yn digwydd yng nghanol pob segment 10 m o'r ras, felly plotiwch y pellteroedd fel: 5 m, 15 m, 25 m ac yn y blaen hyd at 95 m.

c Disgrifiwch batrwm (neu siâp) y graff a cheisiwch egluro sut mae buanedd cymedrig yn amrywio gyda phellter.

ch Yn 2009, daeth Sarah, tsita benywaidd o Sw Cincinnati, yn famolyn tir cyflymaf y byd. Rhedodd Sarah 100 m mewn 6.13 eiliad, gan dorri'r record flaenorol o 6.19 eiliad a osodwyd gan tsita gwrywaidd o Dde Affrica o'r enw Nyana yn 2001. Defnyddiwch y wybodaeth hon (gan dybio y bydd gan y tsita batrwm rhedeg tebyg i Usain Bolt) i fraslunio patrwm Sarah o'i gymharu ag Usain Bolt ar yr un graff.

Tabl 15.2 Amseroedd Usain Bolt fesul segment yn ras derfynol Gemau Olympaidd 2008.

Pellter (m)	Amser segment (s)
amser adweithio i adael y blociau	0.165
0–10 (gan gynnwys yr amser adweithio)	1.85
10–20	1.02
20–30	0.91
30–40	0.87
40–50	0.85
50–60	0.82
60–70	0.82
70–80	0.82
80–90	0.83
90–100	0.90
0–100	9.69

Pwyntiau Trafod

1 Gallwch chi ddod o hyd i lawer o fideos ar-lein o Usain Bolt yn ras derfynol y 100 m Gemau Olympaidd 2008. Gwyliwch y ras. Mae bron yn teimlo fel ei fod yn arafu ar ddiwedd y ras ac yn chwifio at y dorf, ond mewn gwirionedd mae'n dal i redeg ar ei fuancdd uchaf. Faint yn gyflymach ydych chi'n meddwl y gall bodau dynol redeg? A fydd yna un 'buanedd uchaf' terfynol yn y pen draw neu ydych chi'n meddwl y bydd bodau dynol yn dal i fynd yn gyflymach ac yn gyflymach?

2 Mae buanedd uchaf y tsita'n llawer uwch na'r rhan fwyaf o'i ysglyfaeth (y llamfwch, er enghraifft), ond dim ond 50% o'r amser mae'n llwyddo i ladd yr ysglyfaeth. Pam rydych chi'n meddwl fod hanner ysglyfaeth y tsita yn llwyddo i ddianc?

Buanedd neu gyflymder?

Os yw buanedd yn fesur o ba mor gyflym neu ba mor araf mae rhywbeth yn symud, sut rydym ni'n gwahaniaethu rhwng buaneddau i gyfeiriadau gwahanol? Byddai rownd derfynol ras 100 m Gemau Olympaidd yr Anifeiliaid yn anhrefn pe bai'r cystadleuwyr i gyd yn rhedeg i gyfeiriadau gwahanol! Mae camp y 100 m (a phob cystadleuaeth redeg) yn gweithio oherwydd bod pawb yn rhedeg i'r un cyfeiriad. I wahaniaethu rhwng mudiant i gyfeiriadau gwahanol, rhaid i ni ddefnyddio mesur arall o'r enw **cyflymder**, sy'n cael y symbol v, ac sy'n cael ei fesur mewn m/s gyda chyfeiriad penodol. Mesur **fector** yw cyflymder, sy'n golygu bod ganddo faint a chyfeiriad hefyd (i fyny, i lawr, i'r chwith, i'r dde, i'r gogledd neu'r de, ac ati). Mesur **sgalar** yw buanedd, oherwydd mai dim ond maint sydd ganddo a dim cyfeiriad. Gan ddefnyddio cyflymder, mae'n hawdd gwahaniaethu rhwng mudiant 10 m/s i'r gogledd, a 10 m/s i'r de. Mae buanedd y ddau fudiant yr un faint, ond mae eu cyflymderau yn groes i'w gilydd.

Mae nifer o achosion lle mae cyflymder yn llawer pwysicach na buanedd. Tybiwch eich bod chi ar daith gerdded Dug Caeredin ym Mannau Brycheiniog. Os yw eich aseswr yn gofyn i chi gerdded â chyflymder cymedrig o 0.5 m/s i'r gorllewin tuag at fan sydd 2 km i ffwrdd, bydd hi'n disgwyl i chi gyrraedd y man hwnnw mewn tua 4000 eiliad, neu ychydig dros awr. Os cerddwch chi ar 0.5 m/s i **unrhyw** gyfeiriad, byddai'n rhaid iddi chwilio ym mhob man mewn radiws 2 km o'ch man cychwyn, h.y. taith o tua 25 km. Gallech chi fod ar goll yn llwyr cyn iddi allu dod o hyd i chi!

Pwynt Trafod

Mae nifer o alldeithiau Dug Caeredin yn cynnwys nifer o lwybrau i lawer o gyfeiriadau. Pam mae'n bwysig bod aseswyr ac arweinwyr grwpiau Dug Caeredin yn gwybod buanedd cerdded cymedrig grŵp dros diroedd penodol, ac yn gorfod sicrhau bod holl aelodau'r grŵp yn gallu darllen cwmpawd yn gywir?

Cyflymiad: cyflymu ac arafu

Pan mae buanedd gwrthrychau'n cynyddu, rydym ni'n dweud eu bod nhw'n cyflymu. Pan mae'r buanedd yn lleihau, rydym ni'n dweud eu bod nhw'n arafu. Ond, ydy cyflymiad yn fater o newid buanedd, neu ddylem ni fod yn sôn am newid cyflymder? Mae cyflymiad hefyd yn fesur fector (oherwydd gallwn ni gyflymu neu arafu, ac weithiau mae'r cyflymiad yn gallu bod ar ongl sgwâr i'r mudiant, fel sy'n wir am wrthrychau sy'n symud mewn cylch neu mewn orbit). Mae hyn yn golygu bod rhaid i ni ddiffinio cyflymiad yn nhermau cyflymder, yn hytrach na buanedd, felly mae rhan o fesur cyflymiad yn golygu mesur newid mewn cyflymder. Y ffactor arall mae angen i ni ei ystyried wrth fesur cyflymiad yw'r amser mae'n ei gymryd i'r cyflymder newid. Er enghraifft, mae buanedd uchaf coiote ac Usain Bolt tua'r un faint (tua 12 m/s), ond mae màs coiote'n llawer llai na màs Usain Bolt. Mae màs coiote gwrywaidd yn ei lawn dwf yn cyrraedd tua 22 kg, ac mae màs Usain Bolt tua 94 kg – dros 4 gwaith cymaint â choiote yn ei lawn dwf. Er bod y newid yng nghyflymder y coiote ac Usain Bolt yr un fath (0 m/s i 12 m/s = 12 m/s), bydd y coiote'n cymryd llawer llai o amser i gyrraedd ei gyflymder uchaf felly bydd ei gyflymiad yn llawer mwy. (Mae Pennod 16 yn sôn yn fanylach am effaith màs ar gyflymiad gwrthrychau.)

Gallwn ni ddiffinio cyflymiad gyda'r hafaliad:

$$\text{cyflymiad (neu arafiad)} = \frac{\text{newid mewn cyflymder}}{\text{amser}} = \frac{\Delta v}{t}$$

Unedau cyflymiad yw metrau yr eiliad yr eiliad, neu fetrau yr eiliad sgwâr, m/s^2.

Enghraifft

C Yn Nhabl 15.2, cyrhaeddodd Usain Bolt ei fuanedd cyflymaf (12 m/s) yn rownd derfynol ras 100 m Gemau Olympaidd 2008 tua 5.5 s ar ôl y gwn cychwyn. Beth oedd ei gyflymiad?

A cyflymiad $= \dfrac{\text{newid mewn cyflymder}}{\text{amser}} = \dfrac{\Delta v}{t} = \dfrac{(12 - 0)}{5.5} = 2.2 \text{ m/s}^2$

CWESTIWN

1 Mae perfformiad ceir cyflym iawn yn bwysig. Mae gwneuthurwyr yn treulio llawer o amser ac arian yn profi'r perfformiad, er mwyn gallu defnyddio'r rhifau i hysbysebu a gwerthu'r ceir. Y ffordd safonol o brofi cyflymiad yw mesur yr amser mae'r car yn ei gymryd i gyrraedd 100 km/h (27.8 m/s) o gyflwr disymud. Yr uchaf yw perfformiad y car, y lleiaf o amser y bydd hyn yn ei gymryd. Mae Tabl 15.3 yn rhoi data ar gyfer rhai o geir cyflymaf y byd, a hefyd ar gyfer Ford Focus 1.8 safonol er mwyn cymhariaeth. Copïwch a chwblhewch y tabl (heb y lluniau) drwy gyfrifo cyflymiad pob car.

Tabl 15.3
Data rhai o geir cyflymaf y byd.

Car	Amser (s) i gyrraedd 100 km/awr (27.7 m/s) o ddisymudedd	Cyflymiad (m/s^2)
Bugatti Veyron Super Sport	2.4	
Ariel Atom V8	2.5	
Porsche 911 Turbo S	2.7	
Nissan GT-R	2.8	
Maclaren MP4-12C	3.1	
Ford Focus 1.8	10.3	

2 Pan mae lorïau HGV yn teithio ar y drafffordd, fel rheol mae eu buanedd yn cael ei gyfyngu i 60 mya neu 27 m/s. Mae Ford Focus 1.8 sy'n teithio y tu ôl i lori HGV sy'n teithio ar 27 m/s yn cyflymu i 70 mya neu 31 m/s mewn 2 eiliad, er mwyn goddiweddyd y lori HGV. Beth yw cyflymiad y Ford Focus? Sut mae hyn yn cymharu â'i gyflymiad mwyaf posibl?

Graffiau mudiant

Wrth ddadansoddi mudiant gwrthrychau, mae'n ddefnyddiol iawn plotio graffiau i ddangos sut mae un mesur yn amrywio gydag un arall. Y graff mudiant symlaf yw graff pellter–amser.

Mae Ffigur 15.5 yn dangos graff pellter–amser record byd Usain Bolt yn rownd derfynol 100 m Gemau Olympaidd 2008.

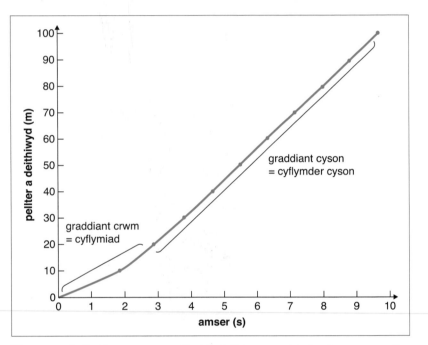

Ffigur 15.5 Graff pellter–amser record byd Usain Bolt yn rownd derfynol y 100 m yng Ngemau Olympaidd 2008.

Gallwn ni weld o'r graff fod Usain yn teithio ar gyflymder (eithaf) cyson am y rhan fwyaf o'r ras – gallwn ni ddweud hyn oherwydd, o tua 2.5 eiliad i mewn i'r ras tan y diwedd, mae'r graff yn llinell syth â graddiant cyson. Mae hyn yn golygu ei fod yn teithio tua'r un pellter bob eiliad. Am y 2.5 eiliad gyntaf, roedd Usain yn cyflymu oddi wrth y blociau ac mae'r graff yn crymu tuag i fyny, sy'n dangos bod ei gyflymder yn cynyddu.

Ar graff pellter–amser:

■ Mae gwrthrychau llonydd yn rhoi llinellau syth a gwastad.
■ Mae gwrthrychau sy'n teithio ar gyflymder cyson yn rhoi llinellau syth ar oledd.
■ Gallwn ni ganfod buanedd gwrthrych drwy fesur goledd neu raddiant y graff.
■ Mae gwrthrychau sy'n cyflymu (neu'n arafu) yn rhoi llinellau crwm.

Enghraifft

C Rhwng 2.5 s a 9.69 s, roedd Usain Bolt yn teithio ar gyflymder cymedrig cyson. Teithiodd bellter o 85 m yn y cyfnod hwn. Cyfrifwch ei gyflymder cymedrig.

A cyflymder cymedrig $= \dfrac{\text{cyfanswm pellter}}{\text{amser}} = \dfrac{85}{(9.69 - 2.5)} = 11.8 \, \text{m/s}$

CWESTIYNAU

3 Disgrifiwch fudiant y gwrthrychau yn y graffiau pellter–amser (a), (b) ac (c) yn Ffigur 15.6.

(a)   (b)   (c)

Ffigur 15.6

4 Cyfrifwch gyflymder cymedrig y gwrthrych sy'n symud yn (a).

5 Cyfrifwch y DDAU gyflymder cymedrig sy'n cael eu dangos gan graff pellter–amser (b).

6 Brasluniwch graffiau pellter–amser ar gyfer y canlynol:

  a Gwrthrych sy'n symud 20 m mewn 4 s, yna'n ddisymud am 3 s, yna'n symud yn ôl i'r dechrau mewn 8 s.

  b Gwrthrych sy'n ddisymud am 2 s, yna'n symud ar gyflymder cyson o 5 m/s am 10 s, yna'n ddisymud am 2 s arall.

  c Gwrthrych sy'n symud 10 m mewn 5 s, yna'n symud i'r un cyfeiriad ar gyflymder cyson o 4 m/s am 3 s, yna'n symud yn ôl i'r dechrau mewn 4 s.

GWAITH YMARFEROL — MESUR, PLOTIO A DADANSODDI GRAFFIAU PELLTER–AMSER GO IAWN

Dyma weithgaredd sy'n eich helpu i:

★ gweithio fel tîm mawr

★ casglu data mudiant

★ mesur pellteroedd ac amseroedd

★ plotio graffiau mudiant pellter–amser

★ dadansoddi graffiau pellter–amser.

Gallwn ni blotio graffiau pellter–amser go iawn drwy fesur mudiant gwrthrychau symudol yn ofalus. Yn y gweithgaredd hwn, byddwch chi'n casglu data o fudiant myfyrwyr wrth iddynt redeg, beicio neu gerdded dros bellter penodol. Bydd rhaid i chi weithio fel tîm mawr a gallu defnyddio maes chwarae neu gae chwaraeon.

⚠ Asesiad risg

Bydd eich athro/athrawes yn rhoi asesiad risg addas i chi. Os ydych chi'n dioddef gan asthma neu unrhyw gyflyrau meddygol eraill y gallai ymarfer corff effeithio arnynt, dywedwch wrth eich athro/athrawes.

parhad...

Cyfarpar
* man agored, er enghraifft maes chwarae neu gae chwaraeon
* llawer o stopwatshis
* tâp mesur hir neu olwyn fesur
* clipfyrddau, papur a ac ysgrifbinnau/pensiliau i gofnodi gwybodaeth
* myfyrwyr sy'n fodlon rhedeg/cerdded/beicio
* conau addysg gorfforol

Dull

1 Dewch o hyd i fan agored addas i gynnal yr arbrawf ynddo.

2 Mesurwch hyd y lle a rhannwch ei hyd yn chwe rhan eithaf hafal (5 m er enghraifft). Cofnodwch bellter pob rhan.

3 Rhowch gôn addysg gorfforol ar ddiwedd pob rhan (e.e. un ar y dechrau, un ar ôl 5 m, un ar ôl 10 m ac yn y blaen).

4 Rhowch dri myfyriwr â stopwatsh gan bob un ohonynt ger pob côn, ac un ar y llinell gychwyn i fod yn 'Cychwynnwr'.

5 Yna, mae'r myfyrwyr sydd wedi gwirfoddoli i gerdded/rhedeg/beicio yn cymryd eu tro i symud ar hyd y cwrs. Pan mae'r cychwynnwr yn cychwyn pob gwirfoddolwr, mae'r myfyrwyr sy'n amseru i gyd yn dechrau eu stopwatshis, ac yna'n eu stopio pan fydd y gwirfoddolwr yn pasio eu côn nhw. Mae pob myfyriwr sy'n amseru yn cofnodi pa mor bell ydyn nhw o'r dechrau, a faint o amser mae pob gwirfoddolwr yn ei gymryd i'w cyrraedd.

6 Gallwch chi ailadrodd y dasg hon sawl gwaith gan ddefnyddio gwahanol ddulliau o symud. Mae angen i bawb sy'n amseru fod yn siŵr eu bod nhw'n cofnodi ac yn labelu pob ffordd o symud yn gywir ac yn y drefn gywir. Efallai yr hoffech chi ddefnyddio system rifo.

7 Ar ôl mynd yn ôl i'r labordy, mae'r holl fyfyrwyr oedd yn amseru yn rhoi eu canlyniadau at ei gilydd. Y ffordd orau o wneud hyn yw i un myfyriwr neu'r athro/athrawes ddefnyddio taenlen fel Excel.

Dadansoddi eich canlyniadau

1 Ar gyfer pob dull o symud, cyfrifwch amser cymedrig y gwirfoddolwr i gyrraedd pob côn.

2 Defnyddiwch eich data i lenwi tabl sy'n nodi pellter a hefyd amser cymedrig ar gyfer pob dull o symud gan bob gwirfoddolwr.

3 Plotiwch graff pellter (echelin-y) yn erbyn amser cymedrig (echelin-x) ar gyfer pob un.

4 Labelwch unrhyw ddarnau o bob graff sy'n cyfateb i 'cyflymiad', 'arafiad', 'cyflymder cyson' neu 'disymud'.

5 Cyfrifwch unrhyw gyflymderau cymedrig addas ar eich graffiau ac ysgrifennwch y gwerthoedd hyn ar eich graffiau.

Graffiau cyflymder–amser

Mae graffiau cyflymder–amser yn fwy defnyddiol hyd yn oed na graffiau pellter–amser. Yn ogystal â dadansoddi'r mudiant yn nhermau cyflymder, gallwch chi hefyd fesur cyflymiad a chyfrifo'r pellter a deithiwyd. Mae Ffigur 15.7 yn dangos graff cyflymder–amser ras record byd 100 m Usain Bolt yng Ngemau Olympaidd Beijing 2008.

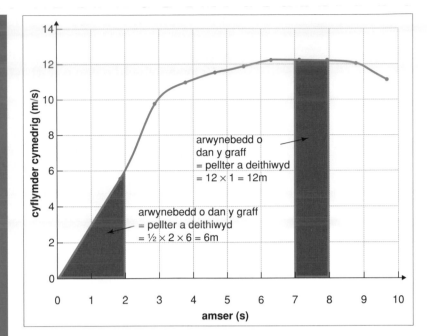

Ffigur 15.7 Graff cyflymder–amser record byd a buddugoliaeth Olympaidd 100 m Usain Bolt.

Gallwch chi weld bod Usain Bolt yn cyflymu â chyfradd gyson am y ddwy eiliad gyntaf. Mae'r graff yn llinell syth â graddiant cyson. Gallwn ni gyfrifo ei gyflymiad yn y rhan hon o'r ras drwy fesur graddiant y llinell.

$$\text{cyflymiad} = \frac{\text{newid mewn cyflymder}}{\text{amser}} = \frac{(6-0)}{2} = 3\,\text{m/s}^2$$

Dyma raddiant y llinell rhwng 0 s a 2 s. Rhwng 2 s a 3 s, cynyddodd Usain Bolt ei gyflymiad. Yn yr amser hwn, newidiodd ei gyflymder o 6 m/s i 10 m/s. Ei gyflymiad yn y rhan hon o'r ras oedd:

$$\text{cyflymiad} = \frac{\text{newid mewn cyflymder}}{\text{amser}} = \frac{(10-6)}{1} = 4\,\text{m/s}^2$$

Mae'r llinell fwy serth ar y graff yn dangos hyn. Tua 3 s ar ôl dechrau'r ras, dechreuodd cyflymiad Usain leihau. Am y 4 s nesaf, cynyddodd ei gyflymder o 10 m/s i ychydig dros 12 m/s, a'i gyflymiad oedd:

$$\text{cyflymiad} = \frac{\text{newid mewn cyflymder}}{\text{amser}} = \frac{(12-10)}{4} = 0.5\,\text{m/s}^2$$

Yna, teithiodd Usain ar gyflymder eithaf cyson o 12 m/s am y 1.5 s nesaf cyn arafu ychydig bach cyn y diwedd.

$$\text{arafiad} = \frac{\text{newid mewn cyflymder}}{\text{amser}} = \frac{(11-12)}{1.5} = -0.67\,\text{m/s}^2$$

Sylwch fod yr arafiad yn negatif gan fod ei gyflymder yn lleihau.
Mewn graffiau **cyflymder–amser**:

- Mae cyflymder sero gan wrthrychau disymud.
- Mae llinell syth a gwastad yn dynodi gwrthrych yn teithio ar gyflymder cyson.
- Mae llinell syth ar oledd tuag i fyny yn dynodi bod gwrthrych yn cyflymu.

- Mae llinell syth ar oledd tuag i lawr yn dynodi bod gwrthrych yn arafu.
- Graddiant neu oledd graff cyflymder–amser yw'r cyflymiad.
- Yr **arwynebedd** o dan y graff cyflymder–amser yw'r pellter a deithiwyd.

Gallwn ni gyfrifo pa mor bell y teithiodd Usain Bolt yn 2 s gyntaf y ras drwy fesur yr arwynebedd o dan y graff cyflymder–amser hyd at yr amser hwn. Mae'r siâp yn driongl â sail o 2 s ac uchder o 6 m/s. Mae arwynebedd triongl = ½ × sail × uchder.

pellter a deithiwyd (0 i 2 s) = arwynebedd o dan y graff cyflymder–amser = ½ × 2 × 6 = 6 m

Rhwng 7 s ac 8 s, roedd Usain Bolt yn teithio ar fuanedd cyson o 12 m/s. Yr arwynebedd o dan y graff yw'r pellter a deithiodd yn y cyfnod amser hwn. Mae'r siâp o dan y graff yn betryal.

pellter a deithiwyd (7 i 8 s) = arwynebedd o dan y graff cyflymder–amser = 12 × 1 = 12 m

Cyfanswm y pellter y gwnaeth Usain Bolt ei redeg yw cyfanswm yr arwynebedd o dan y graff, sydd wrth gwrs yn 100 m.

CWESTIWN

7 Disgrifiwch y mudiant mae'r graffiau cyflymder–amser yn Ffigur 15.8 yn ei ddangos. Ar gyfer pob graff, cyfrifwch unrhyw gyflymiadau/arafiadau a (HU yn unig) chyfanswm y pellter a deithiwyd.

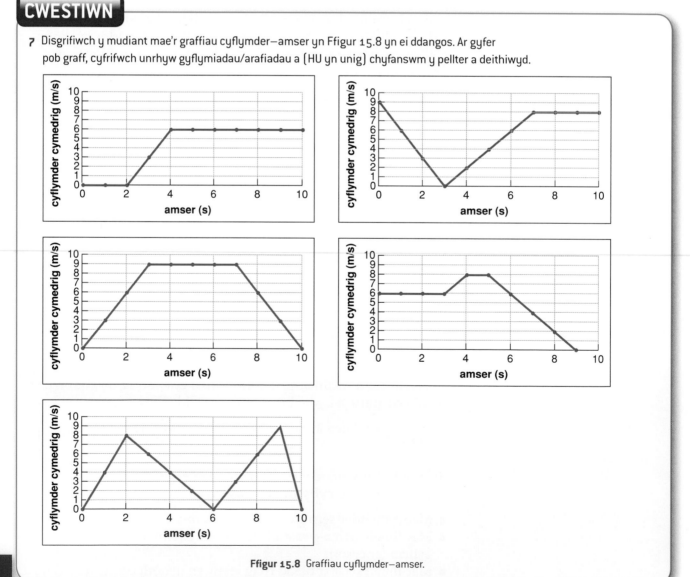

Ffigur 15.8 Graffiau cyflymder–amser.

Crynodeb o'r bennod

○ Mae buanedd yn fesur o ba mor gyflym mae gwrthrych neu anifail yn symud.

○ $\text{buanedd} = \dfrac{\text{pellter a deithiwyd mewn metrau}}{\text{amser mewn eiliadau}}$

○ Mesur sgalar yw buanedd, hynny yw, dim ond maint sydd ganddo.

○ Mae cyflymder yn fector ac mae ganddo gyfeiriad yn ogystal â maint.

○ Caiff cyflymder ei fesur mewn metrau yr eiliad, i gyfeiriad penodol.

○ Cyflymiad yw cyfradd newid cyflymder. Os yw cyflymder gwrthrych yn cynyddu, mae'n cyflymu, ac os yw ei gyflymder yn lleihau, mae'n arafu.

○ $\text{cyflymiad} = \dfrac{\text{newid mewn cyflymder}}{\text{amser}}$ **neu** $\dfrac{\Delta v}{t}$

○ Unedau cyflymiad yw metrau yr eiliad sgwâr, m/s^2.

○ Ar graffiau **pellter–amser**, caiff gwrthrychau disymud eu dangos gan linellau syth gwastad a chaiff gwrthrychau sy'n teithio ar gyflymder cyson eu dangos gan linellau syth ar oledd.

○ Gallwn ni ganfod buanedd gwrthrych drwy fesur graddiant neu oledd y graff.

○ Ar graffiau **cyflymder–amser**, mae llinell syth a gwastad yn dynodi gwrthrych sy'n teithio ar gyflymder cyson ac mae llinell syth ar oledd tuag i fyny yn dynodi gwrthrych sy'n cyflymu. Mae llinell syth ar oledd tuag i lawr yn dynodi gwrthrych sy'n arafu.

○ Gallwn ni ganfod y cyflymiad drwy fesur graddiant neu oledd y graff cyflymder–amser.

○ Yr arwynebedd o dan y graff cyflymder–amser yw'r pellter a deithiwyd.

16 Effaith grymoedd

Symud yn y gofod

Ffigur 16.1 Yr Orsaf Ofod Ryngwladol.

Yr Orsaf Ofod Ryngwladol (*International Space Station*: ISS) yw'r gwrthrych mwyaf erioed i gael ei roi yn y gofod. Ar 2 Tachwedd 2010, roedd hi'n ddeng mlynedd ers i bobl fyw a gweithio yn yr ISS. Ers y daith gyntaf ar 31 Hydref 2000, roedd 196 o ofodwyr o wyth gwlad wahanol wedi ymweld â'r ISS. Yn yr un cyfnod digwyddodd 103 lansiad i'r orsaf ofod: 67 cerbyd o Rwsia, 34 Gwennol Ofod o UDA, un cerbyd o Ewrop ac un cerbyd o Japan. Roedd pobl wedi cerdded yn y gofod 150 gwaith wrth wneud gwaith cynnal a chadw ar yr ISS, gan weithio cyfanswm o dros 944 awr. Mae arwynebedd yr ISS, gan gynnwys yr araeau solar mawr, yr un maint â chae rygbi, ac mae'n pwyso 375 481 kg. Mae mwy o le i fyw yn yr ISS heddiw nag mewn tŷ confensiynol â phum ystafell wely, ac mae yno ddwy ystafell ymolchi a champfa! Sut aethon nhw â'r holl bethau hyn i'r gofod?

Mynd â gwrthrychau mawr i'r gofod

Y Wennol Ofod a rocedi gofod Soyuz Rwsia sydd wedi bod yn gyfrifol am fynd â darnau'r ISS i'r gofod.

Ffigur 16.2 Y Wennol Ofod (chwith) a roced ofod Soyuz Rwsia.

Pwynt Trafod

Sut beth fyddai byw ar yr ISS am 180 diwrnod (hyd cenhadaeth nodweddiadol)? Pa fath o bethau yn eich trefn ddyddiol y byddai'n anodd eu gwneud ar yr ISS mewn orbit isel o amgylch y Ddaear?

Er mwyn i'r rocedi fynd i fyny i'r awyr, rhaid i'r peiriannau roced enfawr gynhyrchu grym gwthio sy'n fwy na phwysau'r roced, ei holl danwydd a'i llwyth (yn yr achos hwn, y llwyth yw'r darnau ar gyfer yr ISS). Grym yw pwysau – grym disgyrchiant yn gweithredu ar fàs gwrthrych. Ar arwyneb y Ddaear, mae màs 1 kg yn pwyso 10 N. Yr enw ar hyn yw **cryfder maes disgyrchiant**, *g*.

GWAITH YMARFEROL — DADANSODDI CRYFDER MAES DISGYRCHIANT Y DDAEAR

Cyfarpar
* Clorian electronig
* Detholiad o fesuryddion Newton (e.e. 0–2 N, 0–5 N, 0–10 N, 0–20 N)
* Pentwr masau agennog (*slotted*)

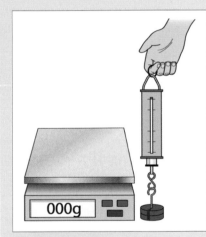

Ffigur 16.3 Clorian a phentwr masau gyda mesurydd Newton.

Mae perthynas uniongyrchol rhwng màs a phwysau gwrthrych – mwy o fàs, mwy o bwysau. Yn yr arbrawf hwn, byddwch chi'n mesur màs a phwysau gwrthrychau mewn ffordd systematig cyn dadansoddi'r cysylltiad rhwng y ddau, ac yna defnyddio eich mesuriadau i gyfrifo cryfder y maes disgyrchiant.

Dull
1 Gwnewch gopi o Dabl 16.1.
2 Pwyswch y botwm TARE ar y glorian electronig i gael darlleniad sero.
3 Rhowch bob mesurydd Newton ar sero.
4 Rhowch waelod a hongiwr y pentwr masau ar y glorian electronig.
5 Mesurwch a chofnodwch y **màs** mewn gramau. Trawsnewidiwch y màs yn gilogramau (kg) a'i gofnodi yn y golofn gywir yn y tabl.
6 Dewiswch y mesurydd Newton â'r amrediad isaf a wnaiff fesur pwysau'r gwaelod a'r hongiwr.
7 Mesurwch a chofnodwch **bwysau**'r gwaelod a'r hongiwr.
8 Ailadroddwch hyn ar gyfer pob màs sy'n cael ei ychwanegu.

Tabl 16.1

Nifer y masau agennog	Màs (g)	Màs (kg) (DS 100 g = 0.1 kg)	Pwysau (N)	$g = \dfrac{\text{pwysau (N)}}{\text{màs (kg)}}$
1 (Gwaelod a hongiwr)				
2				
3				
(*parhewch tan…*)				
10				

Dadansoddi eich canlyniadau
1 Ar gyfer pob cyfuniad o fasau, cyfrifwch y swm $\left(g = \dfrac{\text{pwysau mewn N}}{\text{màs mewn kg}}\right)$, a chofnodi'r gwerth yng ngholofn olaf y tabl.
2 Edrychwch ar y gwerthoedd *g* rydych chi wedi eu cyfrifo – oes patrwm?
3 Cyfrifwch werth cymedrig *g*.
4 Defnyddiwch amrediad y gwerthoedd i ddatgan ansicrwydd eich gwerth *g*, h.y. *g* = (gwerth cymedrig ± ansicrwydd) N/kg.
5 Plotiwch graff o bwysau (N) ar yr echelin-*y* yn erbyn màs (kg) ar yr echelin-*x*.
6 Lluniwch linell ffit orau drwy eich pwyntiau (gofalwch fod eich llinell yn mynd drwy'r tarddbwynt).
7 Cyfrifwch raddiant (goledd) eich llinell ffit orau. Cymharwch eich gwerth â'r gwerth *g* cymedrig rydych chi wedi ei gyfrifo eisoes. Graddiant y llinell hon yw gwerth *g*.
8 Mae gwerth *g* oddeutu 10 N/kg. Pa mor agos at y gwerth hwn yw:
  a y gwerth cymedrig rydych chi wedi ei gyfrifo?
  b graddiant eich graff?
9 Sut gallech chi ddefnyddio eich graff i ganfod gwerth ansicrwydd eich gwerth *g*?
10 Pam mae'n fwy manwl gywir defnyddio mesurydd Newton â'r amrediad isaf posibl i fesur pwysau màs agennog?
11 A fyddai hi'n well defnyddio un mesurydd Newton (ag amrediad mawr) i fesur y pwysau i gyd?

Pan ydym ni'n byw ym maes disgyrchiant y Ddaear rydym ni'n byw mewn byd 1 *g*, hynny yw, 1 × maes disgyrchiant y Ddaear. Pan gaiff roced ei lansio, mae'r gofodwyr yn profi 3 *g* (3 × cryfder maes disgyrchiant y Ddaear).

Mewn orbit, i bob diben, mae'r gofodwyr yn profi 0 *g*. Rhowch gynnig ar feddwl sut bydd y meysydd disgyrchiant hyn yn 'teimlo'?

Yn y gwaith ymarferol blaenorol, fe wnaethoch chi ganfod ei bod yn bosibl cyfrifo pwysau gwrthrych drwy luosi màs y gwrthrych (mewn kg) â chryfder y maes disgyrchiant, *g* (mewn N/kg).

pwysau gwrthrych (N) = màs (kg) × cryfder maes disgyrchiant (N/kg)

Gallwn ni ddefnyddio'r berthynas hon i gyfrifo pwysau cerbydau gofod (neu unrhyw wrthrych arall). Mae hyn yn ddefnyddiol oherwydd, os ydym ni'n gwybod pwysau cerbyd gofod (e.e. roced neu'r Wennol Ofod), gallwn ni gyfrifo faint o rym gwthio sydd ei angen gan y peiriannau i gydbwyso ac yna i oresgyn grym disgyrchiant ar y màs (hynny yw, y pwysau) a gwthio'r roced i fyny i'r gofod.

Enghraifft

C Màs Gwennol Ofod heb ei llwytho yw 78 000 kg. Beth yw ei phwysau?

A pwysau (N) = màs (kg) × 10 N/kg = 78 000 × 10 = 780 000 N

CWESTIYNAU

1 Mae màs modiwl ISS nodweddiadol yn 22 700 kg. Mae màs dau gyfnerthydd roced solet y Wennol Ofod ar adeg ei lansio yn 590 000 kg yr un, ac mae màs y tanc tanwydd allanol (yn llawn o danwydd roced) ar adeg ei lansio yn 760 000 kg.

   a Cyfrifwch bwysau pob un o gydrannau system lansio'r Wennol Ofod.

   b Beth yw cyfanswm pwysau system lansio'r Wennol Ofod ar adeg ei lansio?

   c Beth yw'r cyfanswm gwthiad lleiaf sydd ei angen gan brif beiriannau'r Wennol Ofod a'r cyfnerthwyr roced tanwydd solet? Pam mai 'isafswm' yw hwn?

2 Cafodd y Wennol Ofod ei lansio am y tro olaf ym mis Mehefin 2011. Ers hynny, mae'r ISS yn cael ei gwasanaethu gan gerbydau gofod Progress o Rwsia a cherbydau gofod Dragon o America, ac mae gofodwyr yn teithio i'r ISS ac oddi yno mewn cerbydau gofod Soyuz o Rwsia. Caiff pob cerbyd gofod o Rwsia ei lansio â rocedi Soyuz-2 a chaiff cerbydau gofod o America eu lansio â rocedi Falcon 9 (Tabl 16.2). Copïwch a chwblhewch y tabl, gan gyfrifo pwysau pob roced ar adeg ei lansio ac isafswm y grym cydeffaith tuag i fyny ar adeg y lansiad.

Tabl 16.2

Roced	Màs adeg lansio (kg)	Pwysau adeg lansio (N)	Gwthiad lansio (N)	Isafswm grym cydeffaith tuag i fyny adeg lansio (N)
Falcon 9	340 000		4 500 000	
Soyuz-2	310 000		4 000 000	

Inertia a deddf mudiant gyntaf Newton

Mae màs anferthol systemau lansio rocedi gofod yn golygu bod angen grym gwthio enfawr gan y peiriannau roced. Màs gwrthrych sy'n pennu pa mor hawdd (neu anodd) yw hi i wrthrych symud, neu ba mor hawdd neu anodd yw hi i newid mudiant gwrthrych – rydym ni'n galw hyn yn **inertia**. Caiff inertia ei ddiffinio fel gallu gwrthrych i wrthsefyll newid yn ei gyflwr, boed hynny'n fudiant (os bydd hi'n symud, bydd yn parhau i symud) neu'n ddisymudedd (os yw'n ddisymud bydd yn aros yn ddisymud).

Mae symiau mawr o inertia gan wrthrychau masfawr, e.e. rocedi gofod. Mae inertia gwrthrych hefyd yn egluro pam mae'n anodd iawn newid mudiant gwrthrychau mawr iawn fel yr ISS. Mae màs yr ISS tua 400 000 kg, ac mae mewn orbit isel o amgylch y Ddaear ar gyfartaledd o tua 350 km uwchlaw arwyneb y Ddaear, gan deithio ar 7700 m/s (tua 17 000 mya). Yn 1687, sylwodd Isaac Newton fod yna gysylltiad rhwng mudiant gwrthrych a'i fàs. Rhoddodd grynodeb o hyn yn ei ddeddf mudiant gyntaf:

'Mae gwrthrych disymud yn aros yn ddisymud, neu mae gwrthrych sy'n symud yn parhau i symud â'r un buanedd ac i'r un cyfeiriad, oni bai bod grym anghytbwys yn gweithredu arno.'

Ar y Ddaear, mae'n anodd iawn arsylwi deddf gyntaf Newton, oherwydd mae ffrithiant yn gweithredu drwy'r amser i wrthwynebu mudiant gwrthrych. Yn y gofod, lle mae ffrithiant yn sero, mae'n hawdd gweld effaith deddf gyntaf Newton.

Ffigur 16.4 Bag offer Heidemarie Stefanyshyn-Piper yn hedfan i ffwrdd oddi wrth yr ISS.

Cawsom ni enghraifft dda o hyn yn 2008, pan recordiodd y camera ar helmed y gofodwr Heidemarie Stefanyshyn-Piper ei bag offer, yn cynnwys gwn saim roedd hi i fod i'w ddefnyddio i iro panel solar ar yr ISS, yn hedfan i ffwrdd i'r gofod. Roedd y bag offer (tua maint bag dogfennau bach) wedi dod yn rhydd rywsut, ac oherwydd ei inertia roedd yn dal i symud oddi wrth y gofodwr. Nes i'r bag offer losgi wrth ddychwelyd i atmosffer y Ddaear yn 2009, roedd yn un o filoedd o ddarnau bach o sbwriel gofod sydd mewn orbit o amgylch y Ddaear, yn symud mewn orbit crwn oherwydd atyniad grym disgyrchiant ac yn symud ar yr un buanedd am byth, fel mae deddf gyntaf mudiant Newton yn ei ragfynegi.

GWAITH YMARFEROL — PA MOR DDA MAE DEDDF GYNTAF NEWTON YN GWEITHIO AR Y DDAEAR?

Yn yr ymchwiliad hwn, bydd eich athro/athrawes yn cydosod system trac aer llinol a gatiau golau. Mae'r trac aer llinol yn ddyfais ragorol i ddangos mudiant gwrthrychau ar y Ddaear, gan fod y gwrthrychau sy'n symud yn eistedd ar glustog o aer sy'n lleihau ffrithiant nes ei fod bron yn ddibwys.

Caiff y trac aer llinol ei gydosod gyda phedair gât olau wedi'u gosod ar bellteroedd cyfartal ar hyd y trac. Bydd y gatiau golau a'r feddalwedd gyfrifiadurol yn mesur cyflymder y gleider wrth iddo basio drwyddynt. Os yw deddf gyntaf Newton ar waith, **ni** fydd cyflymder y gleider yn newid wrth iddo symud i lawr y trac ar ôl gwthiad bach.

Dyma weithgaredd sy'n eich helpu i:

★ ymchwilio i ddeddf mudiant gyntaf Newton

★ defnyddio cofnodydd data a gatiau golau.

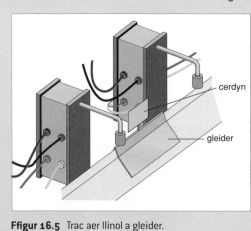

Ffigur 16.5 Trac aer llinol a gleider.

Cyfarpar

* trac aer llinol a chwythwr
* gatiau golau × 4, cofnodydd data, cyfrifiadur a meddalwedd cofnodi data
* gleider gyda cherdyn ymyrryd byr

Dull

1 Mesurwch led y cerdyn ymyrryd. Bydd y feddalwedd cofnodi data'n eich annog i fewnosod y gwerth hwn.

2 Mesurwch bellter pob gât olau o 'fan cychwyn' y trac aer llinol.

3 Defnyddiwch y band rwber sydd wedi'i osod ar y fforch V ar gychwyn y trac aer i 'saethu'r' gleider ar hyd y trac. Defnyddiwch y feddalwedd i fesur cyflymder y gleider drwy bob un o'r gatiau golau. Os gwthiwch chi'r gleider yr un mor bell yn ôl i mewn i'r band rwber bob tro, caiff y gleider ei saethu ar yr un cyflymder cychwynnol bob tro.

4 Cofnodwch gyflymder y gleider ym mhob gât olau ynghyd â'i bellter o gychwyn y trac aer llinol.

5 Os gallwch chi, ailadroddwch eich mesuriadau ddwywaith arall a chyfrifwch gyflymder cymedrig y gleider drwy bob gât olau.

Dadansoddi eich canlyniadau

1 Plotiwch graff o **gyflymder** y gleider (echelin-y) yn erbyn **pellter** o gychwyn y trac aer llinol (echelin-x).

2 Lluniwch linell ffit orau drwy eich pwyntiau. Os yw eich gleider yn ufuddhau i ddeddf gyntaf Newton, **ni** fydd cyflymder y gleider yn newid wrth iddo deithio ar hyd y trac a bydd pob cyflymder yn union yr un fath.

3 Ydy eich gleider yn ufuddhau i ddeddf gyntaf Newton?

4 Pam gallai cyflymder y gleider newid wrth iddo symud ar hyd y trac?

5 Defnyddiwch eich data i benderfynu pa mor hawdd yw ailadrodd yr arbrawf hwn.

Arbrofion pellach

1 Gallwch chi gyflwyno mwy o ffrithiant i'r arbrawf drwy leihau effaith y chwythwr aer – beth sy'n digwydd wedyn?

2 Beth sy'n digwydd pan ydych chi'n cynyddu inertia'r gleider drwy roi pentwr o fasau arno?

Gallwch chi weld rhith drac aer llinol yn www.lon-capa.org/ffmmp/kap6/cd157a.htm.

Momentwm

Ffordd arall o feddwl am inertia yw drwy feddwl am y cysylltiad rhwng màs a chyflymder gwrthrych sy'n symud. Pan wnaeth bag offer Heidemarie Stefanyshyn-Piper hedfan i ffwrdd tra oedd hi'n cerdded yn y gofod i wasanaethu'r ISS, aeth i'r gofod yn agos at yr ISS. Cofiwch, mae'r ISS mewn orbit yn symud ar 7700 m/s, ac mae hyn yn golygu bod y bag offer yn symud ar y buanedd hwnnw hefyd. Dychmygwch y difrod y byddai bag offer 5 kg yn teithio ar 7700 m/s yn ei achosi pe baech chi'n ei daro wrth symud i'r cyfeiriad dirgroes!

Momentwm yw'r enw sy'n cael ei roi i luoswm màs a chyflymder gwrthrych. Mae gan wrthrychau lawer o fomentwm os ydyn nhw naill ai'n fasfawr iawn a/neu yn teithio ar gyflymder uchel.

momentwm p (kg m/s) = **màs** m (kg) × **cyflymder** v (m/s)

$$p = mv$$

CWESTIYNAU

3 Cyfrifwch fomentwm bag offer 5 kg yn teithio ar 7700 m/s.

4 Cyfrifwch fomentwm yr ISS (màs = 400 000 kg), hefyd yn teithio ar 7700 m/s.

5 Ar adeg ei lansio, mae'r Wennol Ofod yn gadael y tŵr lansio'n teithio ar 45 m/s. Momentwm y Wennol ar yr adeg hon yw 90 000 000 kg m/s. Beth yw màs y Wennol ar yr adeg hon? Pam nad yw màs y Wennol yn gyson?

6 Pan mae'r Wennol Ofod yn cael gwared â'r cyfnerthwyr roced solet a'r tanc tanwydd allanol, mae ei momentwm yn 140 000 000 kg m/s, a'i màs yn 100 700 kg. Beth yw cyflymder y Wennol ar yr adeg hon?

7 Defnyddiwch y wybodaeth am fàs a momentwm yn y cwestiynau hyn ac yng ngweddill y testun i ddisgrifio sut mae màs, cyflymder a momentwm y Wennol Ofod yn newid yn ystod ei thaith nes ei bod yn docio gyda'r ISS. Beth yw momentwm olaf y Wennol cyn iddi ddocio gyda'r ISS?

Y grymoedd a'r mudiant ar adeg lansio

Yn union cyn iddi lansio, mae cyfanswm pwysau roced ofod yn cael ei gydbwyso gan rym gwthio peiriannau'r roced. Mae'r grym cydeffaith yn sero. Ar adeg lansio'r roced, mae màs y roced (ac felly ei phwysau) yn dechrau lleihau (gan ei bod hi'n defnyddio tanwydd), felly mae'r grym cydeffaith yn dechrau mynd yn fwy ac yn fwy tuag i fyny, gan achosi i'r roced godi a chyflymu. Mae Ffigur 16.6 yn dangos proffil cyflymder–amser lansiad nodweddiadol Gwennol Ofod hyd at T + 500 s (500 s ar ôl y lansiad – mae'r llythyren T yn dynodi amser lansio).

Pwynt Trafod

Mae Gwennol Ofod (màs = 78 000 kg) yn docio gyda'r ISS (màs = 385 471 kg). Ar adeg y docio, mae'r ISS i bob diben yn ddisymud ac mae'r Wennol Ofod yn teithio ar 2 m/s o'i chymharu â'r ISS. Beth yw momentwm cymharol y Wennol Ofod a'r ISS **cyn** docio, a beth yw eu momentwm gyda'i gilydd **ar ôl** docio? Beth yw'r cynnydd effeithiol ym muanedd yr ISS? Beth mae hyn yn ei ddweud wrthych chi am fomentwm a gwrthdrawiadau?

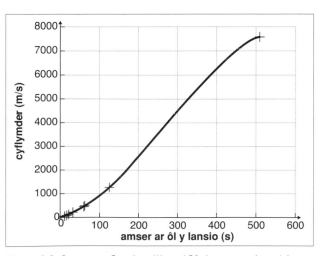

Ffigur 16.6 Sut mae cyflymder y Wennol Ofod yn amrywio gyda'r amser hedfan ar ôl ei lansio.

Fe welsoch chi ym Mhennod 15 mai graddiant (goledd) graff cyflymder–amser yw cyflymiad y gwrthrych. Fe welwch chi yn Ffigur 16.6 fod gwerth graddiant cychwynnol y graff yn eithaf bach ac nad yw byth yn mynd lawer mwy na thua 2 neu 3 g ($g \approx 10\,\text{m/s}^2$, $2g \approx 20\,\text{m/s}^2$, $3g \approx 30\,\text{m/s}^2$).

Beth mae'r graff hwn yn ei ddangos mewn gwirionedd? Wel, rhywbeth eithaf sylfaenol – wrth i'r grym cydeffaith ar y gwrthrych (y wennol) ddechrau cynyddu o sero, mae'r wennol yn dechrau cyflymu, a'r mwyaf yw'r grym cydeffaith, y mwyaf yw'r cyflymiad.

Sylwodd Isaac Newton ar y cysylltiad hwn rhwng cyflymiad a grym am y tro cyntaf yn 1687. Mae ei ail ddeddf mudiant yn crynhoi'r cysylltiad hwn – rydym ni'n ei hysgrifennu fel hyn:

grym cydeffaith F (N) = **màs** m (kg) × **cyflymiad** a (m/s^2)

$$F = ma$$

GWAITH YMARFEROL — YMCHWILIO I AIL DDEDDF NEWTON

Bydd eich athro/athrawes yn cydosod arbrawf i ymchwilio i ail ddeddf Newton drwy ddefnyddio trac aer llinol. Bydd yr arddangosiad yn dangos y cysylltiad rhwng y grym sy'n cael ei weithredu, màs a chyflymiad gleider ar y trac.

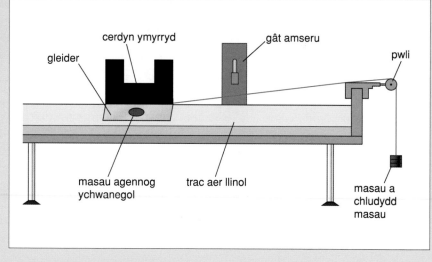

Ffigur 16.7 Cydosodiad yr arbrawf.

Dyma weithgaredd sy'n eich helpu i:
★ ymchwilio i ail ddeddf Newton
★ gwneud arsylwadau o wrthrych sy'n symud
★ plotio graff a dadansoddi ei siâp
★ cyfrifo gwerthoedd oddi ar graff.

Cyfarpar
* trac aer llinol a chwythwr
* gleider trac aer llinol gyda cherdyn ymyrryd (mae angen i chi fesur a chofnodi ei ddimensiynau)
* gât olau, cofnodydd data a chyfrifiadur yn rhedeg meddalwedd cofnodi data a fydd yn defnyddio siâp y cerdyn ymyrryd i fesur cyflymiad yn uniongyrchol
* pwli wedi'i fowntio ar y trac aer llinol
* pentwr masau agennog 100 g
* edau cotwm
* clorian electronig

ⓘ Asesiad risg

Bydd eich athro/athrawes yn rhoi asesiad risg addas i chi ar gyfer yr arddangosiad hwn.

Dull
1 Glynwch hyd addas o edau cotwm at y gleider a chlymwch ddolen yn y pen arall i'w gydio wrth y daliwr pentwr masau.
2 Rhowch weddill y masau ar y sbigynnau dal ar y gleider.
3 Mesurwch a chofnodwch fàs cyfunol y gleider (+ masau agennog) a'r daliwr pentwr masau.
4 Mae pob màs agennog 100 g sy'n cael ei ychwanegu at y daliwr yn ychwanegu 1 N arall o rym cydeffaith ar y gleider.

GWAITH YMARFEROL *parhad*

5 Lluniwch dabl i gofnodi gwerthoedd y grym cydeffaith F mewn N a'r cyflymiad a mewn m/s², gyda thrydedd golofn yn eich tabl i gyfrifo gwerthoedd grym/cyflymiad.

6 Rhedwch yr edau dros y pwli (fel yn y diagram), gadewch i'r daliwr masau ddisgyn a mesurwch a chofnodwch gyflymiad y gleider.

7 Ailosodwch y cyfarpar a symudwch un màs agennog o'r gleider i'r pentwr masau (mae hyn yn sicrhau bod cyfanswm y màs sy'n cael ei gyflymu'n aros yn gyson yn ystod yr arbrawf).

8 Gollyngwch y pentwr masau a mesurwch a chofnodwch y cyflymiad.

9 Ailadroddwch hyn ar gyfer gwerthoedd eraill y grym cyflymu.

Dadansoddi eich canlyniadau

1 Cyfrifwch werthoedd grym/cyflymiad yn eich tabl a'u cofnodi.

2 Oes patrwm yn eich canlyniadau? Beth yw gwerth cymedrig grym/cyflymiad? Sut mae hwn yn cymharu â màs (mewn kg) y gleider a'r masau agennog?

3 Plotiwch graff o rym cydeffaith (echelin-y) yn erbyn cyflymiad (echelin-x). Cadarnhewch fod y llinell yn syth a lluniwch linell ffit orau syth drwy eich canlyniadau (gan ddechrau yn y tarddbwynt).

4 Mesurwch a chyfrifwch raddiant (goledd) y graff.

5 Cymharwch eich graddiant â màs (mewn kg) y gleider a'r masau agennog gyda'i gilydd.

Dylai eich graff ddangos bod grym mewn cyfrannedd union â chyflymiad y gleider (a'r masau), ac mai graddiant y llinell yw màs (mewn kg) y gwrthrych sy'n symud. Mae hyn yn dangos bod grym = màs × cyflymiad.

CWESTIWN

8 Mae cerbyd gofod Soyuz wedi'i lwytho'n llawn (màs = 7150 kg) yn cyflymu i ffwrdd oddi wrth yr ISS tuag at y pwynt lle mae'n dychwelyd i'r atmosffer â chyflymiad o 2 m/s² yn fwy na'r ISS. Cyfrifwch y grym cydeffaith ar y cerbyd gofod Soyuz.

Ffigur 16.8 Cerbyd gofod Soyuz.

9 Ar adeg ei lansio, mae gwthiad cyfunol y cyfnerthydd roced solet a phrif beiriannau'r Wennol yn 30 400 000 N. Mae cyfanswm pwysau'r Wennol Ofod ar adeg ei lansio yn 20 407 000 N, gan fod ei màs yn 2 040 700 kg.

   a Cyfrifwch y grym cydeffaith ar y Wennol Ofod ar adeg ei lansio.

   b Cyfrifwch gyflymiad y Wennol Ofod ar adeg ei lansio.

10 Mae gofodwr yn defnyddio MMU (*Manned Manoeuvring Unit*) i archwilio paneli solar ar yr ISS. Mae'r MMU yn cynhyrchu grym gwthio bach o 60 N, sy'n cyflymu'r uned a'r gofodwr ar 0.25 m/s². Cyfrifwch fàs yr MMU a'r gofodwr. Os yw màs y gofodwr yn 80 kg, beth yw màs yr MMU?

Ffigur 16.9 Gofodwr yn defnyddio MMU (*Manned Manoeuvring Unit*).

Ail ddeddf Newton a momentwm

Gallwn ni egluro ac ysgrifennu ail ddeddf Newton mewn ffordd wahanol drwy ddefnyddio'r newid ym momentwm gwrthrych. Fe gofiwch chi fod momentwm gwrthrych yn hafal i fàs y gwrthrych wedi'i luosi â'i gyflymder. Pan mae gwrthrych yn cyflymu, mae'n newid ei gyflymder o un gwerth i werth arall. Mae hyn yn golygu bod ei fomentwm hefyd yn newid wrth iddo gyflymu; mae'r grym cydeffaith sy'n gweithredu ar wrthrych sy'n cyflymu yn hafal i **gyfradd newid momentwm** y gwrthrych.

$$\text{grym cydeffaith } F \, (\text{N}) \;=\; \frac{\text{newid mewn momentwm } \Delta p \; (\text{kg m/s})}{\text{amser y newid } t \; (\text{s})}$$

$$F \;=\; \frac{\Delta p}{t} \;=\; \frac{\Delta mv}{t}$$

Enghreifftiau

C Mae gofodwr yn defnyddio'r MMU ac mae cyfanswm eu màs yn 250 kg. Mae hi'n cymryd 5 eiliad i newid cyflymder o 1.5 m/s i 3.5 m/s. Cyfrifwch fomentwm cychwynnol a momentwm terfynol y gofodwr.

A $p_{\text{cychwynnol}}$ = $m \times v_{\text{cychwynnol}}$ = 250 × 1.5 = 375 kg m/s
   p_{terfynol} = $m \times v_{\text{terfynol}}$ = 250 × 3.5 = 875 kg m/s

C Cyfrifwch y newid ym momentwm y gofodwr.

A Newid momentwm,
   Δp = $p_{\text{terfynol}} - p_{\text{cychwynnol}}$ = 875 – 375 = 500 kg m/s

C Cyfrifwch y grym cydeffaith ar y gofodwr.

A Grym cydeffaith, $F = \dfrac{\Delta p}{t} = \dfrac{500}{5}$ = 100 N

CWESTIYNAU

11 Yn ystod T + 200 s a T + 300 s ar adeg lansio Gwennol Ofod (h.y. rhwng 200 s a 300 s ar ôl y lansiad), mae'r Wennol (màs = 2 040 700 kg) yn cyflymu o 2600 m/s i 4400 m/s.

   a Cyfrifwch fomentwm y Wennol ar:

     i T + 200 s

     ii T + 300 s

   b Cyfrifwch y newid momentwm rhwng yr amseroedd hyn.

   c Cyfrifwch y grym cydeffaith sy'n gweithredu ar y Wennol yn ystod y cyfnod hwn.

   ch Yn ystod y cyfnod hwn, mae uchder y Wennol yn cynyddu ac mae ei màs yn lleihau. Eglurwch sut bydd y ddau ffactor hyn yn effeithio ar y grymoedd sy'n gweithredu ar y Wennol.

12 Wrth baratoi i ddocio â'r ISS, mae cerbyd gofod Soyuz â chriw ynddo (màs = 7150 kg) yn newid cyflymder o'i gymharu â'r ISS o 12.0 m/s i 0.5 m/s.

   a Cyfrifwch y newid ym momentwm y Soyuz.

   b Cyfrifwch y grym arafu cydeffaith sy'n gweithredu ar y Soyuz.

   c Mae gan y Soyuz dair 'ôl-roced' sy'n cael eu defnyddio i arafu'r Soyuz cyn iddo ddocio. Eglurwch sut mae'r rocedi hyn yn gallu arafu'r Soyuz.

Glanio!

Erbyn heddiw, cerbyd gofod Soyuz yw'r unig ffordd mae gofodwyr yn gallu teithio i'r ISS ac yn ôl. Er bod y Soyuz yn hen gynllun (cafodd y model cyntaf ei adeiladu yn yr 1960au), mae wedi'i brofi ac mae'n ddibynadwy.

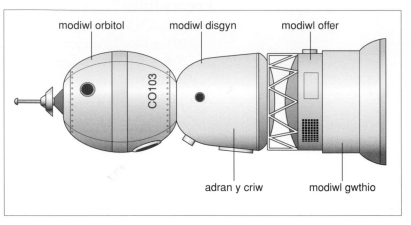

modiwl orbitol   modiwl disgyn   modiwl offer

CO103

adran y criw   modiwl gwthio

Ffigur 16.11 Cerbyd gofod Soyuz.

Ffigur 16.10 Modiwl disgyn Soyuz a'i barasiwt.

Mae'r criw'n dychwelyd i'r Ddaear yn y modiwl disgyn sy'n dod yn rhydd o weddill y cerbyd gofod ychydig cyn iddo ddychwelyd i'r atmosffer.

Mae'r modiwl disgyn yn dechrau disgyn yn rhydd drwy'r atmosffer uchaf ar gyflymder dros 7800 m/s, wrth i'w bwysau ac effaith disgyrchiant y Ddaear ei dynnu tuag at y Ddaear.

Wrth i'r modiwl ddisgyn mae grym ffrithiant (gwrthiant aer) yn cynyddu'n fawr, oherwydd bod tarian wres y modiwl yn gwrthdaro â'r moleciwlau nwy yn yr atmosffer. Mae hyn yn achosi i'r modiwl disgyn arafu. Yn y pen draw, mae grym y gwrthiant aer yn hafal i bwysau'r modiwl disgyn: mae'r grymoedd yn gytbwys, yn hafal ac yn ddirgroes, ac mae'r modiwl yn dal i ddisgyn, ond ar gyflymder cyson (terfynol) sydd oddeutu 230 m/s.

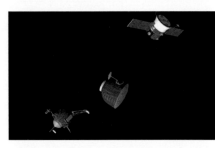

Ffigur 16.12 Soyuz yn dadgyplu.

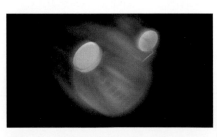

Ffigur 16.13 Modiwl disgyn Soyuz yn yr atmosffer uchaf.

Ffigur 16.14 Modiwl disgyn Soyuz yn glanio gyda'i barasiwt.

Ar uchder o tua 12 km, mae'r parasiwtau'n dechrau agor. Mae gwrthiant aer ar y modiwl disgyn yn cynyddu'n ddramatig wrth i'r arwynebedd sydd mewn cysylltiad â'r aer gynyddu. Mae hyn yn achosi i'r modiwl disgyn arafu'n gyflym, gan ostwng ei gyflymder yn y pen draw i gyflymder (terfynol) arafach o 7 m/s. Un eiliad cyn iddo lanio, mae dwy set o dri pheiriant bach ar waelod y modiwl yn tanio, gan arafu'r modiwl disgyn eto fel ei fod yn glanio'n ysgafn ar beithiau Canol Kazakstan, yn agos at Gosmodrom Baikonur.

Ffigur 16.15 Y modiwl disgyn ar ôl iddo lanio a map o Kazakstan, sy'n dangos lleoliad y parth glanio.

GWAITH YMARFEROL GWNEUD MODEL O FODIWL DISGYN SOYUZ

Dyma weithgaredd sy'n eich helpu i:
★ ymchwilio i gyflymder terfynol gwrthrych sy'n disgyn
★ gwneud model ffisegol
★ cydweithio â phartner
★ mesur ymddygiad gwrthrych sy'n disgyn
★ dadansoddi canlyniadau ymchwiliad.

Gallwch chi ddefnyddio cas papur cacen bach i wneud model syml o fodiwl disgyn Soyuz. Gallwch chi ollwng y model o uchder penodol ac amseru faint mor hir mae'n ei gymryd i ddisgyn pellter penodol. Ni fydd hyn yn arbennig o fanwl gywir; allwch chi feddwl pam? Mae llawer o bethau y gallwch chi eu gwneud i ymchwilio i ddisgyniad y model – roedd rhaid i'r peirianwyr oedd yn cynllunio'r Soyuz leihau cyflymder y modiwl disgyn gymaint â phosibl er mwyn i'r ardrawiad â'r llawr gael cyn lleied â phosibl o effaith ar y gofodwyr. Yn eich ymchwiliad, gallwch chi fesur y cyflymder disgyn cymedrig drwy rannu uchder y cwymp ag amser y cwymp. Beth y gallech chi ei wneud i leihau'r cyflymder disgyn? Newid y màs (ychwanegu mwy o gasys papur cacennau bach)? Ychwanegu parasiwt?

Cynlluniwch, cynhaliwch, dadansoddwch a gwerthuswch ymchwiliad i gynllunio model gweithio o fodiwl disgyn Soyuz.

Crynodeb o'r bennod

○ Pwysau yw grym disgyrchiant yn gweithredu ar fàs gwrthrych.

○ Ar arwyneb y Ddaear, mae 1 kg o fàs yn pwyso 10 N; yr enw ar hyn yw cryfder maes disgyrchiant, g.

○ Mae deddf mudiant gyntaf Newton yn datgan bod gwrthrych disymud yn aros yn ddisymud neu fod gwrthrych sy'n symud yn dal i symud ar yr un buanedd ac i'r un cyfeiriad os nad oes grym anghytbwys yn gweithredu arno.

○ Gallwn ni ymchwilio i hyn yn arbrofol, e.e. gan ddefnyddio trac aer a chofnodydd data, lle mae'r glustog aer yn lleihau ffrithiant i werth bach iawn.

○ Mae màs gwrthrych yn effeithio ar ba mor hawdd neu anodd yw newid mudiant y gwrthrych hwnnw. Mae gan gyrff masfawr symiau mawr o inertia, felly mae angen grym mawr i newid eu mudiant, neu i wneud iddynt symud os ydyn nhw'n ddisymud.

○ Momentwm gwrthrych yw ei fàs mewn kg wedi'i luosi â'i gyflymder mewn m/s; hynny yw, momentwm = mv.

○ Unedau momentwm yw kg m/s.

○ Mae ail ddeddf mudiant Newton yn datgan bod grym = màs × cyflymiad; hynny yw, mae cyflymiad gwrthrych mewn cyfrannedd union â'r grym cydeffaith ac mewn cyfrannedd wrthdro â màs y gwrthrych.

○ Yn nhermau momentwm, gallwn ni ddatgan hyn fel grym = cyfradd newid momentwm, neu'r newid mewn momentwm wedi'i rannu â'r amser a gymerwyd.

○ Pan mae gwrthrych yn disgyn drwy'r awyr, i ddechrau mae'n cyflymu ac mae ei fuanedd yn cynyddu oherwydd grym disgyrchiant yn gweithredu arno. Fodd bynnag, yna, mae grym ffrithiant (gwrthiant aer) yn cynyddu, gan achosi i'r gwrthrych arafu. Yn y pen draw, bydd grym gwrthiant aer yn hafal i bwysau'r gwrthrych ac rydym ni'n dweud ei fod yn disgyn ar ei gyflymder terfynol (cyson).

Ffiseg rygbi

Ffigur 17.1 Alun Wyn Jones yn cael ei godi mewn lein rygbi yn ystod gêm Cymru v Ffrainc yn 2009.

Dyma Alun Wyn Jones yn cael ei godi yn y lein yn ystod gêm Cymru v Ffrainc yn 2009. Taldra Alun yw 1.98 m (6 troedfedd 6 modfedd) a'i bwysau yw 118 kg (18 stôn 10 pwys). Mae'r chwaraewyr sy'n ei godi, i bob diben, yn ei godi drwy 1.5 m, ac i wneud hynny rhaid iddynt ar y cyd gynhyrchu grym tuag i fyny sy'n fwy na'i bwysau ef. Wrth iddynt ei godi, maen nhw'n gwneud **gwaith**.

Egni a gwaith

Ffigur 17.2 Dangos y pellter (d) a'r grym sy'n cael ei ddefnyddio (F) yn y lein.

Mae gwaith yn derm ffiseg sy'n cael ei ddefnyddio i fesur yr egni sy'n cael ei drosglwyddo pan mae egni'n newid o un ffurf i ffurfiau eraill. Mae egni'n gallu trawsnewid mewn llawer o wahanol ffyrdd ond, yn ystod lein rygbi, mae'r chwaraewyr sy'n codi'r neidiwr yn rhoi grym mecanyddol ar y chwaraewr. Mae'r egni sydd ei angen i gynhyrchu'r grym hwn yn dod o'r egni cemegol sydd wedi'i storio yn y chwaraewyr o'u bwyd. Mae eu rhaglenni hyfforddi'n golygu bod y chwaraewyr yn trawsnewid yr egni cemegol hwn i egni cinetig yn eu cyhyrau'n effeithlon iawn. Y cyhyrau sy'n rhoi'r grym sy'n symud y neidiwr i fyny drwy bellter penodol. Gan fod gwaith yn golygu mesur trosglwyddiadau egni, ei unedau yw jouleau, J.

Gallwn ni fesur y gwaith sy'n cael ei wneud gyda'r hafaliad canlynol:

$$\text{gwaith sy'n cael ei wneud (J)} = \text{grym (N)} \times \text{pellter symud i gyfeiriad y grym (m)}$$

Enghraifft

C Màs Alun Wyn Jones yw 118 kg, sy'n golygu bod ei bwysau'n 1180 N. Os yw'r ddau chwaraewr sy'n codi Alun yn y lein yn rhoi hanner y grym hwn yr un (590 N), gan ei godi drwy bellter o 1.5 m, cyfrifwch y gwaith mae'r chwaraewyr sy'n codi Alun yn ei wneud.

A gwaith = grym × pellter symud = 590 × 1.5 = 885 J

Mae hyn yn golygu bod cyfanswm y gwaith sy'n cael ei wneud yn 885 × 2 = 1770 J. I roi hyn mewn persbectif, mae bar siocled bach yn cynnwys tua 370 000 J o egni cemegol, sy'n ddigon i godi Alun Wyn Jones tua 210 gwaith (er nad yw'r holl egni cemegol yn y siocled yn trawsnewid i roi egni cinetig ac egni potensial disgyrchiant)!

CWESTIYNAU

1 Beth yw ystyr 'gwaith' sy'n cael ei wneud?

2 Beth yw unedau gwaith?

3 Pa ffactorau sy'n pennu faint o waith mae chwaraewr yn ei wneud yn y lein wrth iddo godi neidiwr?

4 Mewn sgarmes sy'n symud, mae chwaraewyr sy'n gwthio i yrru'r sgarmes yn ei blaen fel rheol yn gwthio â grym cymedrig o 750 N. Os caiff y sgarmes ei gwthio am 8 m, faint o waith mae chwaraewr nodweddiadol yn ei wneud?

5 Yn ystod sgrym (Ffigur 17.3), mae wyth chwaraewr yn gwthio â grym cymedrig o 600 N yr un, gan symud y sgrym 2.5 m.

   a Beth yw cyfanswm y grym mae'r wyth chwaraewr yn ei roi?

   b Cyfrifwch **gyfanswm** y gwaith sy'n cael ei wneud wrth wthio'r sgrym.

Ffigur 17.3 Sgrym.

6 Mewn tacl ben-ben, mae chwaraewr rygbi'n gwneud 1650 J o waith i yrru'r gwrthwynebydd yn ôl 3 m. Cyfrifwch rym y taclwr.

Ffigur 17.4 Tacl ben-ben.

7 Cyfrifwch pa mor uchel mae neidiwr yn cael ei godi yn y lein os yw'r chwaraewr sy'n codi'r neidiwr yn rhoi grym o 950 N ac yn gwneud 1520 J o waith.

Effeithlonrwydd

Mae'r gwaith mae cyhyrau chwaraewr yn ei wneud wrth godi, taclo neu wthio bob amser yn fwy na'r gwaith sy'n cael ei wneud ar y gwrthwynebydd neu ar eu cydchwaraewr. Mae rhywfaint o egni'n cael ei golli fel gwres neu egni thermol wrth i'r cyhyrau wneud y gwaith. Yn gyffredinol, mae effeithlonrwydd cyhyrau dynol tua 20–25% yn unig, er bod effeithlonrwydd chwaraewyr proffesiynol yn gallu bod yn uwch, tuag at 30%. Mae hyn yn golygu, o bob 100 J o egni cemegol sy'n dod o fwyd chwaraewr rygbi, mai dim ond tua 25 J sy'n cael ei droi'n egni cinetig mecanyddol wedi'i gynhyrchu gan gyhyr a bod 75 J yn cael ei 'golli' fel gwres yng nghelloedd y cyhyr. Dyma pam mae pobl sy'n gwneud chwaraeon yn mynd yn boeth ac yn gorfod oeri drwy chwysu a drwy fecanweithiau eraill sy'n oeri'r corff.

Enghreifftiau

Yn ystod rhaglen hyfforddi, weithiau mae'n rhaid i chwaraewyr rygbi dynnu sled hyfforddi sydd wedi'i chydio wrth harnais i wella cryfder eu cyrff. Fel rheol, mae'r chwaraewyr yn tynnu'r sled â grym o 450 N, am bellter o 20 m.

C Cyfrifwch y gwaith sy'n cael ei wneud ar y sled.

A Gwaith sy'n cael ei wneud ar y sled = 450 × 20 = 9000 J

C Os yw effeithlonrwydd cyhyrau'r chwaraewyr yn 25%, cyfrifwch gyfanswm y gwaith mae cyhyrau'r chwaraewyr yn ei wneud.

A Gwaith sy'n cael ei wneud ar y sled = 25% o gyfanswm y gwaith mae'r cyhyrau'n ei wneud, felly:

$$\text{cyfanswm gwaith sy'n cael ei wneud} \times \frac{25}{100} = 9000$$

$$\text{cyfanswm gwaith sy'n cael ei wneud} = \frac{9000 \times 100}{25} = 36\,000 \text{ J}$$

CWESTIYNAU

8 Beth yw ystyr effeithlonrwydd trosglwyddiad egni?

9 Pam caiff gwres ei 'wastraffu' fel arfer wrth drosglwyddo egni?

10 Pam mai dim ond 25% yw effeithlonrwydd cyhyrau?

11 Sut mae ein cyrff yn delio â'r gwres sy'n cael ei gynhyrchu gan ein cyhyrau wrth wneud ymarfer corff?

Ffigur 17.5 Hyfforddi drwy dynnu sled hyfforddi.

FAINT O WAITH YDYCH CHI'N EI WNEUD?

Dyma weithgaredd sy'n eich helpu i:
★ cydweithio â phartner
★ ysgrifennu asesiad risg
★ mesur grymoedd a phellteroedd
★ cyfrifo gwaith sy'n cael ei wneud
★ dadansoddi canlyniadau
★ cyflwyno canfyddiadau mewn graff

Cyfarpar
* offer campfa (neu rywbeth arall addas)
* prennau mesur, tapiau mesur
* mesuryddion Newton ag amrediad mawr (os ydyn nhw ar gael)
* cloriannau wedi'u graddnodi mewn Newtonau (ar gyfer pwysau rhydd – os ydyn nhw ar gael)

Bydd angen i chi allu defnyddio campfa, set o bwysau hyfforddi neu gymhorthion hyfforddi eraill sy'n eich galluogi i roi grym sy'n symud drwy bellter (fel bandiau pilates). Yn y gweithgaredd hwn, byddwch chi'n symud grymoedd drwy bellteroedd sydd wedi'u mesur ac yna'n cyfrifo'r gwaith mae pob grym yn ei wneud. Gallwch chi hefyd gymryd bod effeithlonrwydd eich cyhyrau yn 20%, ac felly gallwch amcangyfrif faint o egni cemegol mae eich cyhyrau'n ei ddefnyddio i gynhyrchu'r gwaith mae'r grymoedd yn ei wneud.

⚠ Asesiad risg

Bydd eich athro/athrawes yn rhoi ffurflen asesiad risg wag i chi ei chwblhau cyn i chi ddilyn y weithdrefn hon. Bydd angen i chi feddwl am yr holl beryglon posibl a'r risgiau cysylltiedig. Gofynnwch i'ch athro/athrawes wirio eich asesiad risg cyn i chi gyflawni'r gwaith ymarferol.

Dull
1 Cwblhewch asesiad risg addas ar gyfer yr arbrawf hwn.
2 Dewch o hyd i ymarfer addas sy'n defnyddio grym sy'n symud drwy bellter (e.e. unrhyw beiriant mewn campfa lle mae pwysau'n cael eu codi).
3 Rhowch yr ymarfer ar ei osodiad pwysau isaf a mesurwch a chofnodwch fàs y pwysau sy'n symud, a'r pellter mae'r pwysau'n symud.
4 (Dewisol) Ar yr un gosodiad pwysau, mesurwch a chofnodwch y grym rydych chi'n ei ddefnyddio i symud y pwysau (gan ddefnyddio mesurydd Newton addas) a'r pellter rydych chi'n symud y grym hwnnw.
5 Cyfrifwch rym pwysau'r pwysau sy'n symud drwy ddefnyddio:
grym pwysau (N) = màs (kg) × 10 (N/kg)
6 Cyfrifwch y gwaith sy'n cael ei wneud i symud y pwysau drwy ddefnyddio:
gwaith sy'n cael ei wneud ar y pwysau (J) = grym pwysau (N) × pellter symud (m)
7 (Dewisol) Cyfrifwch y gwaith a wnewch chi wrth symud y pwysau drwy ddefnyddio:
gwaith mae eich grym chi'n ei wneud (J) = grym sy'n cael ei roi (N) × pellter symud (m)
8 (Dewisol) Cyfrifwch effeithlonrwydd y peiriant:

$$\text{effeithlonrwydd} = \frac{\text{gwaith sy'n cael ei wneud i symud y pwysau}}{\text{gwaith rydych chi'n ei wneud}} \times 100\%$$

9 Ailadroddwch y dull hwn ar gyfer gwahanol osodiadau pwysau ar y peiriant.
10 Ailadroddwch ar beiriannau ymarfer gwahanol neu mewn ymarferion rhydd. Dyma rai ymarferion a fydd yn rhoi canlyniadau tebyg heb ddefnyddio offer campfa:
   a gwasg-godiadau (*press-ups*) ar glorian ystafell ymolchi
   b codi dymbelau ymarfer neu bwysau o'r labordy
   c estyn bandiau pilates.

Dadansoddi eich canlyniadau
Meddyliwch sut gallwch chi ddangos canlyniadau eich arbrofion ar gyfer y gwaith sydd wedi'i wneud (a'r canlyniadau effeithlonrwydd, os yn berthnasol). Y ffordd orau o ddangos canlyniadau fel y rhain yw mewn graff. Cynhyrchwch graff i ddangos eich canlyniadau. Pa ymarferion oedd angen y mwyaf o waith? Pa rai oedd y mwyaf effeithlon?

Rhedeg gyda phêl rygbi – dadansoddi egni cinetig

Pan mae gwrthrychau fel chwaraewyr rygbi'n rhedeg gyda phêl, mae'r egni cemegol o'u bwyd yn trawsnewid i egni cinetig (symud) eu cyhyrau. Mae'r cyhyrau symudol yn symud y chwaraewr.

Gallwn ni ddefnyddio'r hafaliad canlynol i gyfrifo egni cinetig (EC) gwrthrych sy'n symud:

egni cinetig = ½ × (màs × cyflymder²)

$$EC = \tfrac{1}{2}mv^2$$

Enghraifft

C Mae asgellwr Cymru Shane Williams yn gallu rhedeg gyda phêl rygbi ar gyflymder cymedrig o tua 10 m/s. Mae màs Shane yn 80 kg. Beth yw egni cinetig Shane pan mae'n rhedeg ar 10 m/s?

A $EC = \tfrac{1}{2}mv^2 = 0.5 \times 80 \times 10^2 = 4000\,J$

Ffigur 17.6 Shane Williams yn rhedeg gyda'r bêl.

CWESTIYNAU

12 Beth yw ystyr egni cinetig?

13 Ar beth mae egni cinetig chwaraewr rygbi'n dibynnu?

14 Os yw chwaraewr rygbi'n loncian ar 5 m/s ac yna'n gwibio ar 10 m/s, mae hi'n dyblu ei chyflymder. O ba ffactor y bydd ei hegni cinetig yn cynyddu?

15 Yn un o sesiynau hyfforddi diweddar carfan Cymru, cafodd perfformiad gwibio gwahanol chwaraewyr ei fesur a'i gofnodi. Mae Tabl 17.1 yn rhoi crynodeb o ganfyddiadau'r cyfarwyddwr ffitrwydd. Copïwch a chwblhewch y tabl (heb y lluniau), gan gyfrifo uchafswm egni cinetig pob chwaraewr.

Tabl 17.1

Chwaraewr		Safle	Màs (kg)	Uchafswm cyflymder gwibio (m/s)	Uchafswm egni cinetig (J)
Alun Wyn Jones		Clo	118	9.2	
Shane Williams		Asgellwr	80	11.2	
Adam Jones		Prop	127	8.5	
James Hook		Maswr	93	10.4	

16 Màs pêl rygbi safonol (maint 5) yw 0.44 kg. Wrth gicio oddi ar di, mae James Hook yn gallu cicio'r bêl â chyflymder cychwynnol o 24.5 m/s. Cyfrifwch egni cinetig cychwynnol y bêl.

Dyma weithgaredd sy'n eich helpu i:

★ gweithio fel rhan o dîm

★ mesur a chofnodi masau, pellteroedd ac amseroedd

★ ystyried amrediad eich mesuriadau

★ cyfrifo cyflymder ac egni cinetig

Pan gaiff pêl rygbi ei phasio o un chwaraewr i un arall, gallwch chi fesur cyflymder cymedrig y pàs drwy rannu'r pellter rhwng y chwaraewyr ag amser y pàs.

Ffigur 17.7 Pàs rygbi.

Yn y gweithgaredd hwn, byddwch chi'n gwneud mesuriadau fel y gallwch chi gyfrifo egni cinetig pêl rygbi sy'n cael ei phasio.

Cynlluniwch, cynhaliwch a dadansoddwch arbrawf i ganfod amrediad egnïon cinetig pêl rygbi pan gaiff ei phasio dros bellter penodol. Mae angen i chi wneud mesuriadau i'ch galluogi i ganfod y gwerthoedd rhesymol uchaf ac isaf (yr amrediad).

Meddyliwch am y cyfarpar fydd ei angen arnoch ac archebwch ef gan eich athro/athrawes neu dechnegydd gwyddoniaeth. Oes angen i chi ysgrifennu asesiad risg ar gyfer yr arbrawf hwn? Os oes, gofynnwch i'ch athro/athrawes am ffurflen asesiad risg wag.

Cicio pêl – ymarfer egni potensial disgyrchiant

Mae'r maswr, James Hook, yn cicio am y pyst. Pan mae'n cicio pêl rygbi, mae'n trosglwyddo egni cinetig o'i droed i egni cinetig y bêl. Wrth i'r bêl godi'n uwch, caiff rhywfaint o'r egni cinetig ei drosglwyddo i egni potensial disgyrchiant. Os caiff y bêl ei chicio'n fertigol tuag i fyny (fel cic a chwrs uchel), yn y pen draw caiff holl egni cinetig y bêl ei drawsnewid i egni potensial disgyrchiant. Gyda chiciau pell, dim ond cyfran o'r egni cinetig sy'n cael ei drawsnewid i egni potensial disgyrchiant, oherwydd caiff rhywfaint o'r egni cinetig ei ddefnyddio i gicio'r bêl ymlaen.

Gallwn ni ddefnyddio'r hafaliad canlynol i gyfrifo egni potensial (EP) disgyrchiant gwrthrych fel pêl rygbi:

$$\text{egni potensial disgyrchiant} = \text{màs } m \text{ (kg)} \times \text{cryfder maes disgyrchiant } g \text{ (N/kg)} \times \text{newid uchder } h \text{ (m)}$$

$$EP = mgh$$

Ffigur 17.8 James Hook yn cicio pêl oddi ar y llawr.

Enghraifft

C Cyfrifwch egni potensial disgyrchiant pêl rygbi 0.44 kg pan gaiff ei chicio'n fertigol tuag i fyny at uchder o 20 m. Mae cryfder maes disgyrchiant $g = 10$ N/kg.

A EP = mgh = $0.44 \times 10 \times 20 = 88$ J

CWESTIYNAU

17 Beth yw ystyr 'egni potensial disgyrchiant'?

18 Ar wahân i gryfder maes disgyrchiant, pa ddau ffactor arall sy'n pennu egni potensial disgyrchiant pêl rygbi?

19 Mae peli rygbi i'w cael mewn tri phrif faint:
- Maint 3 (6–9 oed), màs = 0.28 kg
- Maint 4 (10–14 oed), màs = 0.38 kg
- Maint 5 (oedolion), màs = 0.44 kg

Yn ystod sesiwn ffotograffau i'r wasg a'r cyfryngau ar gyfer noddwr pêl, mae James Hook yn cicio pob un o'r tair pêl i'r un uchder (35 m). Os yw cryfder y maes disgyrchiant yn 10 N/kg, cyfrifwch y cynnydd yn egni potensial disgyrchiant pob pêl pan fydd ar ei huchaf.

20 Mae'r bachwr, Matthew Rees, yn taflu'r bêl i'r lein o uchder cychwynnol o 2.0 m. Mae'r bêl yn cyrraedd uchder uchaf o 4.2 m, sy'n rhoi cynnydd o 9.9 J o egni potensial disgyrchiant iddi. Os yw cryfder y maes disgyrchiant yn 10 N/kg, cyfrifwch fàs y bêl.

Pan mae James Hook yn cicio pêl yn fertigol tuag i fyny, mae'n rhoi **grym** ar y bêl ar adeg y gic. Wrth iddo wneud hyn, mae'r grym yn teithio drwy bellter ac mae troed James yn gwneud **gwaith** ar y bêl, gan drosglwyddo egni cinetig o'i droed i egni cinetig y bêl (a chaiff rhywfaint ei golli ar ffurf gwres a sain). Yna, mae egni cinetig y bêl yn dechrau lleihau wrth i'w huchder gynyddu yn erbyn tynfa disgyrchiant – mae hyn yn cynyddu ei hegni potensial disgyrchiant. Mae'r bêl yn gwneud gwaith yn erbyn tynfa disgyrchiant. Yn y pen draw, mae cyflymder fertigol y bêl yn cyrraedd sero ar bwynt uchaf y gic.

Mae'r egni cinetig i gyd wedi'i drawsnewid i egni potensial disgyrchiant. Wrth i'r bêl ddechrau disgyn yn ôl i lawr, mae'r gwrthwyneb yn digwydd ac mae egni potensial disgyrchiant yn trawsnewid yn ôl i egni cinetig. Fodd bynnag, ar unrhyw un adeg, ar unrhyw uchder, mae **cyfanswm** egni'r bêl yn gyson – sef, swm yr egni a gafodd y bêl yn wreiddiol o droed James Hook. Felly, yn yr achos hwn, ar unrhyw uchder:

cyfanswm egni = egni cinetig + egni potensial disgyrchiant

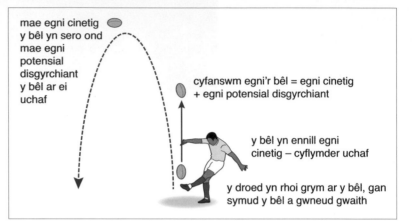

Ffigur 17.9 Chwaraewr rygbi'n cicio pêl.

GWAITH YMARFEROL · EGNI POTENSIAL DISGYRCHIANT A'R LEIN RYGBI

Dyma weithgaredd sy'n eich helpu i:
★ gweithio fel rhan o dîm
★ mesur uchderau a masau
★ cyfrifo egni potensial disgyrchiant

Rydych chi'n mynd i gymryd rhan mewn lein rygbi. Mae angen un chwaraewr (yn yr achos hwn, rhywun ysgafn â màs isel) i fod yn neidiwr, dau chwaraewr i godi'r neidiwr o gwmpas y wasg, rhywun i daflu'r bêl i'r neidiwr o bellter o tua 5 m, a rhywun i fesur yr uchder mae'r neidiwr yn neidio drwyddo a'r uchder lle mae'r bêl yn cael ei dal.

Cyfarpar
* pêl rygbi
* matiau campfa neu fatiau cwympo
* 4 pren mesur metr wedi'u tapio at ei gilydd i wneud pren mesur hir
* clorian electronig i fesur màs y bêl rygbi
* clorian ystafell ymolchi i fesur màs y neidiwr
* mynediad i gampfa

⚠ Asesiad risg

Bydd eich athro/athrawes yn rhoi asesiad risg i chi ar gyfer y gweithgaredd hwn, ond rhaid i'r unigolyn sy'n cael ei godi/ei chodi fod yn ddigon ystwyth a rhaid i'r ddau sy'n gwneud y codi allu codi'r neidiwr gyda rheolaeth. Bydd eich athro/athrawes yn dangos i chi sut i godi'r neidiwr yn ddiogel, a rhaid i chi wneud y gweithgaredd hwn ar fatiau campfa neu fatiau cwympo.

Dull
1 Trefnwch eich hunain mewn timau o 5 neu 6.
2 Yr unigolyn ysgafnaf yw'r neidiwr. Defnyddiwch y glorian ystafell ymolchi i fesur a chofnodi màs y neidiwr mewn kg.
3 Rhaid i ddau ohonoch chi ymarfer codi'r neidiwr. Mesurwch a chofnodwch yr uchder mae'r neidiwr yn ei neidio (gallech chi fesur gwahaniaeth uchder ysgwyddau'r neidiwr).

Ffigur 17.10 Lein rygbi.

GWAITH YMARFEROL *parhad*

4 Mesurwch a chofnodwch fàs y bêl rygbi mewn kg.

5 Mesurwch uchder y bêl cyn iddi gael ei thaflu.

6 Pan mae'r taflwr yn taflu'r bêl i'r neidiwr, mae'r person sy'n mesur yr uchder yn dal y pren mesur hir yn agos at y neidiwr ac yn amcangyfrif ac yn cofnodi'r uchder mae'r bêl yn ei gyrraedd pan mae'n cael ei dal.

7 Cyfrifwch y cynnydd yn uchder y bêl.

8 Ailadroddwch y dull hwn ddwywaith eto a chyfrifwch werthoedd cymedrig pob mesuriad.

9 Cyfrifwch y cynnydd cymedrig yn egni potensial disgyrchiant y neidiwr a'r bêl.

10 Mae nifer o ffyrdd eraill o wneud gweithgareddau tebyg i hwn. Er enghraifft, gallech chi ddefnyddio unrhyw chwaraeon pêl bron, yn enwedig rhai sy'n cael eu chwarae mewn campfa, e.e. pêl-fasged, badminton a phêl-rwyd. Os oes gennych chi amser, cymharwch yr egnïon potensial disgyrchiant sy'n cael eu hennill gan amrywiaeth o wahanol beli chwaraeon.

Pwynt Trafod

Eglurwch pam mae defnyddio amcangyfrif yn dderbyniol weithiau ym maes gwyddoniaeth. Allwch chi feddwl am sefyllfaoedd eraill lle rydych chi'n defnyddio amcangyfrifon?

Sgrymio – astudiaeth achos trydedd ddeddf Newton

Ffigur 17.11 Sgrym rygbi.

Mewn sgrym, mae dau rym mawr iawn yn dod i gysylltiad â'i gilydd. Os ydym ni'n ystyried sgrym statig (disymud), rydym ni'n gwybod bod rhaid i'r grym sy'n cael ei roi gan un set o flaenwyr fod yn hafal a dirgroes i'r grym sy'n cael ei roi gan y set arall. Mae'r grymoedd yn gweithredu fel **pâr**.

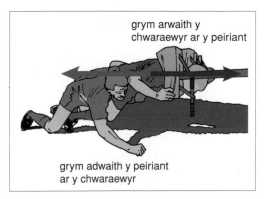

Ffigur 17.12 Chwaraewyr yn sgrymio yn erbyn peiriant sgrym.

Mae'n haws gweld y grymoedd sy'n gweithredu mewn sgrym pan mae'r chwaraewyr yn defnyddio peiriant sgrym.

Os yw'r peiriant yn ddisymud, mae'n rhaid bod y grym cydeffaith yn sero oherwydd y rhyngweithio rhwng pob grym sy'n gweithredu ar y peiriant sgrymio. Mae'r grym sy'n cael ei roi **gan y chwaraewyr** ar y peiriant yn hafal ac yn ddirgroes i'r grym sy'n cael ei roi **ar y chwaraewyr** gan y peiriant. Mae'r grymoedd yn gweithredu mewn parau: mae un (gan y chwaraewyr) yn cael ei alw'n rym **arwaith** ac mae'r llall (gan y peiriant) yn cael ei alw'n rym **adwaith**; gyda'i gilydd maen nhw'n **bâr rhyngweithio**.

Mae grymoedd bob amser yn gweithredu mewn parau. Mae rhai grymoedd (fel y rhai mewn sgrymiau) yn rymoedd **cyffwrdd**: rhaid i ddau wrthrych gyffwrdd â'i gilydd i roi'r grym. (Mae grymoedd eraill, fel disgyrchiant neu'r grymoedd sy'n cael eu rhoi gan feysydd trydanol a magnetig, yn rymoedd **arwaith o bellter**.) Isaac Newton oedd y cyntaf i sylwi bod grymoedd yn gweithredu mewn parau. Rhoddodd grynodeb o hyn yn ei **drydedd ddeddf mudiant**, a gyhoeddwyd gyntaf yn 1687:

> *'Mewn rhyngweithiad rhwng dau wrthrych, A a B, mae'r grym mae corff A yn ei roi ar gorff B yn hafal i'r grym mae corff B yn ei roi ar gorff A, ond i'r cyfeiriad dirgroes.*

> Neu mewn geiriau eraill: *'I bob grym arwaith, mae yna rym adwaith hafal a dirgroes.'*

Wrth ddefnyddio Trydedd Ddeddf Newton, mae angen i ni ddeall y pwyntiau canlynol:

1. Mae'r ddau rym mewn pâr rhyngweithio yn gweithredu ar wrthrychau gwahanol.
2. Mae'r ddau rym yn hafal o ran maint, ond yn gweithredu i gyfeiriadau dirgroes.
3. Mae'r ddau rym o'r un math bob tro, er enghraifft, grymoedd cyffwrdd neu rymoedd disgyrchiant.

Ar y peiriant sgrym, mae llawer o barau rhyngweithio eraill o rymoedd (ym mhob man lle mae dau gorff yn cyffwrdd â'i gilydd), ond mae yna 16 o barau pwysig iawn – rhwng traed pob chwaraewr a'r llawr.

Ffigur 17.13 Llun agos o sgrym, yn dangos y rhyngweithio rhwng y traed a'r llawr.

Mae troed y chwaraewr yn rhoi grym tuag yn ôl ar y llawr. Mae'r llawr yn rhoi grym tuag ymlaen ar y droed, oherwydd ffrithiant. Mae'r ddau rym yn hafal a dirgroes ac mae'r droed yn aros yn llonydd, gan nad oes grym anghytbwys (grym cydeffaith) yn gweithredu ar y droed.

CWESTIYNAU

21 Beth yw trydedd ddeddf Newton?

22 Beth yw enwau'r ddau rym mewn pâr rhyngweithio?

23 Beth yw'r ddau brif fath o rym?

24 Eglurwch pam na wnaiff chwaraewr rygbi sy'n gwthio mewn sgarmes syrthio i'r llawr heblaw ei bod hi'n llithro neu fod y sgarmes yn cwympo.

25 Edrychwch ar y diagramau canlynol. Gwnewch fraslun o bob diagram a labelwch y parau o rymoedd sy'n rhyngweithio ym mhob achos.

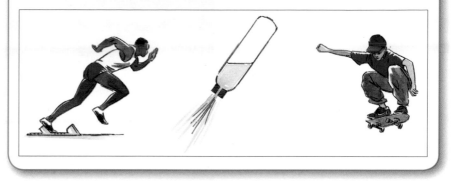

Crynodeb o'r bennod

- Caiff gwaith ei wneud pan gaiff egni ei drosglwyddo o un ffurf i ffurf arall.
- Uned gwaith yw'r joule, J.
- Gallwn ni gyfrifo'r gwaith sy'n cael ei wneud gyda'r hafaliad canlynol:
  gwaith sy'n cael ei wneud (J) = grym sy'n cael ei ddefnyddio (N) × pellter symud i gyfeiriad y grym (m)
- Bryd bynnag y caiff egni ei drosglwyddo o un ffurf i ffurf arall, caiff cyfran o'r egni ei golli ar ffurf gwres neu sain. Er enghraifft, mae effeithlonrwydd cyhyrau dynol tua 25%, felly mae tua 75% o'r egni mae celloedd y cyhyrau'n ei ddefnyddio yn troi'n egni gwres yn hytrach nag egni cinetig.
- Gallwn ni gyfrifo egni cinetig (EC) gwrthrych sy'n symud drwy ddefnyddio'r hafaliad: $EC = \frac{1}{2} mv^2$.
- Os yw gwrthrych yn symud drwy'r awyr tuag i fyny, bydd ei egni cinetig yn newid yn raddol i egni potensial disgyrchiant wrth i'r gwrthrych wneud gwaith yn erbyn disgyrchiant. Bydd y gwrthrych yn dechrau arafu gan fod ganddo lai o egni cinetig.
- Gallwn ni gyfrifo egni potensial (EP) disgyrchiant drwy ddefnyddio'r hafaliad:
  EP = màs (kg) × cryfder maes disgyrchiant g (N/kg) × newid uchder (m)
- Pan mae holl egni cinetig y gwrthrych wedi trawsnewid i egni potensial disgyrchiant, mae cyflymder fertigol y gwrthrych yn sero, ac mae'r gwrthrych yn dechrau disgyn eto wrth i'r egni potensial ddechrau trawsnewid yn ôl i egni cinetig.
- Ar unrhyw adeg pan mac'r gwrthrych yn symud, mae cyfanswm yr egni'n aros yn gyson gan mai hwn yw cyfanswm yr egni cinetig a'r egni potensial.
- Mae trydedd ddeddf Newton yn datgan: *'Mewn rhyngweithiad rhwng dau wrthrych, A a B, mae'r grym mae corff A yn ei roi ar gorff B yn hafal i'r grym mae corff B yn ei roi ar gorff A, ond i'r cyfeiriad dirgroes'*.
- Gyda'i gilydd, mae'r grym arwaith a'r grym adwaith yn gwneud pâr rhyngweithio.
- Mae grymoedd yn gallu bod yn 'rymoedd cyffwrdd', lle mae'n rhaid i'r gwrthrychau gyffwrdd â'i gilydd i roi'r grym, neu'n 'rymoedd arwaith o bellter' fel disgyrchiant neu rymoedd electromagnetig.

18

Ceir, Rheolau'r Ffordd Fawr a gwrthdrawiadau

Ffigur 18.1 Damwain ar draffordd.

Mae Rheolau'r Ffordd Fawr yn sôn llawer am stopio'n ddiogel. Os ydych chi'n deall 'mecaneg' stopio wrth ddysgu gyrru, rydych chi'n llai tebygol o gael damwain. Dyna pam mae'r prawf theori'n cynnwys cwestiynau am bellteroedd stopio. Felly beth sydd gan Reolau'r Ffordd Fawr i'w ddweud, a beth yw'r ffiseg y tu ôl i stopio'n ddiogel?

Rydym ni eisoes yn gwybod bod egni cinetig gan wrthrychau sy'n symud, fel ceir a chwaraewyr rygbi (Pennod 17). Rydym ni'n gwybod hefyd bod egni cinetig yn dibynnu ar fàs a chyflymder:

$$EC = \tfrac{1}{2} mv^2$$

Felly, mae gan lorïau trwm fwy o egni cinetig na cheir sy'n teithio ar yr un cyflymder, ac mae gan gerbydau sy'n symud yn gyflym fwy o egni cinetig na cherbydau sy'n symud yn araf. Yn wir, fel y gwelwch chi o'r hafaliad, os ydych chi'n dyblu cyflymder gwrthrych, yna bydd ei egni cinetig bedair gwaith yn fwy (gan fod $2^2 = 4$)!

Pan mae gyrrwr eisiau stopio car, mae'n rhaid iddo/iddi ddibynnu ar y ffrithiant yn y breciau a'r ffrithiant rhwng y teiar ac arwyneb y ffordd i stopio'r car. Fe gofiwch chi o Bennod 17 fod gwaith yn cael ei wneud pan mae grym yn symud drwy bellter. Yn yr achos hwn, caiff yr egni cinetig ei drawsnewid i wres (sy'n cael ei amsugno gan y padiau brêc).

Cyfanswm pellter stopio cerbyd

Dydy cerbydau ddim yn stopio ar unwaith – mae oediad amser rhwng i'r gyrrwr weld y perygl posibl ac i'r cerbyd stopio. Yn ystod y cyfnod hwn mae'r cerbyd yn dal i deithio ar fuanedd, ac felly mae'r car yn teithio drwy bellter. Mae **cyfanswm pellter stopio** cerbyd yn cynnwys y pellter meddwl a'r pellter brecio.

Y **pellter meddwl** yw'r pellter mae'r cerbyd yn ei deithio yn ystod yr amser mae'r gyrrwr yn gweld y perygl, yn meddwl am frecio ac yna'n ymateb drwy ddefnyddio'r brêc.

Y **pellter brecio** yw'r pellter mae'r cerbyd yn ei symud tra mae'r brêc yn cael ei ddefnyddio. Yn ystod yr amser mae'r brêc yn cael ei ddefnyddio, mae'r cerbyd yn arafu i 0 m/s.

cyfanswm pellter stopio = pellter meddwl + pellter brecio

Mae pellter meddwl yn dibynnu ar lawer o ffactorau, gan gynnwys:

- Cyflymder y car – y mwyaf yw'r cyflymder, y pellaf y bydd y car yn teithio wrth i'r gyrrwr feddwl am ddefnyddio'r brêc (pellter = cyflymder × amser).
- **Amser adweithio** y gyrrwr. Fel rheol, mae hwn tua 0.7 s. Mae amseroedd adweithio'n dibynnu ar lawer o ffactorau, ond caiff ei gynyddu'n sylweddol os yw'r gyrrwr wedi bod yn yfed alcohol neu'n cymryd cyffuriau – mae hyd yn oed rhai moddion annwyd cyffredin yn gallu achosi syrthni. Mae llawer o ddamweiniau hefyd yn cael eu hachosi gan yrwyr blinedig – efallai y byddwch chi wedi gweld arwyddion ar y drafford fel yr un yn Ffigur 18.2.
- Gall rhywbeth dynnu sylw'r gyrrwr – plant yn sedd gefn y car, er enghraifft.
- Efallai fod y gyrrwr wedi bod yn defnyddio ffôn symudol – mae hyd yn oed setiau sydd ddim yn defnyddio dwylo'n cael effaith ddifrifol ar bellteroedd meddwl. Mae ffidlan â radio/CD/mp3 y car, ffidlan â'r llyw lloeren, yfed coffi ac ati, hefyd yn gallu tynnu sylw gyrwyr.

Ffigur 18.2 Arwydd ar y drafford yn annog gyrwyr blinedig i orffwys.

Mae'r pellter brecio hefyd yn dibynnu ar nifer o ffactorau. Mae'r rhain yn cynnwys:

- Cyflymder y car. Cofiwch, mae egni cinetig cerbyd yn dibynnu ar sgwâr ei gyflymder – dwbl y cyflymder, pedair gwaith yr egni cinetig.
- Màs y car. Y mwyaf yw'r màs, y mwyaf yw'r egni cinetig.
- Cyflwr y **breciau**. Bydd gormod o draul neu bresenoldeb olew a saim yn cael effaith ddifrifol ar y breciau. Bydd olew a saim ar

ddisgiau'r breciau yn gweithredu fel iraid, gan leihau'r ffrithiant a chynyddu'r pellter brecio.

- Cyflwr arwyneb y **teiars**. Rhaid iddynt fod â rhych (rhigol) sydd o leiaf 1.6 mm dros 75% o led y teiar. Mae'r rhigolau'n clirio dŵr i ffwrdd ar ffordd wlyb. Gyda theiars llyfn a ffordd wlyb, mae haen denau o ddŵr yn cronni rhwng y ffordd a'r teiar, gan leihau'r ffrithiant. Mae hyn yn gallu achosi cyflwr peryglus o'r enw sglefrio ar ddŵr (*aquaplaning*).
- Cyflwr **arwyneb y ffordd**. Bydd arwynebau ffordd fel graean, neu arwynebau wedi'u gorchuddio â thywod neu lwch, yn lleihau'r ffrithiant rhwng y teiars a'r ffordd ac felly'n cynyddu'r pellter brecio.
- Y **tywydd**. Bydd unrhyw ddŵr, rhew neu eira rhwng y teiars ac arwyneb y ffordd yn gweithredu fel iraid, gan leihau'r ffrithiant a chynyddu'r pellter brecio.

Mae'r diagram isod wedi'i addasu o Reolau'r Ffordd Fawr. Mae'n dangos sut mae pellter meddwl, pellter brecio a chyfanswm pellter stopio i gyd yn cynyddu gyda chyflymder y cerbyd. Mae lleihau cyflymder yn gallu atal damweiniau ac achub bywydau, oherwydd mae cyfanswm y pellter stopio'n lleihau.

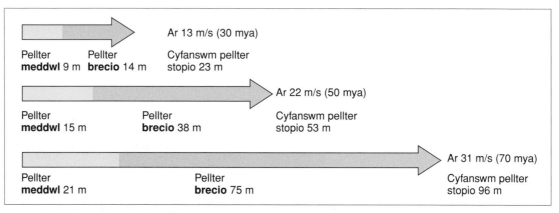

Ffigur 18.3 Pellteroedd meddwl a stopio.

Ar 13 m/s (30 mya)
Pellter **meddwl** 9 m Pellter **brecio** 14 m Cyfanswm pellter stopio 23 m

Ar 22 m/s (50 mya)
Pellter **meddwl** 15 m Pellter **brecio** 38 m Cyfanswm pellter stopio 53 m

Ar 31 m/s (70 mya)
Pellter **meddwl** 21 m Pellter **brecio** 75 m Cyfanswm pellter stopio 96 m

CWESTIYNAU

1 I gerbyd, beth yw'r:
   a pellter meddwl
   b pellter brecio
   c cyfanswm pellter stopio?
2 Enwch ac eglurwch **ddau** ffactor sy'n effeithio ar bellter meddwl car sy'n stopio.
3 Ydych chi'n meddwl bod ysmygu wrth yrru car yn effeithio ar gyfanswm y pellter stopio? Eglurwch eich ateb.
4 Mae rhychau gwell ar deiars car yn lleihau pellter brecio car yn sylweddol. Yn eich barn chi, pam nad oes teiars mawr trwchus â rhychau enfawr yn cael eu gosod ar bob car, fel yn achos cerbydau oddi-ar-y-ffordd?

TASG — CYFLWYNO A DADANSODDI DATA O REOLAU'R FFORDD FAWR

Dyma weithgaredd sy'n eich helpu i:
★ cyflwyno data mewn graff
★ chwilio am batrymau mewn data ar graff.

Mae'r data yn Nhabl 18.1 yn dangos cyflymderau, pellteroedd meddwl, pellteroedd brecio a chyfanswm pellteroedd stopio wedi'u cymryd o Reolau'r Ffordd Fawr.

Tabl 18.1 Pellteroedd stopio ar wahanol gyflymderau (wedi'u cymryd o Reolau'r Ffordd Fawr).

Cyflymder (m/s)	Cyflymder (mya)	Pellter meddwl (m)	Pellter brecio (m)	Cyfanswm pellter stopio (m)
0	0	0	0	0
9	20	6	6	12
13	30	9	14	23
18	40	12	24	36
22	50	15	38	53
27	60	18	55	73
31	70	21	75	96

Lluniwch graff o'r data hyn, gyda'r cyflymder (m/s) ar yr echelin-x, a'r pellteroedd stopio ar yr echelin-y. Bydd angen i chi ddefnyddio allwedd addas i blotio tair set o ddata ar yr un graff. Gan ein bod ni fel rheol yn defnyddio mya fel uned cyflymder wrth yrru, lluniadwch linellau fertigol wedi'u labelu ar eich graffiau i ddangos y cyflymderau hyn.

Cwestiynau

Mae'r cwestiynau canlynol yn ymwneud â dadansoddi eich graff pellter stopio.

1 Beth yw'r:
   a pellter meddwl ar 15 m/s
   b pellter brecio ar 55 **mya**
   c cyfanswm pellter stopio ar 29 m/s?
2 Mae cyfanswm pellter stopio car yn 16 m. Beth yw cyflymder y car?
3 Mae cysylltiad uniongyrchol rhwng pellter meddwl a chyflymder. Pa batrwm mae'r graff pellter meddwl yn erbyn cyflymder yn ei ddangos?
4 Cyfrifwch amser adweithio gyrrwr ar 50 mya.
5 Mae'r pellter brecio ar 9 m/s yn 6 m. Beth yw'r pellter brecio ar ddwbl y cyflymder hwn? Beth yw'r berthynas rhwng y pellter brecio ar ddwbl y cyflymder a'r pellter brecio ar 9 m/s?
6 Disgrifiwch siâp y graff pellter brecio. Sut rydych chi'n meddwl bod hyn yn cael ei gyfrifo?
7 Pam mae'r prawf theori gyrru'n gofyn cwestiynau am gyfanswm pellter stopio?
8 Darganfyddwch beth sydd gan Reolau'r Ffordd Fawr i'w ddweud am yfed alcohol a gyrru.

◯ Oes y fath beth â chyflymder diogel?

Mae pob ffordd yn gyffredinol ddiogel... beth sy'n gallu eu gwneud nhw'n beryglus yw gyrwyr ceir a lorïau! Mae traffyrdd yn ffyrdd gwell oherwydd mae'r lonydd yn llydan, mae arwyneb y ffyrdd yn gyffredinol yn dda iawn ac maen nhw'n syth fel rheol. O ganlyniad i hyn, mae traffig yn gallu teithio'n gyflym ar draffyrdd. Mae Rheolau'r Ffordd Fawr yn datgan mai'r terfyn cyflymder i geir a cherbydau modur ar draffordd yw 70 mya (neu 31 m/s); i geir sy'n tynnu carafanau neu drelars a cherbydau nwyddau trwm, mae'r

Ffigur 18.4 Camera cyflymder statig 'math gatso'.

terfyn cyflymder yn 60 mya (neu 27 m/s). Yng nghanol trefi, lle mae'r traffig yn drwm ac mae llawer o bobl yn croesi ffyrdd, a lle mae peryglon eraill fel ceir wedi parcio, ysgolion ac ati, mae'r terfyn cyflymder yn llawer is; yn aml mae'n 30 mya (13 m/s) i bob cerbyd. Hyd yn oed os yw'r terfyn cyflymder yn yr ardaloedd adeiledig hyn yn 30 mya, dydy hyn ddim yn golygu ei bod hi o reidrwydd yn ddiogel teithio ar 30 mya. Dylai gyrwyr addasu eu cyflymder yn unol â chyflwr y ffordd, faint o draffig sydd, cerddwyr, beiciau a'r tywydd.

Dydy pob gyrrwr ddim yn cadw at y terfyn cyflymder. I orfodi'r gyfraith, mae awdurdodau lleol a'r heddlu'n defnyddio camerâu cyflymder a mesurau 'tawelu traffig' eraill. Mae camerâu cyflymder statig yn tynnu dau lun fflach o gerbyd sy'n goryrru. Mae marciau gwyn ar y ffordd yn galluogi'r heddlu i weld pa mor bell mae'r car wedi'i deithio yn yr amser rhwng y fflachiau. O hyn, maen nhw'n gallu cyfrifo cyflymder y gyrrwr.

Mae'r heddlu hefyd yn gallu defnyddio 'gynnau cyflymder' symudol, sef dyfeisiau sy'n tanio pylsiau o baladr laser isgoch tuag at gar sy'n goryrru. Bydd y car yn adlewyrchu'r pylsiau isgoch, ac yna bydd y gwn yn canfod y pylsiau sy'n dod yn ôl. Mae'r cyfrifiadur yn y gwn yn mesur ac yn cofnodi'r amser rhwng allyrru'r pylsiau isgoch a'u cael yn ôl. O hyn, mae'n gallu cyfrifo cyflymder y car ar yr union eiliad honno.

Ffigur 18.5 Yr heddlu'n defnyddio gwn cyflymder symudol.

Mae rhai gyrwyr yn cyflymu ar ôl iddynt fynd heibio i gamera. I atal yr arfer peryglus hwn, mae rhai camerâu wedi'u cysylltu â chyfrifiadur sy'n cofnodi plât rhif pob cerbyd sy'n ei basio. Mae ail gamera, sy'n gallu bod rhai milltiroedd i lawr y ffordd, yn cofnodi'r platiau rhif eto. Mae'r cyfrifiadur yn defnyddio'r cyfwng amser a'r pellter rhwng y ddau gamera i gyfrifo cyflymder cymedrig y cerbydau.

Mae mesurau 'tawelu traffig' eraill yn cynnwys y canlynol:

- Caiff 'twmpathau' cyflymder eu codi ar draws y ffordd ar lefel uwch na lefel arferol y ffordd, neu ar ffurf tomenni unigol ar y ffordd. Rhaid i yrwyr arafu cyn gyrru drostynt, neu wynebu'r perygl o ddifrod i'w car. Weithiau, mae pobl sy'n byw'n agos at y 'twmpathau' hyn yn cwyno am sŵn y traffig sy'n mynd drostynt.

Ffigur 18.6 'Twmpathau' cyflymder.

- Cyfyngiadau ar led y ffordd – gellir creu'r rhain drwy flocio hanner y ffordd am bellter byr. Rhaid i gerbydau ar un ochr stopio os oes traffig yn dod tuag atynt

Ffigur 18.7 Cyfyngiadau ar led y ffordd.

CWESTIYNAU

5 Pam mae gennym ni derfynau cyflymder cenedlaethol yn y DU?

6 Beth yw'r terfynau cyflymder cenedlaethol:
   a ar draffordd?
   b ar ffordd yng nghanol tref brysur?

7 Disgrifiwch **un** mesur diogelwch ar y ffyrdd sy'n cael ei ddefnyddio i leihau cyflymder yn eich ardal chi. Eglurwch a ydych chi'n meddwl bod y mesur diogelwch hwn wedi gwella diogelwch y ffordd mewn gwirionedd.

8 Yn eich barn chi, pa un yw'r ffordd fwyaf peryglus yn agos at lle rydych chi'n byw neu at eich ysgol? Sut byddech chi'n mynd ati i wneud y ffordd honno'n fwy diogel?

Pwynt Trafod

Beth ydych chi'n ei feddwl am yr erthygl hon? Ydy camerâu cyflymder yn syniad da neu'n syniad drwg? Sut gallech chi ddefnyddio'r data yn yr erthygl i greu siart o blaid camerâu cyflymder?

AILGYNNAU CAMERÂU CYFLYMDER

Mae camerâu cyflymder a gafodd eu diffodd mewn un sir y llynedd oherwydd toriadau gwario wedi cael eu hailgynnau. Dywedodd Heddlu Thames Valley y byddai 72 o gamerâu sefydlog ac 89 o gamerâu symudol yn Swydd Rydychen yn cael eu hailgynnau. Cafodd y rhain eu diffodd ar 1 Awst 2010 ar ôl i Gyngor Swydd Rydychen leihau grant diogelwch ar y ffyrdd yr awdurdod. Meddai'r Uwch-arolygydd Rob Povey, pennaeth plismona ffyrdd Thames Valley: 'Rydym ni'n credu bod hyn yn bwysig oherwydd rydym ni'n gwybod bod cyflymder yn lladd a bod cyflymder yn beryglus. Rydym ni wedi dangos yn Swydd Rydychen bod cyflymder wedi cynyddu drwy fonitro terfynau ac rydym ni wedi sylwi bod mwy o bobl wedi marw a dioddef anafiadau difrifol yn 2010. Rydym ni'n gwybod bod gorfodi terfyn ar gyflymder yn gweithio fel arf ataliol yn erbyn gyrwyr.'

Mae Heddlu Thames Valley wedi rhyddhau data sy'n dangos, yn y chwe mis ar ôl diffodd y camerâu, fod 83 o bobl wedi cael eu hanafu mewn 62 o ddamweiniau yn safleoedd y camerâu sefydlog. Roedd y ffigur yn ystod yr un cyfnod yn y flwyddyn flaenorol (Awst 2009 i Ionawr 2010) yn 68 o anafiadau mewn 60 o ddamweiniau. Ar draws Rhydychen, cafodd 18 o bobl eu lladd mewn damweiniau traffig ffyrdd yn y cyfnod, o'u cymharu â 12 o bobl y flwyddyn flaenorol. Cododd nifer y bobl a gafodd anafiadau difrifol i 179, sef cynnydd o 19. Dywedodd Mr Povey fod yr arian i ailgynnau'r camerâu wedi dod o leihau costau swyddfeydd ac o gyllid wedi'i ailgyfeirio o gyrsiau ymwybyddiaeth cyflymder. Dywedodd yr Athro Stephen Glaister, cyfarwyddwr Sefydliad yr RAC, fod camerâu cyflymder yn 'ddadleuol' ond roedd eu hymchwil yn awgrymu eu bod nhw'n atal 800 o farwolaethau ac anafiadau difrifol bob blwyddyn.

Y car mwyaf diogel yn y byd?

Mae gwneuthurwyr ceir wrthi'n gyson yn ychwanegu nodweddion diogelwch, a'u gwella nhw, i leihau anafiadau mewn gwrthdrawiadau – i bobl mewn ceir ac i gerddwyr. Mae gwneuthurwyr ceir yn defnyddio sgôr yr Euro NCAP (y corff Ewropeaidd sy'n profi diogelwch ceir) fel dyfais farchnata, yn enwedig wrth farchnata ceir teulu. Mae'r Euro NCAP yn ystyried bod y gwaith marchnata hwn yn hanfodol, ac mae gwneuthurwyr yn sylwi bod cynhyrchu ceir mwy diogel yn gallu ennill arian iddynt. Un o'r ffactorau sy'n effeithio ar faint o niwed sy'n cael ei wneud i yrwyr a theithwyr mewn damwain car yw'r newid momentwm cyflym sy'n digwydd pan fydd car yn taro rhywbeth. Os ydych chi mewn car sy'n arafu'n sydyn, gan leihau eich momentwm yn gyflym, mae eich **mudiant** yn golygu y byddwch chi'n dal i symud ymlaen nes bod grym yn gweithredu i newid eich cyflymder (cofiwch ddeddf gyntaf Newton o Bennod 16). Efallai mai'r grym rhwng eich pen a'r sgrin wynt fydd hwn. Fe gofiwch chi ail ddeddf Newton hefyd, sy'n datgan:

$$\text{grym (N)} = \frac{\text{newid mewn momentwm (kg m/s)}}{\text{amser y newid (s)}} = \frac{\Delta mv}{t}$$

Os bydd eich momentwm yn lleihau'n gyflym, bydd grym mawr ar eich corff. Bydd unrhyw beth sy'n gwneud i'r gwrthdrawiad bara'n hirach yn golygu eich bod chi'n llai tebygol o gael eich anafu, oherwydd bydd cyfradd newid momentwm yn llai ac felly bydd y grym hefyd yn llai. Y tric wrth gynllunio diogelwch ceir yw peiriannu systemau o fewn y car fydd yn cynyddu amser gwrthdrawiad ac eto'n cadw'r teithwyr yn ddiogel mewn adran deithio gadarn.

Mae gwneuthurwyr ceir yn cynllunio eu ceir fel y byddan nhw'n crebachu'n raddol mewn ardrawiad – gan gynyddu amser

Ffigur 18.8 Cywasgran wedi'i chywasgu mewn damwain.

y gwrthdrawiad, a lleihau'r grym ar y teithwyr, yn sylweddol. Enw'r nodweddion hyn yw **cywasgrannau** (*crumple zones*). Mae un ym mlaen y car ac un yng nghefn y car. Mae'r gywasgran flaen yn galluogi'r foned a'r injan i blygu fel consertina arnyn nhw eu hunain, wrth gael eu gwthio'n ôl i'r car ar hyd rheiliau anystwyth iawn. Mae hyn yn cynyddu amser y gwrthdrawiad a hefyd yn cymryd llawer o'r egni cinetig ohono, gan anffurfio blaen y car.

CWESTIYNAU

9 Beth yw cywasgran?

10 Sut mae cywasgrannau'n lleihau'r grym ar deithwyr mewn car yn ystod damwain?

11 Pam mae'n bwysig bod ceir yn cael eu cynllunio â chywasgrannau yn y blaen **a'r** cefn?

GWAITH YMARFEROL | CYNLLUNIO A PHROFI CYWASGRANNAU

Dyma weithgaredd sy'n eich helpu i:

★ gwneud model o gywasgran

★ cynllunio a phrofi gwahanol syniadau am gywasgrannau.

Cyfarpar
* troli dynameg
* defnyddiau amrywiol i wneud gwahanol gynlluniau o gywasgrannau
* 'mesurydd arafu' wedi'i wneud o floc o blastisin a matsien (gweler Ffigur 18.10)
* ramp

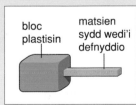

bloc plastisin

matsien sydd wedi'i defnyddio

Ffigur 18.10

Mae nifer o wahanol fathau o gywasgrannau. Gallwch chi fodelu cywasgrannau mewn amrywiaeth o ffyrdd. Bydd eich athro/athrawes yn arddangos un model o'r fath.

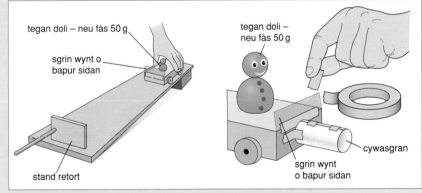

tegan doli – neu fàs 50 g

sgrin wynt o bapur sidan

stand retort

tegan doli – neu fàs 50 g

cywasgran

sgrin wynt o bapur sidan

Ffigur 18.9 Cyfarpar i ddangos effaith cywasgran mewn car.

! Asesiad risg

Bydd eich athro/athrawes yn rhoi asesiad risg i chi ar gyfer y GWAITH YMARFEROL hwn.

Dull
1 Gallwch chi gymharu effaith cywasgrannau gwahanol drwy ddefnyddio mesurydd arafu syml wedi'i wneud o blastisin a matsien. Rhowch y plastisin ar flaen y troli dynameg â thâp gludiog; wrth i'r troli daro'r stand retort, caiff y fatsien ei gwthio i'r bloc plastisin. Drwy fesur pa mor bell y caiff y fatsien ei gwthio i'r plastisin, gallwch chi gymharu'r grym yn ystod y gwrthdrawiad. Yr isaf yw'r grym, y gorau yw'r gywasgran rydych chi wedi'i chynllunio.
2 Defnyddiwch y defnyddiau sydd ar gael i gynllunio gwahanol gywasgrannau a fydd yn ffitio ar flaen y troli dynameg. Cofiwch sicrhau bod y prawf yn deg drwy wneud eu lled i gyd yr un faint fel eu bod nhw'n taro'r mesurydd arafu ar yr un pryd.
3 Pa system oedd yr orau? Pam rydych chi'n meddwl mai hon oedd yr orau?

Mae rhan ganolog car yn gryf dros ben; dydy'r rhan hon ddim yn cywasgu. Enw'r rhan hon yw'r **cawell diogelwch**, ac mae wedi'i gynllunio i ddiogelu pawb sydd ynddo os bydd gwrthdrawiad. Mae'r cawell diogelwch yn atal y cywasgrannau rhag cywasgu i mewn tuag at y teithwyr ac erbyn hyn mae ganddynt i gyd fariau 'ardrawiad o'r ochr' sy'n gwneud y gywasgran yn gryf iawn yn erbyn ardrawiadau o'r ochr (un o'r mathau mwyaf cyffredin o wrthdrawiad).

CWESTIYNAU

12 Pam mae angen i gawell diogelwch fod yn gryf?

13 Yn eich barn chi, ble mae'r cawell diogelwch yng nghar eich teulu chi?

14 Pam mae bariau ardrawiad o'r ochr yn cael eu gosod yn y rhan fwyaf o geir newydd?

15 Yn eich barn chi, o ba ddefnyddiau mae cewyll diogelwch yn cael eu gwneud?

Ffigur 18.11 Cawell diogelwch car 'sgerbwd'.

Gwregysau a bagiau aer

Mae gwregysau diogelwch a bagiau aer wedi achosi gwelliant dramatig yn ein siawns o oroesi damwain car.

Ffigur 18.12 Dymi profi gwrthdaro yn gwisgo gwregys yn ystod gwrthdrawiad ac yn taro bag aer yn ystod gwrthdrawiad.

Mae gwregysau a bagiau aer yn gweithio mewn ffordd debyg i gywasgrannau. Maen nhw wedi'u cynllunio i gynyddu amser y gwrthdrawiad i'r teithwyr yn y car. Mewn damwain, mae'r gwregys yn eich dal chi yn eich sedd, gan eich atal (os ydych chi yn un o'r seddau blaen) rhag taro'r llyw, y dashfwrdd neu'r sgrin wynt, neu rhag taro'r seddau blaen os ydych chi'n teithio yn y cefn. Fodd bynnag, byddai'r gwregys hefyd yn achosi niwed sylweddol i chi pe na bai'n ymestyn yn ystod y gwrthdrawiad.

Pwyntiau Trafod

1 Defnyddiwch y rhyngrwyd i ganfod yr ystadegau am ddiogelwch gwregysau a bagiau aer. Ydy hi'n bosibl rhoi ffigurau ar gyfer y nifer o fywydau sydd wedi cael eu hachub gan y ddwy system ddiogelwch hyn mewn ceir?

2 Mae gwneuthurwyr ceir nawr yn troi eu sylw at wneud ceir yn fwy diogel i gerddwyr mewn gwrthdrawiadau. Defnyddiwch y rhyngrwyd i ddarganfod sut mae rhai o'r prif wneuthurwyr ceir yn gwneud hyn. Pam rydych chi'n meddwl ei bod hi wedi cymryd mor hir i wneuthurwyr ddechrau rhoi sylw difrifol i broblemau diogelwch cerddwyr?

Mae gwregysau wedi'u gwneud o ddefnydd webin sy'n ymestyn mewn ffordd reoledig yn ystod gwrthdrawiad. **Mae'r defnydd sy'n ymestyn yn cynyddu amser y gwrthdrawiad, gan leihau'r gyfradd newid momentwm yn fawr, ac felly hefyd y grym sy'n gweithredu arnoch chi.** Gan fod y gwregysau'n ymestyn, heb ddychwelyd i'w siâp gwreiddiol, rhaid cael rhai newydd ar ôl gwrthdrawiad lle maen nhw wedi ymestyn. Mae rhagdynianwyr (*pretensioners*) gwregysau gan rai ceir. Mae'r rhain yn synhwyro'r gwrthdrawiad (drwy ddefnyddio synwyryddion arafu electronig yng ngheudod y peiriant) ac yn tynhau'r gwregys ychydig i leihau effaith y gwrthdrawiad. Mae bagiau aer yn enchwythu'n awtomatig mewn gwrthdrawiad – fel rheol, byddan nhw a'r rhagdynianwyr gwregysau wedi'u cysylltu â'r un synwyryddion. Pan fydd pennau'r teithwyr yn taro'r bagiau aer, bydd y bagiau'n dadchwythu'n araf wrth i rym y gwrthdrawiad wthio rhywfaint o'r nwy allan. Mae'r bag aer yn gwneud i ben y person gymryd mwy o amser i arafu a stopio, fel bod llai o rym yn gweithredu ar y pen.

CWESTIYNAU

16 Sut mae gwregys yn eich diogelu rhag anaf difrifol mewn damwain car?

17 Pam mae gwregysau wedi'u gwneud o ddefnydd webin?

18 Pam mae'n bwysig iawn bod teithwyr yn sedd gefn car yn gwisgo gwregysau?

19 Pam mae rhagdynianwyr gwregysau gan rai ceir? Pam mae'r rhain yn lleihau'r risg o anaf difrifol hyd yn oed yn fwy?

20 Sut mae bagiau aer yn gweithio?

21 Pam mae bag aer wedi'i gynllunio i gynyddu'r amser gwrthdaro rhwng pen gyrrwr a'r llyw?

22 Mae ceir modern wedi'u ffitio ag amrywiaeth o fagiau aer gwahanol – darganfyddwch ble mae'r bagiau aer yn eich car chi. Pam mae'r bagiau aer wedi'u lleoli yn y mannau hyn?

Crynodeb o'r bennod

○ Cyfanswm pellter stopio cerbyd yw cyfanswm y pellter meddwl a'r pellter brecio.

○ Y ffactorau sy'n effeithio ar y pellteroedd hyn yw cyflymder y car, amser adweithio'r gyrrwr, màs y car, cyflwr breciau a theiars y cerbyd, cyflwr arwyneb y ffordd a'r amodau tywydd.

○ Yn y DU, y terfyn cyflymder i geir ar y draffordd yw 70 mya. I geir sy'n tynnu carafanau a cherbydau nwyddau trwm, mae'n 60 mya.

○ Mewn ardaloedd adeiledig neu lle mae llawer o gerddwyr, gall y terfyn gael ei ostwng i 20 mya neu 30 mya.

○ Mae camerâu traffig wedi'u cysylltu â chyfrifiaduron sy'n gallu cyfrifo cyflymder cerbydau sy'n pasio i weld a ydyn nhw'n cadw at y terfyn cyflymder.

○ Mae nodweddion diogelwch mewn ceir yn lleihau nifer yr anafiadau a'r marwolaethau pan mae damweiniau ceir yn digwydd. Mae'r rhain yn cynnwys gwregysau a bagiau aer, a chywasgrannau a chewyll diogelwch. Mae'r nodweddion hyn i gyd yn gweithredu drwy gynyddu'r amser mae'r gwrthdrawiad yn ei gymryd i ddigwydd, sy'n lleihau cyfradd newid momentwm y teithwyr yn y car ac felly'r grym sy'n gweithredu arnynt.

19 Defnyddio dadfeiliad ymbelydrol

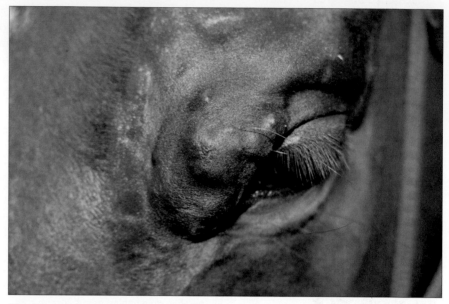

Ffigur 19.1 Ceffyl yn dioddef gan sarcoid llygad.

Mae'r ceffyl yn y llun yn dioddef gan fath arbennig o dyfiant ger y llygad o'r enw sarcoid. Tyfiant anfalaen (cyflwr croen lle mae celloedd y croen mewn man penodol yn mynd yn llidus) yw sarcoid. Pan mae sarcoidau'n ymddangos o gwmpas y llygad mae'n anodd eu trin yn llawfeddygol – mae milfeddygon yn gyndyn i gynnal triniaeth lawfeddygol arnynt oherwydd maen nhw'n ofni dallu'r ceffyl. Ffordd arall o drin y tyfiannau hyn, fodd bynnag, yw defnyddio ymbelydredd o ffynhonnell ymbelydrol i ladd y celloedd.

Fe gofiwch chi fod alffa (α), beta (β) a gama (γ) yn fathau o ymbelydredd ïoneiddio sy'n gallu lladd meinweoedd y corff – mae egni'r ymbelydredd yn gallu achosi i atomau yn y gell ïoneiddio, gan ladd (neu fwtanu) celloedd yn y broses. Mae milfeddygon yn defnyddio ymbelydredd β i drin sarcoidau, oherwydd mae'n ïoneiddio heb dreiddio'n bell i'r corff. Mae'r gronynnau β sy'n cael eu hallyrru gan ffynhonnell, fel rheol ar ffurf gwifren, yn lladd y tyfiant sarcoid ond dydyn nhw ddim yn treiddio lawer mwy na 3–4 cm i'r corff, sy'n golygu nad ydyn nhw'n achosi llawer o niwed o gwmpas y tyfiant. Yr elfen iridiwm-192 yw'r isotop ymbelydrol a gaiff ei ddefnyddio ar gyfer y weithdrefn hon, oherwydd mae gan iridiwm-192 hanner oes o 74 diwrnod. Mae hyn yn golygu, ar ôl 74 diwrnod, y bydd actifedd y ffynhonnell ymbelydrol wedi haneru ac ar ôl tua 370 diwrnod (tua phum hanner oes), bydd yr actifedd wedi gostwng i lefelau cefndir ac ni fydd y ffynhonnell yn cael ei hystyried yn actif mwyach. Mae hyn yn rhoi digon o amser i drosglwyddo'r iridiwm-192 o'r adweithydd niwclear, lle caiff ei wneud, i'r milfeddyg fydd yn ei roi yn y sarcoid am 4 i 14 diwrnod, ac yna'n ei ddychwelyd i'r adweithydd.

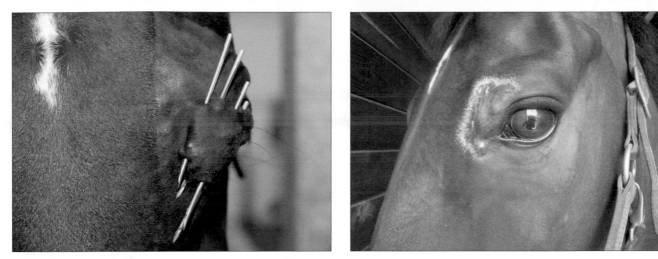

Ffigur 19.2 a) Gwifren iridiwm wedi'i gosod mewn sarcoid a b) ar ôl y driniaeth

Dadfeiliad ymbelydrol

Ffigur 19.3 Henri Becquerel.

Mae dadfeiliad ymbelydrol yn digwydd ar hap yn unol â deddfau tebygolrwydd. Os oes gennych chi gasgliad o 120 atom ymbelydrol, dydych chi ddim yn gallu dweud yn bendant pa atomau fydd yn dadfeilio mewn amser penodol – fel na allwch chi ddweud yn bendant os taflwch chi 120 dis pa rai fydd yn rhoi chwech. Ond gallwch chi ddweud, os taflwch chi 120 dis, fod tebygolrwydd y bydd 1 o bob 6 yn rhoi chwech, hynny yw, rydych chi'n disgwyl y bydd 20 dis yn dangos chwech. Mae unrhyw atom mewn isotop ymbelydrol yr un mor debygol o ddadfeilio ag unrhyw un arall. Gallwn ni fesur hyn â rhif o'r enw **hanner oes**. Dyma'r **amser** y bydd yn ei gymryd i **hanner** nifer yr atomau mewn unrhyw sampl ddadfeilio. Mae hyn yn gyson ar gyfer unrhyw un math o atom. Mae isotopau â hanner oes hir iawn yn aros yn ymbelydrol am amser hir iawn, ac mae isotopau â hanner oes byr iawn yn stopio bod yn ymbelydrol o fewn ffracsiynau o eiliad.

Uned actifedd ymbelydrol yw'r becquerel, Bq. Cafodd yr uned ei henwi i anrhydeddu Henri Becquerel, y dyn a wnaeth 'ddarganfod' ymbelydredd yn 1896. Mae actifedd o 1 Bq yn gyfystyr ag 1 dadfeiliad ymbelydrol yr eiliad, sy'n werth eithaf isel. Bydd cyfanswm actifedd gwifren 0.5 g o iridiwm-192 yn 160 000 000 000 000 Bq (160×10^{12} Bq)!

(Bydd rhifydd Geiger yn mesur actifeddau llawer llai na hyn, gan ei fod yn mesur y gyfran fach o'r gronynnau β sy'n cael eu hallyrru i gyfeiriad y rhifydd Geiger yn unig, a hynny'n bellter byr oddi wrth y ffynhonnell.)

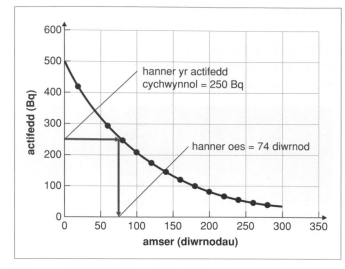

Ffigur 19.4 Graff dadfeiliad ymbelydrol iridiwm-192.

Mae Ffigur 19.4 yn rhoi graff dadfeiliad ymbelydrol iridiwm-192. Mae'r graff yn dangos sut mae actifedd sampl o iridiwm-192 yn amrywio gydag amser.

Gallwch chi weld o'r graff fod actifedd cychwynnol y sampl o iridiwm-192 yn 500 Bq. Gallwn ni ddefnyddio'r graff i fesur hanner oes yr iridiwm-192. Caiff hanner oes ei ddiffinio fel yr amser mae'n ei gymryd i'r actifedd haneru, yn yr achos hwn, yr amser i'r actifedd fynd i lawr i $\frac{500}{2} = 250$ Bq. Os defnyddiwn ni'r graff hwn i fesur yr amser mae hyn yn ei gymryd, mae'n rhoi 74 diwrnod i ni.

Mae gan bob isotop ymbelydrol graff dadfeilio sy'n edrych fel hyn (siâp o'r enw dadfeiliad esbonyddol yw siâp y graff). Yr unig wahaniaeth rhwng isotopau ymbelydrol gwahanol yw fod yr amrediadau ar yr echelinau'n newid. Ar gyfer isotopau ymbelydrol fel wraniwm-238, sydd â hanner oes o 4.47 biliwn o flynyddoedd, byddai angen i'r echelin amser fynd i fyny at ryw 20 biliwn o flynyddoedd! Ar y llaw arall, mae hanner oes technetiwm-99, isotop sy'n cael ei ddefnyddio'n aml i sganio esgyrn, yn 6 awr, a byddai'r echelin amser yn mynd i fyny hyd at tua 30 awr.

CWESTIYNAU

1 Beth yw'r tri math o ddadfeiliad ymbelydrol?
2 Beth mae ymbelydredd ïoneiddio'n gallu ei wneud i gelloedd byw?
3 Beth yw hanner oes isotop ymbelydrol?
4 Ar ôl sawl hanner oes fydd actifedd sampl ymbelydrol tua'r un faint â'r actifedd cefndir naturiol?
5 Pam mae iridiwm-192 yn cael ei ddewis i drin sarcoidau llygad ar geffylau?
6 Faint o amser bydd hi'n ei gymryd i sampl o iridiwm-192 ag actifedd cychwynnol o 1200 Bq gyrraedd actifedd o 75 Bq? (Cofiwch, hanner oes Ir-192 yw 74 diwrnod.)
7 Mae actifedd sampl o iridiwm-192 yn 215 Bq, 296 diwrnod ar ôl iddo gael ei dynnu o'r adweithydd niwclear lle cafodd ei wneud.
   a Sawl hanner oes sydd wedi mynd heibio mewn 296 diwrnod?
   b Beth oedd actifedd cychwynnol y sampl?
8 Mae Tabl 19.1 yn dangos dadfeiliad ymbelydrol sampl o ïodin-131, isotop ymbelydrol sy'n cael ei ddefnyddio weithiau i drin problemau â'r chwarren thyroid.
   a Plotiwch graff o actifedd (echelin-y) yn erbyn amser (echelin-x).
   b Lluniwch linell ffit orau (cromlin) drwy eich pwyntiau.
   c Defnyddiwch eich graff i fesur hanner oes ïodin-131.

Tabl 19.1

Amser (dyddiau)	0	4	8	12	16	20	24	28	32
Actifedd (Bq)	800	566	400	283	200	141	100	71	50

GWAITH YMARFEROL — DADFEILIAD YMBELYDROL PROTACTINIWM-234

Dyma weithgaredd sy'n eich helpu i:
★ arsylwi dadfeiliad ymbelydrol go iawn
★ defnyddio efelychiad cyfrifiadurol i fodelu dadfeiliad ymbelydrol
★ plotio data dadfeiliad ymbelydrol ar graff
★ dadansoddi graff.

Cyfarpar
* rhifydd Geiger
* generadur protactiniwm
* stopgloc

Gallwch chi lwytho i lawr efelychiad rhagorol o ddadfeiliad ymbelydrol o: http://visualsimulations.co.uk/software.php?program=radiationlab

Mae protactiniwm-234 yn allyrrydd β, ac mae ei hanner oes ychydig dros 1 munud. Efallai y bydd eich athro/athrawes yn dangos 'generadur protactiniwm' arbennig i chi sy'n gallu cael ei ddefnyddio yn y labordy i gynhyrchu digon o brotactiniwm i fesur ei ddadfeiliad a chanfod ei hanner oes.

⚠ Asesiad risg

Bydd eich athro/athrawes yn rhoi asesiad risg i chi ar gyfer y gweithgaredd hwn. Ni chewch chi gynnal yr arbrawf hwn eich hun. Rhaid iddo gael ei arddangos i chi.

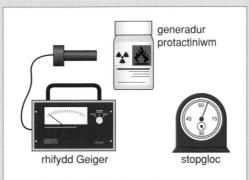

Ffigur 19.5 Arbrawf dadfeiliad Pa-234.

Dull

1 Bydd eich athro/athrawes yn cydosod yr holl gyfarpar sydd ei angen, gan gynnwys y generadur protactiniwm.

2 Bydd eich athro/athrawes yn dangos tabl addas i chi gofnodi canlyniadau'r arbrawf hwn.

3 Caiff y stopgloc ei gychwyn a chaiff y rhifydd Geiger ei ddefnyddio i fesur actifedd y ffynhonnell ar t = 0 s (mae'r ffordd o wneud hyn yn dibynnu ar y math o rifydd Geiger mae eich athro/athrawes yn ei ddefnyddio, felly bydd ef/hi'n disgrifio'r union ddull i chi).

4 Mesurwch a chofnodwch actifedd y generadur protactiniwm bob 15 s am tua 5 munud (300 s), gan ddefnyddio tabl priodol.

5 Plotiwch graff cromlin dadfeiliad ymbelydrol o'ch canlyniadau, a defnyddiwch eich graff i fesur hanner oes protactiniwm-234.

6 Gallwch chi wneud efelychiad cyfrifiadurol o'r arbrawf hwn eich hun. Defnyddiwch y ddolen ar ddechrau'r Gwaith ymarferol i lwytho i lawr yr efelychiad (am ddim) a chyflawni'r arbrawf. Bydd angen i chi ddefnyddio'r 'allwedd' ar waelod y sgrin i 'gasglu' y ffynhonnell protactiniwm o'r 'cwpwrdd ymbelydredd'.

Dyddio carbon

Mae carbon-14 yn isotop carbon ymbelydrol sy'n bodoli'n naturiol. Fodd bynnag, dim ond tuag 1 atom o bob 10 000 000 000 atom carbon sy'n atom carbon-14. Mae carbon-14 yn ymbelydrol, ac mae'n allyrru gronynnau β sydd â hanner oes o 5730 o flynyddoedd. Mae carbon-14 yn isotop pwysig iawn oherwydd rydym ni'n gallu ei ddefnyddio i ddyddio gwrthrychau organig hyd at oed o ryw 60 000 o flynyddoedd. Felly mae'n ddefnyddiol iawn i ddyddio gwrthrychau dynol cynnar, gan fod hyn yn cyfateb yn fras i'r amser pan wnaeth ein cyndadau, yr *Homo sapiens* cynnar, ddechrau mudo o Affrica.

Mae pob peth byw'n cynnwys carbon. Rydym ni'n gwybod yn drachywir beth yw cymhareb atomau carbon-12 sydd ddim yn ymbelydrol i atomau carbon-14 ymbelydrol mewn pethau byw – mae'n dibynnu ar gyfansoddiad y carbon deuocsid yn yr atmosffer. Pan mae creadur neu blanhigyn organig yn marw, mae cymhareb carbon-12 i garbon-14 yn dechrau newid wrth i'r carbon-14 ddadfeilio heb i ddim carbon-14 newydd gael ei ychwanegu, gan nad yw'r creadur neu blanhigyn marw'n cyflawni ffotosynthesis a/neu resbiradaeth. Drwy fesur cymhareb carbon-12 i garbon-14 mewn gwrthrych organig marw, mae'n bosibl defnyddio hanner oes carbon-14 i weithio'n ôl i ddarganfod pryd roedd y gymhareb yr un fath ag y mae mewn organebau byw heddiw. Gallwn ni ddefnyddio graff tebyg i'r un yn Ffigur 19.6 i fesur canran y C-14 sy'n weddill o'i gymharu â'r sampl byw.

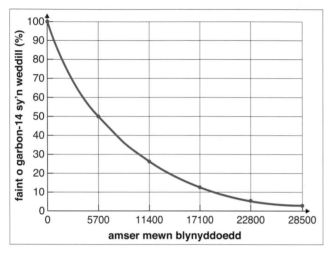

Ffigur 19.6 Graff dadfeiliad ymbelydrol C-14.

Pwynt Trafod

Mae llawer o ddadlau am ba mor ddilys yw Amdo Torino (*Turin Shroud*). Mae astudiaethau diweddar wedi canfod, er nad oes dim tystiolaeth o ffugio gwyddonol, a bod tarddiad y ddelwedd ar yr amdo yn dal i fod yn anhysbys, fod yna awgrym hefyd nad yw'r samplau o'r defnydd a gafodd eu harchwilio yn 1988 yn nodweddiadol o'r amdo cyfan. Beth sy'n digwydd felly? Mae'r data dyddio carbon yn dynodi mai arteffact canoloesol yw'r amdo. Ydy'n bosibl profi'r naill ffordd neu'r llall fod yr amdo yn ddilys, neu'n ffugiad manwl a chlyfar iawn?

CWESTIYNAU

9 Beth yw dyddio carbon?

10 Pam rydych chi'n meddwl ei bod hi bron yn amhosibl defnyddio dyddio carbon i ddyddio defnyddiau organig marw sydd dros 60 000 oed?

11 Mae Amdo Torino yn grair sanctaidd, a'r honiad yw mai'r lliain hwn gafodd ei ddefnyddio i lapio Iesu ar ôl ei groeshoelio. Mae'n ymddangos bod delwedd dyn wedi ei 'hysgythru' ar un ochr i'r defnydd. Yn 1988, cafodd ffibrau o'r lliain eu dadansoddi gan dri labordy dyddio carbon annibynnol ac fe wnaethon nhw ddarganfod bod y samplau hyn yn cynnwys ychydig dros 90% o'r swm gwreiddiol o garbon-14. Defnyddiwch y graff dyddio carbon yn Ffigur 19.6 i amcangyfrif oed Amdo Torino.

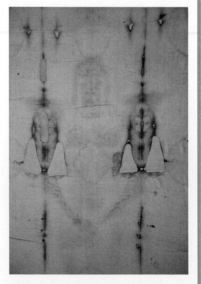

Ffigur 19.7 Amdo Torino.

TASG

DEFNYDDIO DEFNYDDIAU YMBELYDROL

Mae defnyddiau ymbelydrol yn cael eu defnyddio mewn amrywiaeth eang o sefyllfaoedd gwahanol. I ddeall pob un o'r rhain yn llawn, rhaid i ni archwilio priodweddau'r gwahanol fathau o ddadfeiliad ymbelydrol eto.

Dyma weithgaredd sy'n eich helpu i:
★ archwilio data am isotopau ymbelydrol
★ darllen am sut caiff ymbelydredd ei ddefnyddio a phenderfynu pa isotopau all fod y gorau i'w defnyddio.

Tabl 19.2 Priodweddau'r gwahanol fathau o ddadfeiliad ymbelydrol.

Nodwedd	Alffa, α	Beta, β	Gama, γ
Natur (beth ydyw?)	Dau broton a dau niwtron – yn unfath â niwclews heliwm wedi'i allyrru o'r niwclews gwreiddiol	Electron sy'n cael ei allyrru o niwclews pan mae niwtron yn dadfeilio i roi proton ac electron	Pelydryn electromagnetig sy'n cael ei allyrru o'r niwclews pan mae'r protonau a'r niwtronau'n aildrefnu eu hunain
Symbol niwclear	$^{4}_{2}He$	$^{0}_{-1}e$	γ
Graffigyn			
Treiddiad (pa mor bell mae'n treiddio i wahanol ddefnyddiau)	Rhai cm o aer, dalen o bapur neu haen denau o groen	Rhai mm o alwminiwm neu bersbecs, rhai cm o gnawd, neu tua 15 cm mewn aer	Yn cael ei leihau (ond ddim ei amsugno'n llwyr) gan rai cm o blwm
Pŵer ïoneiddio	Uchel iawn gan fod gwefr uchel (+2) gan α	Canolig – gwefr negatif (−1)	Isel – dim gwefr
Effaith fiolegol	Uchel iawn – mae α yn achosi tuag 20 gwaith mwy o niwed na β na γ	Canolig	Isel
Elfennau ymbelydrol sydd ar gael yn gyffredin (a'u hanner oes)	Poloniwm-210 (138 diwrnod) Americiwm-241 (432 blwyddyn)	Strontiwm-90 (28.5 blwyddyn) Thaliwm-204 (3.78 blwyddyn) Carbon-14 (5730 blwyddyn) Iridiwm-192 (74 diwrnod) Ïodin-131 (8 diwrnod)	Bariwm-133 (10.7 blwyddyn) Cadmiwm-109 (453 diwrnod) Cobalt-57 (270 diwrnod) Cobalt-60 (5.27 blwyddyn) Ewropiwm-152 (13.5 blwyddyn) Manganîs-54 (312 diwrnod) Sodiwm-22 (2.6 blwyddyn) Sinc-65 (244 diwrnod) Technetiwm-99 (6.01 awr)

Defnyddiwch y data yn Nhabl 19.2 i benderfynu pa elfen ymbelydrol allai fod y gorau i'w defnyddio at y dibenion canlynol.

parhad...

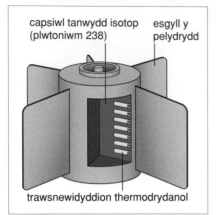

Ffigur 19.8 RTG (*Radioisotope Thermoelectric Generator*).

Generaduron thermodrydan o radioistopau (RTG)

Mae RTG (*Radioisotope Thermoelectric Generator*) yn ddyfais syml iawn. Mae'n poethi ac yn cynhyrchu trydan (heb ddim darnau'n symud).

Pan mae elfennau ymbelydrol yn dadfeilio, maen nhw'n gallu cynhyrchu llawer o wres. Yna, gall y gwres hwn gael ei drawsnewid yn uniongyrchol i drydan gan ddefnyddio thermopil (llafnau o ddefnyddiau gwahanol sy'n cynhyrchu foltedd wrth gael eu gwresogi). Mae unedau RTG wedi cael eu defnyddio amlaf mewn chwiliedyddion gofod heb bobl ynddynt, ond maen nhw hefyd yn cael eu defnyddio'n aml mewn bwiau llywio pellennig yng nghanol y cefnfor ac mewn goleudai anghysbell iawn.

Cwestiynau

1 Pa un o'r elfennau ymbelydrol sydd yn Nhabl 19.2 y byddech chi'n ei defnyddio ar gyfer RTG? Eglurwch eich ateb.
2 Pam rydych chi'n meddwl mai dim ond ar ddyfeisiau lle nad oes pobl mae unedau RTG yn cael eu defnyddio fel cyflenwad pŵer?

Defnyddio at ddibenion meddygol

Delweddu radio

Mae olinyddion ymbelydrol yn cael eu defnyddio'n aml iawn ym myd meddygaeth. Maen nhw'n gallu gwirio bod organau mewnol y corff yn gweithio'n iawn. Mae'r claf yn llyncu sylwedd ymbelydrol neu'n ei gael mewn pigiad. Wrth iddo ddadfeilio, mae'r ymbelydredd yn cael ei ganfod y tu allan i'r corff gan rifydd Geiger sensitif sy'n gallu cael ei sganio dros y claf neu o'i gwmpas i greu 'delwedd radio' 2D neu 3D. Mae llawer o elfennau olinyddion ymbelydrol yn glynu'n gemegol at foleciwlau sy'n cronni mewn rhannau penodol o'r corff (maen nhw'n cael eu targedu ar organau neu esgyrn penodol). Rhaid i'r elfen ymbelydrol fod â hanner oes byr iawn. Rhaid i unrhyw ymbelydredd ddadfeilio'n gyflym fel nad oes llawer o siawns y bydd yn niweidio celloedd iach.

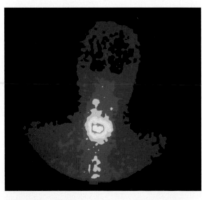

Ffigur 19.9 Sgan o unigolyn ar ôl iddo gael pigiad ïodin-131; mae hwn yn dangos bod chwarren thyroid y claf wedi chwyddo.

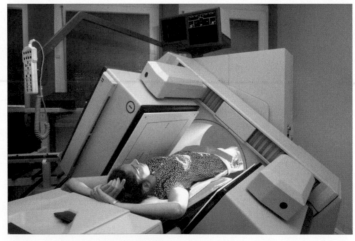

Ffigur 19.10 Camera gama ar waith.

Gallwn ni ddefnyddio olinydd ymbelydrol i wneud y pethau canlynol:

● canfod problemau â'r system dreulio
● canfod problemau â'r galon a'r pibellau gwaed
● canfod canserau esgyrn
● canfod problemau ag arennau
● canfod a delweddu chwarennau thyroid tanweithgar (*underactive*)
● wrth ymchwilio i ganfod achosion ffyrdd o iacháu clefydau fel canser, AIDS a chlefyd Alzheimer.

Cwestiynau

3 Pa elfennau ymbelydrol yn y Tabl sy'n addas i'w defnyddio fel olinyddion ymbelydrol? Eglurwch eich ateb.

4 Pam mae'n bwysig bod hanner oes yr olinydd ymbelydrol sy'n cael ei ddefnyddio yn fyr iawn?

Radiotherapi

Mae radiotherapi'n ffordd arall o ddefnyddio isotopau ymbelydrol yn feddygol, ond mae'n wahanol i ddelweddu radio oherwydd mae'r ymbelydredd sy'n cael ei gynhyrchu gan ffynhonnell yn cael ei ddewis yn benodol i ladd celloedd. Mae trin sarcoidau llygad mewn ceffyl yn un math o radiotherapi. Rhaid bod yn ofalus wrth ddewis hanner oes a phŵer treiddio'r isotopau ymbelydrol sy'n cael eu defnyddio mewn radiotherapi er mwyn osgoi niwed i gelloedd iach.

Fel rheol, caiff radiotherapi ei ddefnyddio i drin tyfiannau, gan gynnwys rhai canseraidd a rhai anfalaen. Mae tri math o radiotherapi:

- Radiotherapi paladr allanol, lle caiff paladr o belydrau γ ei ffocysu ar ran benodol o'r corff.

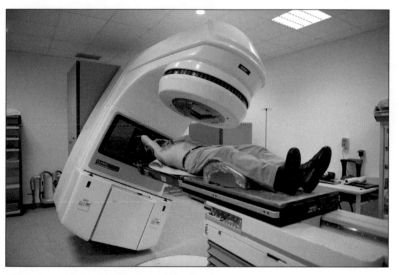

Ffigur 19.11 Dyfais radiotherapi pelydr allanol.

- Brachytherapi, lle caiff ffynhonnell wedi'i selio ei rhoi ar y croen neu ynddo (fel wrth drin sarcoidau).
- Radiotherapi ffynhonnell heb ei selio, lle caiff ffynhonnell heb ei selio ei llyncu neu ei rhoi yn y corff drwy bigiad fel rheol.

Cwestiynau

5 Ar gyfer pob un o'r mathau canlynol o radiotherapi, awgrymwch ac eglurwch pa radioisotop(au) y byddech chi'n eu defnyddio:
a radiotherapi paladr allanol
b brachytherapi
c radiotherapi ffynhonnell heb ei selio

6 Eglurwch pa ragofalon diogelwch y bydd angen i nyrs radiotherapi arbenigol eu cymryd wrth ddefnyddio radiotherapi paladr allanol i drin claf.

parhad...

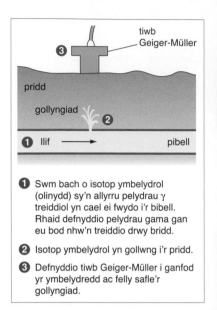

1 Swm bach o isotop ymbelydrol (olinydd) sy'n allyrru pelydrau γ treiddiol yn cael ei fwydo i'r bibell. Rhaid defnyddio pelydrau gama gan eu bod nhw'n treiddio drwy bridd.

2 Isotop ymbelydrol yn gollwng i'r pridd.

3 Defnyddio tiwb Geiger-Müller i ganfod yr ymbelydredd ac felly safle'r gollyngiad.

Ffigur 19.12 Defnyddio olinydd ymbelydrol i ganfod gollyngiad mewn pibell dan ddaear.

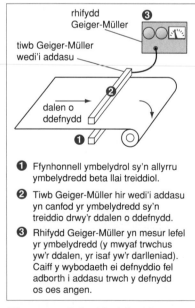

1 Ffynhonnell ymbelydrol sy'n allyrru ymbelydredd beta llai treiddiol.

2 Tiwb Geiger-Müller hir wedi'i addasu yn canfod yr ymbelydredd sy'n treiddio drwy'r ddalen o ddefnydd.

3 Rhifydd Geiger-Müller yn mesur lefel yr ymbelydredd (y mwyaf trwchus yw'r ddalen, yr isaf yw'r darlleniad). Caiff y wybodaeth ei defnyddio fel adborth i addasu trwch y defnydd os oes angen.

Ffigur 19.14 Defnyddio defnyddiau ymbelydrol i reoli trwch.

Canfod gollyngiadau

Mae gollyngiadau mewn pibellau olew, nwy neu garthffosiaeth tanddaearol yn gallu achosi llawer o lygredd. Os oes amheuaeth o ollyngiad, mae'n bosibl rhoi olinydd ymbelydrol yn y bibell. Bydd yr olinydd yn gollwng drwy'r crac, a bydd y radioisotop yn cronni yn y pridd o gwmpas y gollyngiad. Bydd y gweithredwr yn ddefnyddio rhifydd Geiger wrth iddo gerdded neu reidio dros y bibell yn chwilio am fan lle mae'r actifedd yn uwch na'r lefel normal.

Ffigur 19.13 Gweithredwyr ar yr arwyneb yn sganio am y gollyngiad.

Cwestiynau

7 Pa radioisotopau y byddech chi'n eu defnyddio i ganfod gollyngiadau?

8 Pam mae'n bwysig defnyddio radioisotopau â hanner oes byr i ganfod gollyngiadau?

Rheoli trwch

Mae defnyddiau sy'n dod mewn dalenni fel ffoil alwminiwm, papur, polythen a defnyddiau plastig eraill yn cael eu gwneud yn gyflym iawn. Mae'r defnyddiau crai'n cael eu pasio rhwng rholeri sy'n eu rholio'n ddalenni fflat hir di-dor. Mae rhifydd Geiger yn y peiriant yn mesur faint o ymbelydredd beta sy'n mynd drwy'r defnydd.

Y mwyaf trwchus yw'r ddalen, y lleiaf o ymbelydredd fydd yn mynd drwyddi i'r canfodydd, ac mae'r system awtomatig yn rhoi 'adborth' i'r rholeri gan eu symud ychydig yn agosach. Caiff y wybodaeth hon ei defnyddio i gadw'r dalenni ar y trwch cywir. Ffynonellau beta yw'r mwyaf defnyddiol oherwydd eu gallu treiddio. Dydy pelydrau gama ddim yn cael eu hatal o gwbl gan ddalenni mor denau o'r defnyddiau hyn, a bydd hyd yn oed dalen denau iawn yn atal gronynnau alffa.

Cwestiynau

9 Pam mae ffynonellau beta'n cael eu defnyddio i reoli trwch?

10 Nodwch, gyda rheswm, y radioisotop y byddech chi'n dewis ei ddefnyddio mewn peiriant rheoli trwch. Sut byddech chi'n lleoli'r ffynhonnell hon o dan y ddalen?

11 Pam mae'n bwysig bod y rhifydd Geiger yn ddigon hir i ymestyn ar draws y ddalen gyfan?

Gwirio weldiadau metel

Mae pontydd, boeleri, llongau, llongau tanfor, pibellau a phurfeydd olew ymysg llawer o bethau lle caiff dalenni trwchus o ddur eu weldio at ei gilydd. Mewn llawer o achosion, byddai weldiad gwael yn drychinebus. Caiff ffynonellau pelydrau gama a chanfodyddion eu defnyddio i wirio ansawdd y weldiad.

TASG *parhad*

Pwynt Trafod

Mae rhai mathau o fwyd yn cael eu trin yn yr un ffordd. Gallwn ni ddiheintio metus, nionod, tatws a sbeisiau fel hyn. Drwy ladd y bacteria ar y cynhyrchion bwyd, bydd ganddynt oes silff lawer hirach. Fyddech chi'n hoffi bwyta mefus wedi'u harbelydru?

Cwestiynau

12 Pa radioisotopau y byddech chi'n eu defnyddio i ganfod weldiadau metel? Eglurwch eich ateb.

13 Pa ragofalon sydd angen i'r gweithredwr eu cymryd wrth ddadansoddi weldiad metel?

14 Pam byddai radioisotopau α a β yn anaddas at y diben hwn?

Diheintio i ladd bacteria niweidiol

Caiff offer meddygol, fel cyllyll llawfeddyg a gefeiliau, eu rhoi mewn pecyn a'u diheintio â phelydrau gama. Caiff unrhyw facteria niweidiol ar yr offer ac y tu mewn i'r pecyn eu lladd. Mae pŵer ïoneiddio'r pelydrau γ yn lladd celloedd y bacteria. Mae cynhyrchion eraill sy'n cael eu diheintio fel hyn yn cynnwys powdr babanod, cosmetigau a hydoddiant lensys cyffwrdd. Does dim cemegion yn cael eu hychwanegu at y cynhyrchion, ac mae'n bosibl eu diheintio yn eu pecynnau. Mae hyn yn golygu eu bod yn ddiogel iawn i'w defnyddio. Dydyn nhw ddim yn mynd yn ymbelydrol, oherwydd mae'r pelydrau γ yn dreiddgar iawn ac yn mynd yn syth drwy'r pecyn a'r cynnyrch maen nhw'n eu diheintio.

Cwestiynau

15 Eglurwch pa radioisotopau y gallech chi eu defnyddio mewn peiriant sy'n diheintio offer meddygol.

16 Pam mae'n bwysig cael tarian blwm drwchus o gwmpas y peiriant diheintio?

Larymau mwg

Dylai fod o leiaf dau larwm mwg ym mhob tŷ.

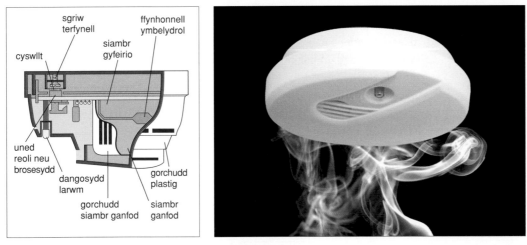

Ffigur 19.15 Y tu mewn i larwm mwg a sut mae'n edrych o'r tu allan.

Maen nhw wedi achub llawer o fywydau. Mae pob larwm mwg yn cynnwys swm bach iawn o isotop ymbelydrol. Mae'r ffynhonnell yn allyrru gronynnau alffa sy'n ïoneiddio'r aer yn y larwm. Mae hyn yn golygu bod cerrynt bach yn llifo. Os bydd mwg yn mynd i'r larwm, mae'n stopio'r cerrynt, ac mae hyn yn cynnau cylched y seinydd.

Cwestiynau

17 Eglurwch pam byddai americiwm-241 yn ddewis da fel radioisotop mewn canfodydd mwg.

18 Pam nad oes angen tarian ddur o gwmpas larwm mwg?

Defnyddio dadfeiliad ymbelydrol

Ffigur 19.16 Adweithydd Fukushima wedi'i ddifrodi.

Mae ymbelydredd yn beth rhyfedd. Ar y naill law mae'n beryglus iawn, gan achosi i gelloedd farw neu fwtanu, ac yn lladd organebau os bydd y dosiau'n fawr. Ar y llaw arall mae'n ddefnyddiol mewn llawer o ffyrdd, gan gynnwys defnyddiau meddygol sy'n fuddiol iawn i ni. Y tric, wrth gwrs, yw gwybod am briodweddau'r mathau gwahanol o ymbelydredd a'r radioisotopau a'u defnyddio mewn ffyrdd diogel a rheoledig er budd i ni. Yn anffodus, mae dadfeiliad ymbelydrol yn gallu bod yn beryglus iawn os nad yw'n cael ei reoli. Hyd yn oed yn y diwydiant pŵer niwclear lle mae rheoliadau diogelwch caeth iawn, ni all neb ragfynegi effeithiau trychinebus tsunami o uchder 14 metr ar adweithydd niwclear cyfagos, fel a ddigwyddodd ym mis Mawrth 2011 yn Japan.

Crynodeb o'r bennod

○ Mae dadfeiliad ymbelydrol yn digwydd ar hap, yn unol â deddfau tebygolrwydd. Gallwn ni fodelu dadfeiliad ymbelydrol drwy rolio casgliad mawr o ddisiau, taflu nifer mawr o ddarnau arian neu ddefnyddio taenlen wedi'i rhaglennu'n addas.

○ Yr hanner oes yw'r amser mae'n ei gymryd i hanner yr atomau yn y sampl ddadfeilio; mae hwn yn gysonyn mewn unrhyw un elfen benodol. Mae hanner oes gwahanol elfennau ymbelydrol yn amrywio o eiliadau i biliynau o flynyddoedd.

○ Gallwn ni blotio actifedd sampl o isotop yn erbyn amser ar graff, ac o hyn gallwn ni fesur hanner oes yr isotop hwnnw. Enw'r graff yw graff dadfeiliad ymbelydrol.

○ Uned dadfeiliad ymbelydrol yw'r becquerel, Bq. Mae 1 Bq yn golygu 1 dadfeiliad ymbelydrol bob eiliad.

○ Mae carbon-14 yn isotop carbon ymbelydrol sy'n bodoli'n naturiol. Mae'n allyrru gronynnau β sydd â hanner oes o 5730 o flynyddoedd. Drwy gymharu cyfran y carbon-14 â'r isotop carbon arferol carbon-12, gallwn ni ddyddio gwrthrychau organig hyd at 60 000 blwydd oed.

○ Niwclysau heliwm yw gronynnau alffa, felly mae gwefr o +2 ganddynt. Maen nhw'n gallu treiddio drwy rai centimetrau o aer, ond maen nhw'n cael eu hatal gan haen denau o groen. Oherwydd eu pŵer ïoneiddio uchel (mae ganddynt wefr bositif gryf), maen nhw'n gallu achosi llawer o niwed biolegol os ydyn nhw'n mynd y tu mewn i chi.

○ Electronau yw gronynnau beta, felly mae gwefr o −1 ganddynt. Maen nhw'n gallu teithio tua 15 cm mewn aer, drwy sawl centimetr o gnawd neu drwy rai centimetrau o alwminiwm neu bersbecs. Maen nhw'n gallu achosi llosgiadau ymbelydredd.

○ Pelydrau electromagnetig heb wefr yw pelydriad gama. Mae pelydrau gama'n treiddio drwy ddefnydd yn rhwydd iawn ac maen nhw'n gallu teithio drwy sawl centimetr o blwm. Maen nhw'n gallu achosi llosgiadau ymbelydredd a gall fod rhai effeithiau gohiriedig sy'n datblygu'n ddiweddarach fel cataractau yn y llygaid a chanser.

○ Mae nodweddion y mathau gwahanol o ddadfeiliad ymbelydrol yn golygu eu bod nhw'n ddefnyddiol at ddibenion gwahanol, er enghraifft, defnyddiau meddygol fel delweddu radio a radiotherapi.

Pŵer niwclear?

Pwyntiau Trafod

Mae llawer o adnoddau ar-lein yn dangos effeithiau posibl mega-tsunami La Palma. Efallai yr hoffech chi roi cynnig ar hwn:
www.guardian.co.uk/flash/cumbre_vieja_tsunami.swf

1 Ydych chi'n meddwl bod y posibilrwydd o drychineb naturiol yn bwysicach na'r angen i sicrhau trydan carbon-niwtral ar raddfa fawr?

2 Cynhesu byd-eang neu drychineb niwclear – pa un yw'r gwaethaf yn eich barn chi?

Ydym ni eisiau adeiladu mwy o orsafoedd pŵer niwclear? Ar y naill law, mae pŵer niwclear yn gwneud llawer i gynhyrchu symiau mawr o drydan carbon-niwtral 'ar alw'. Ond ar y llaw arall, mae'r penderfyniad i adeiladu adweithyddion newydd yn y DU wedi mynd yn llawer anoddach ers digwyddiadau 11 Mawrth 2011, pan ddigwyddodd daeargryn maint 8.9 400 km i'r gogledd-ddwyrain o Tōkyō gan achosi tsunami 14 m a darodd y lan wrth Atomfa Fukushima. Fodd bynnag, dim ond tua 5.5 yw maint y daeargryn mwyaf erioed i gael ei gofnodi yn y DU; digwyddodd hyn yn 1580 gan achosi mân ddifrod i adeiladau. Yn y 'senario gwaethaf', sef 'mega tsunami' 900 m o uchder wedi'i achosi gan gwymp llosgfynydd La Palma yn yr Ynysoedd Dedwydd, dim ond tsunami 5 m fyddai'n cyrraedd arfordir de Lloegr. Byddai hyn yn dal i achosi llawer o ddifrod, ond byddai'n annhebygol o gael effaith arwyddocaol ar unrhyw un o adweithyddion y DU.

Ffigur 20.1 Ton tsunami Japan yn 2011.

O ble mae pŵer niwclear yn dod?

Fe welsoch chi yn y cwrs TGAU Gwyddoniaeth fod atom wedi'i wneud o niwclews â gwefr bositif ac electronau. Mae'r niwclews yn fach iawn ac mae'r electronau mewn orbit o'i amgylch.

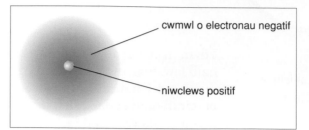

Ffigur 20.2 Model o adeiledd yr atom.

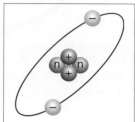

Ffigur 20.3 Atom heliwm.

Rydych chi hefyd wedi gweld ym Mhennod 8 yn y llyfr hwn fod **niwclysau** wedi'u gwneud o ddau fath o ronyn: **protonau** â gwefr bositif a **niwtronau** niwtral. Enw'r gronynnau hyn gyda'i gilydd yw **niwcleonau**, gan eu bod yn ronynnau sy'n bodoli mewn niwclysau. Mae gan wyddonwyr ffordd law-fer o ysgrifennu cyfansoddion niwclysau, sef y **nodiant** $^A_Z X$.

A yw'r **rhif niwcleon** neu'r **rhif màs** a hwn yw nifer y protonau + nifer y niwtronau yn y niwclews.

Z yw'r **rhif proton** (mae cemegwyr fel rheol yn ei alw'n rhif atomig)

ac **X** yw'r **symbol atomig** (o'r Tabl Cyfnodol).

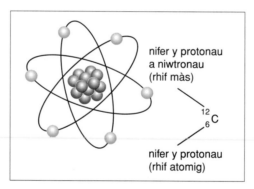

nifer y protonau a niwtronau (rhif màs)

$^{12}_{6}C$

nifer y protonau (rhif atomig)

Ffigur 20.4 Atom carbon.

Mewn adweithydd niwclear, y tanwydd sy'n cael ei ddefnyddio yw wraniwm (fel rheol, caiff ei gloddio fel mwyn wraniwm crynodiad isel mewn llefydd fel Kazakstan, Canada ac Awstralia). Mae'r wraniwm mewn mwyn wraniwm yn cynnwys dau brif isotop – wraniwm-238, sy'n cael ei ysgrifennu fel $^{238}_{92}U$, ac wraniwm-235, sy'n cael ei ysgrifennu fel $^{235}_{92}U$. Mae'r ddau o'r rhain yn fath o wraniwm gan fod ganddynt yr un nifer o brotonau yn eu niwclews (Z = 92), ond mae ganddynt rifau niwcleon gwahanol (238 a 235), felly mae ganddynt nifer gwahanol o niwtronau.

Mewn wraniwm-238, mae A = 238 a Z = 92, felly nifer y niwtronau yw 238 – 92 = 146.

Mewn wraniwm-235, mae A = 235 a Z = 92, felly nifer y niwtronau yw 235 – 92 = 143.

Mae **isotopau** yn atomau o'r un elfen. Mae ganddynt yr un nifer o brotonau, ond **niferoedd gwahanol o niwtronau**.

Rydym ni'n gwybod am 26 o isotopau wraniwm, yn amrywio o U-217 i U-242. Does dim yr un ohonynt yn sefydlog, maen nhw i gyd yn ymbelydrol, ac mae gan rai ohonynt, fel U-235 ac U-238, hanner oes hir iawn.

Mae wraniwm-238, $^{238}_{92}U$, yn ymbelydrol ac mae'n dadfeilio drwy allyrru gronyn alffa, $^{4}_{2}He$, a throi'n thoriwm-234, $^{234}_{90}Th$. Gallwn ni grynhoi hyn mewn hafaliad niwclear:

$$^{238}_{92}U \rightarrow {}^{234}_{90}Th + {}^{4}_{2}He$$

Yr hafaliad niwclear cyffredinol ar gyfer dadfeiliad gronyn alffa yw:

$$^{A}_{Z}X \rightarrow {}^{A-4}_{Z-2}Y + {}^{4}_{2}He$$

Mae'r thoriwm-234 sy'n cael ei ffurfio gan ddadfeiliad wraniwm-238 mewn adweithydd niwclear hefyd yn ymbelydrol, ac mae'n dadfeilio drwy allyrru gronynnau beta, $^{0}_{-1}e$. Hafaliad niwclear y dadfeiliad hwn yw:

$$^{234}_{90}Th \rightarrow {}^{234}_{91}Pa + {}^{0}_{-1}e$$

Hafaliad niwclear cyffredinol dadfeiliad gronyn beta yw:

$$^{A}_{Z}X \rightarrow {}^{A}_{Z+1}Y + {}^{0}_{-1}e$$

CWESTIYNAU

1 Ysgrifennwch hafaliadau niwclear y dadfeiliadau canlynol:

   a wraniwm-235, $^{235}_{92}U$, sydd hefyd yn allyrrydd gronyn alffa, yn dadfeilio i roi thoriwm-231, $^{231}_{90}Th$.

   b carbon-14, $^{14}_{6}C$, sydd yn allyrrydd beta, yn dadfeilio i roi nitrogen-14, $^{14}_{7}N$.

2 Defnyddiwch Dabl Cyfnodol neu Dabl Niwclidau (rhowch gynnig ar http://en.wikipedia.org/wiki/Table_of_nuclides_(complete)) i ysgrifennu hafaliadau niwclear i ganfod cynnyrch dadfeilio'r isotopau canlynol:

   a allyrwyr alffa:
      i americiwm-241
      ii poloniwm-210
      iii radon-222
      iv radiwm-226
      v plwtoniwm-236

   b allyrwyr beta:
      i hydrogen-3 (tritiwm)
      ii ffosfforws-32
      iii nicel-63
      iv strontiwm-90
      v sodiwm-24

Ymholltiad niwclear

Mae pob adweithydd niwclear ar hyn o bryd yn defnyddio proses ymholltiad niwclear i gynhyrchu eu prif ffynhonnell o egni gwres – mae'r gair 'ymholltiad' yn golygu 'torri' neu 'chwalu'. Y prif isotop sy'n cael ei ddefnyddio mewn adweithyddion niwclear i ddarparu'r egni gwres yw wraniwm-235, $^{235}_{92}U$, sy'n ymbelydrol ac yn dadfeilio drwy ddadfeiliad alffa i roi thoriwm-231, $^{231}_{90}Th$. Fodd bynnag, mewn adweithydd niwclear, mae'r niwclysau U-235 yn gallu cael eu torri'n 'epilniwclysau' (*daughter nuclei*), os maen nhw'n cael eu peledu gan **niwtronau sy'n symud yn araf.** Mae'r broses hon, sef ymholltiad niwclear, hefyd yn cynhyrchu mwy o niwtronau sydd, yn eu tro, yn gallu achosi ymholltiad niwclysau U-235 eraill, ac yn y blaen, gan gychwyn proses o'r enw **adwaith cadwynol**.

Yn ystod proses ymholltiad niwclear, mae pob niwclews U-235 sy'n dadfeilio yn allyrru 3.2×10^{-11} J o egni. Dydy hyn ddim yn swnio fel llawer, nes i chi wneud y symiau a darganfod bod 1 kg o U-235 yn cynhyrchu 83 000 000 000 000 J o egni (83 terajoule neu 83 TJ).

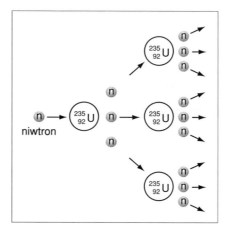

Ffigur 20.5 Adwaith cadwynol mewn wraniwm-235.

Pwyntiau Trafod

1 Gwnewch chi'r fathemateg – màs 1 atom U-235 yw 3.9×10^{-25} kg. Sawl atom U-235 sydd mewn 1 kg? Os yw niwclews pob atom yn gallu allyrru 3.2×10^{-11} J o egni gwres, faint o egni gwres allai 1 kg o U-235 ei gynhyrchu?

2 Ydy pŵer niwclear o ymholltiad yn werth chweil o ran egni? Gallai 1 kg o U-235 gynhyrchu tuag 83 TJ (83×10^{12} J) o egni. O'i gymharu, byddai 1 kg o'r glo gorau'n cynhyrchu 35 MJ (35×10^{6} J). Faint o lo y byddai angen i chi ei losgi i gael yr un faint o egni ag 1 kg o wraniwm-235?

3 A ddylem ni ystyried unrhyw beth arall wrth gymharu glo ac wraniwm?

Sut mae ymholltiad yn gweithio?

Mae ymholltiad U-235 yn torri'r niwclews U-235 yn ddau epilniwclews, un â rhif niwcleon tua 137 a'r llall â rhif niwcleon tua 95. Ar gyfartaledd, mae tri niwtron hefyd yn cael eu cynhyrchu, er y gall hyn fod gymaint â phump neu gyn lleied ag un. Mae'r union ddadfeiliad sy'n digwydd i unrhyw un niwclews U-235 yn dibynnu ar lawer o ffactorau, gan gynnwys buanedd y niwtron ymholltiad sy'n ei daro. Gallwn ni gynrychioli un dadfeiliad cyffredin gyda'r hafaliad niwclear:

$$^{235}_{92}U + {}^{1}_{0}n \rightarrow {}^{144}_{56}Ba + {}^{89}_{36}Kr + 3{}^{1}_{0}n + egni$$

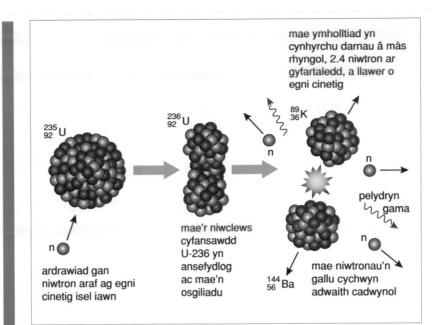

Ffigur 20.6 Dadfeiliad wraniwm-235.

3 Defnyddiwch Dabl Cyfnodol neu Dabl Niwclidau i ysgrifennu hafaliadau niwclear i grynhoi'r adweithiau ymholltiad canlynol mewn rhoden danwydd niwclear, sy'n digwydd pan fydd ymholltiad wraniwm-235 yn deillio o ardrawiad un niwtron. Cynhyrchion yr ymholltiad yw:

a senon-140, strontiwm-94 a dau niwtron

b rwbidiwm-90, cesiwm-144 a dau niwtron

c lanthanwm-146, bromin-87 a thri niwtron.

Peirianneg adweithyddion

Dydy ymholltiad niwclear ddim yn bosibl oni bai bod y niwtronau sy'n cael eu rhyddhau gan ymholltiad wraniwm-235 yn symud yn ddigon araf. Os yw'r niwtronau'n symud yn rhy gyflym, fyddan nhw ddim yn achosi ymholltiad. Rydym ni'n galw niwtronau sy'n symud yn araf yn niwtronau thermol – mae egni'r niwtronau symudol tua'r un maint ag egni'r atomau yn y rhoden danwydd wrth iddynt ddirgrynu. Er mwyn arafu'r niwtronau cyflym sy'n cael eu cynhyrchu gan broses ymholltiad niwclear, mae'r rhodenni tanwydd yn yr adweithydd wedi'u hamgylchynu â defnydd o'r enw cymedrolydd. Mae dros 80% o adweithyddion niwclear y byd yn defnyddio dŵr fel cymedrolydd (adweithyddion dŵr gwasgeddedig yw'r enw ar y rhain), ac mae tuag 20% yn defnyddio rhodenni graffit (mae graffit yn un o ffurfiau ffisegol carbon). Mantais defnyddio dŵr fel cymedrolydd yw ei fod hefyd yn gallu gweithredu fel oerydd ac fel mecanwaith trosglwyddo gwres yr adweithydd. Os bydd oerydd yn cael ei golli, bydd yr adwaith cadwynol niwclear yn gorffen (gan fod y niwtronau'n symud yn rhy gyflym), ond bydd yr adweithydd yn gorboethi; mae hyn yn un o'r pethau a ddigwyddodd yn Atomfa Fukushima ar ôl y tsunami ym mis Mawrth 2011.

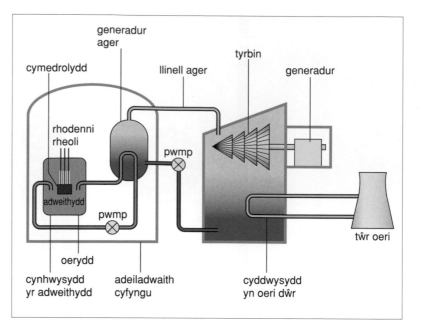

Ffigur 20.7 Adweithydd dŵr gwasgeddedig.

Gallwn ni atal proses ymholltiad niwclear, ei chyflymu neu ei harafu, drwy reoli nifer y niwtronau thermol yn y rhodenni tanwydd. Mewn adweithydd niwclear, caiff hyn ei wneud drwy roi rhodenni sy'n amsugno niwtronau, sef **rhodenni rheoli**, yn y bylchau rhwng y rhodenni tanwydd. Mae defnyddiau fel boron, cadmiwm a haffniwm yn cael eu defnyddio'n aml i wneud rhodenni rheoli. Mae gan bob adweithydd modern fecanwaith 'methiant diogel' syml yn rhan o'i system sy'n golygu, os oes diffyg yn digwydd, fod y rhodenni rheoli'n disgyn yn awtomatig i'r adweithydd, gan ddod â'r adwaith cadwynol i ben. Mae symud y rhodenni rheoli i lawr ac i mewn i'r adweithydd yn arafu'r adwaith (neu'n ei atal yn gyfan gwbl) drwy amsugno mwy o'r niwtronau thermol, ac mae symud y rhodenni i fyny yn cyflymu'r adwaith drwy amsugno llai o niwtronau thermol.

Agwedd bwysig ar ddiogelwch adweithyddion niwclear yw'r ffaith fod yr adweithydd y tu mewn i gynhwysydd gwasgedd dur cryf, a bod y cynhwysydd hwn yn ei dro y tu mewn i adeiladwaith cyfyngu wedi'i wneud o goncrit. Effaith y cynhwysydd gwasgedd a'r adeiladwaith cyfyngu gyda'i gilydd yw atal ymbelydredd dieisiau rhag dianc o'r adweithydd. Mae'r rhan fwyaf o gynhyrchion dadfeiliad ymholltiad niwclear yn ymbelydrol, ac mae gan lawer ohonynt hanner oes hir dros ben (mae gan U-235 ei hun hanner oes o 700 miliwn o flynyddoedd). Felly, mae'n bwysig iawn, pan fydd y rhodenni tanwydd wedi darfod (eu defnyddio'n gyfan gwbl), iddynt gael eu cadw'n ddiogel yn yr adeiladwaith cyfyngu dan ddŵr mewn 'pyllau oeri'. Mae hyn yn rhoi cyfle iddynt i oeri'n ddiogel heb i'w hymbelydredd ddianc o adeilad yr adweithydd.

Gallwch chi ddysgu sut mae rhai adweithyddion niwclear yn gweithio drwy chwilio ar-lein gan ddefnyddio allweddeiriau fel 'nuclear power plant' 'animation' 'applet'. Efallai y bydd eich athro/athrawes yn dangos un o'r rhain i chi. Sut mae'r egni gwres sy'n cael ei gynhyrchu yn yr adweithydd yn cael ei drawsnewid i drydan?

Ffigur 20.8 Pwll oeri.

Ar ôl i'r rhodenni tanwydd darfodedig (*spent*) oeri, maen nhw'n cael eu symud i gyfleuster ailbrosesu niwclear fel Sellafield yn Cumbria cyn iddynt gael eu storio'n ddwfn dan ddaear yn y pen draw.

CWESTIYNAU

3 Beth yw'r prif danwydd sy'n cael ei ddefnyddio mewn adweithydd niwclear?

4 Beth yw 'adwaith cadwynol'?

5 Pam mae angen cymedrolydd mewn adweithydd niwclear?

6 Sut gallwn ni reoli adweithydd mewn atomfa?

7 Pam mae'r adweithydd wedi'i gau mewn cynhwysydd dur ac wedi'i amgylchynu ag adeiladwaith cyfyngu concrit trwchus?

8 Pam mae angen storio rhodenni tanwydd darfodedig dan ddŵr mewn pyllau yn yr adeiladwaith cyfyngu?

9 Lluniwch siart llif i ddangos sut mae ymholltiad niwclear yn cynhyrchu trydan mewn atomfa.

Oes ffordd arall?

Mae'r egni sy'n cael ei gynhyrchu gan ein Haul (a sêr eraill) hefyd yn cael ei gynhyrchu gan adweithiau niwclear.

Ffigur 20.9 Ein Haul.

Yn yr achos hwn, mae'r adwaith niwclear yn golygu **ymasiad** (uno) niwclysau, yn hytrach nag ymholltiad. Mae'r broses hon yn cynhyrchu symiau enfawr o egni. Cofiwch sut roedd llosgi 1 kg o lo'n gallu cynhyrchu 35 MJ (35×10^6 J) o egni gwres. Roedd 1 kg o wraniwm-235 yn gallu cynhyrchu 83 TJ (83×10^{12} J) o egni gwres. Byddai un kilogram o hydrogen yn gallu cynhyrchu 0.6 petajoule, 0.6 PJ (0.6×10^{15} J) – dros 7 gwaith cymaint ag 1 kg o wraniwm-235!

Er bod yr Haul yn cynhyrchu cymaint o egni niwclear, ac yn achosi i hydrogen ymasio ar gyfradd dros 6×10^{11} kg/s, mae digon o hydrogen gan yr Haul iddo ddal i ddisgleirio am o leiaf 5 mil miliwn o flynyddoedd i ddod.

Felly, os yw ymasiad hydrogen yn cynhyrchu symiau mor fawr o egni, beth am i ni ddatblygu adweithydd ymasiad niwclear yma ar y Ddaear a chael symiau diddiwedd o egni glân heb gynhyrchu carbon? Yn anffodus, mae'n haws dweud hyn na'i wneud.

Fel mae'n digwydd, er mwyn cael niwclysau hydrogen (protonau) yn ddigon agos at ei gilydd i gyflawni ymasiad niwclear (a goresgyn y grym gwrthyrru mawr oherwydd eu gwefr bositif), rhaid iddynt fod yn symud ar fuanedd uchel iawn. Gan fod hydrogen yn nwy, mae hynny'n golygu tymheredd a gwasgedd hynod o uchel; tymheredd dros 15 miliwn gradd Celsius. Mae'n hawdd cyrraedd y tymereddau hyn y tu mewn i fâs enfawr sêr fel yr Haul, ond mae'n anodd iawn cyrraedd y tymheredd hwn yma ar y Ddaear, ac yn anoddach fyth ei reoli a'i gynnal.

Y tu mewn i'r Haul, mae niwclysau hydrogen (protonau) yn ymasio â'i gilydd, gan wneud niwclysau heliwm ac amrywiaeth o gynhyrchion ymasiad eraill gan gynnwys y pelydrau gama sy'n cynhyrchu'r egni mae'r Haul yn ei allyrru. Dyma grynodeb o'r adwaith ymholltiad niwclear yng nghraidd yr Haul (a'r rhan fwyaf o sêr eraill):

4 proton → niwclews heliwm + 2 belydryn gama

$$4{}^{1}_{1}\text{H} \rightarrow {}^{4}_{2}\text{He} + 2\gamma$$

(Mewn gwirionedd, mae'r fersiwn hwn o'r broses ymasiad niwclear yn yr Haul wedi'i symleiddio'n fawr. Gwir enw'r broses yw'r gadwyn proton-proton (pp) ac mae'n cynnwys nifer o fathau eraill o ronynnau.)

Ar y Ddaear, mae adweithiau ymasiad niwclear wedi cael eu cynhyrchu drwy ymasiad elfennau ysgafn, yn enwedig isotopau 'trwm' hydrogen – dewteriwm (hydrogen-2, ${}^{2}_{1}\text{H}$) a thritiwm (hydrogen-3, ${}^{3}_{1}\text{H}$). Mae'r cyfleuster *Joint European Torus* (JET) yn Culham ger Rhydychen wedi cynhyrchu ymasiad niwclear gyda'r isotopau hyn.

Ffigur 20.10 Adweithydd JET.

Mae JET wedi cynhyrchu pŵer allbwn brig o 16 MW (65% o'r pŵer mewnbwn) am gyfnod o 0.5 eiliad. Y gobaith yw y bydd yr Adweithydd Thermoniwclear Arbrofol Rhyngwladol (*International Thermonuclear Experimental Reactor*: ITER) sydd wrthi'n cael ei adeiladu yn Cadarche yn ne Ffrainc wedi'i gwblhau erbyn 2018, ac y bydd yn cynhyrchu 500 MW (o bŵer mewnbwn o 50 MW).

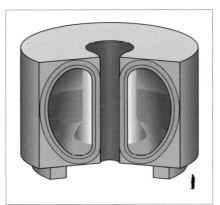

Ffigur 20.11 Tokamak yr ITER.

Y tu mewn i'r adweithydd 'tokamak' toroidaidd (siâp toesen), caiff y niwclysau dewteriwm a thritiwm eu cyflymu o gwmpas yr adweithydd, wedi'u cyfyngu gan feysydd magnetig uchel iawn, a'u gwresogi gan geryntau trydanol enfawr sy'n mynd drwy'r nwy wedi'i ïoneiddio (sy'n cael ei alw'n blasma). Wrth iddynt wibio o gwmpas yr adweithydd, maen nhw'n gwrthdaro â digon o egni i gyflawni ymasiad niwclear. Dyma hafaliad niwclear sy'n crynhoi'r adwaith ymasiad niwclear rhwng dewteriwm a thritiwm yn y tokamak:

$$^2_1\text{H} + {}^3_1\text{H} \rightarrow {}^4_2\text{He} + {}^1_0 n$$

Mae'r niwtron (a'r niwclews heliwm) sy'n cael ei gynhyrchu yn y broses hon yn symud ar fuanedd uchel iawn, a dyma'r egni cinetig a allai gael ei ddefnyddio fel ffynhonnell wres mewn atomfa yn y dyfodol. Fodd bynnag, un o'r problemau yng nghynllun adweithyddion fel y JET a'r ITER ar hyn o bryd yw fod y niferoedd enfawr o niwtronau sy'n cael eu cynhyrchu yn y broses yn gallu rhyngweithio â'r defnyddiau sy'n gwneud y tokamak, gan ei droi'n ymbelydrol. Mae angen i'r adweithydd cyfan (fel adweithydd ymholltiad) gael ei amddiffyn gan goncrit trwchus i atal ymbelydredd rhag dianc i'r amgylchedd.

CWESTIYNAU

11 Beth yw ymasiad niwclear?

12 Y tu mewn i graidd yr Haul, pa ronynnau sy'n cyflawni ymasiad niwclear?

13 Pam mae angen tymheredd a gwasgedd uchel ar gyfer ymasiad niwclear?

14 Beth yw dewteriwm a thritiwm? Sut maen nhw'n wahanol i hydrogen 'normal'?

15 Beth yw plasma?

16 Sut mae plasma dewteriwm a thritiwm yn cael ei gyfyngu mewn adweithydd tokamak?

17 Sut mae'r tymereddau uchel yn cael eu cynhyrchu mewn adweithydd tokamak?

18 Sut gallem ni ddefnyddio egni adweithydd ymasiad niwclear i gynhyrchu trydan?

19 Pam mae angen cadw adweithyddion ymasiad niwclear y tu mewn i lawer o goncrit trwchus?

Pwynt Trafod

Byddai cynlluniau eraill ar gyfer adweithyddion ymasiad niwclear (fel yr HiPER – y cyfleuster European **Hi**gh **P**ower laser **E**nergy **R**esearch) yn defnyddio laserau â phŵer uchel i wresogi swm bach o ddewteriwm a thritiwm mewn pelen fach sfferig. Mae cynlluniau o'r fath wedi llwyddo i gynhyrchu symiau bach o ymasiad niwclear. Y tric yw bwydo tanwydd ymasiad yn barhaus i'r pelydrau laser yn ddigon cyflym i gynnal yr adwaith. Defnyddiwch y rhyngrwyd i ddysgu mwy am adweithyddion ymasiad niwclear sy'n defnyddio laserau (enw'r broses yw Ymasiad Cyfyngiad Inertiaidd (*Inertial Confinement Fusion*: ICF). Sut gallai hyn gymharu ag adweithyddion tokamak?

Dyfodol egni?

Beth yw dyfodol cynhyrchu egni i'r byd? Ydym ni'n gallu parhau i losgi tanwyddau ffosil ar gyfradd mor aruthrol, gan gyflymu'r effaith tŷ gwydr a chynhesu byd-eang? Yn y dyfodol, a fyddwn ni'n defnyddio mwy o bŵer niwclear, neu ydy digwyddiadau mis Mawrth 2011 ar arfordir Japan wedi ffrwyno datblygiad ymholltiad niwclear? Erbyn 2018, fe ddylem ni wybod canlyniadau cyntaf prosiect ymasiad niwclear ITER, ond mae atomfa ymasiad niwclear fasnachol yn dal yn bell iawn i ffwrdd, a beth bynnag, gallai'r gost o €15 biliwn fod ychydig yn ormod yn yr hinsawdd economaidd bresennol. Un peth sy'n sicr: gallai'r dyfodol fod yn dywyll iawn os na wnawn ni rywbeth amdani.

Crynodeb o'r bennod

○ Mae allyriadau ymbelydrol o niwclysau atomig ansefydlog yn digwydd oherwydd diffyg cydbwysedd rhwng niferoedd y protonau a'r niwtronau.

○ Y rhif niwcleon neu'r rhif màs (A) yw'r enw ar nifer y protonau a'r niwtronau mewn niwclews atomig, a'r enw ar nifer y protonau yw'r rhif proton (Z) (fel rheol, mae cemegwyr yn galw hwn yn rhif atomig).

○ Mae gan isotopau gwahanol o'r un elfen i gyd yr un nifer o brotonau yn eu niwclews, ond mae ganddynt nifer gwahanol o niwcleonau, felly mae ganddynt nifer gwahanol o niwtronau.

○ Mae'r symbolau niwclear yn y nodiant $^{A}_{Z}X$ (Ile mai X yw'r symbol atomig o'r Tabl Cyfnodol) yn ddefnyddiol yng nghyd-destun trawsnewidiadau sy'n cynnwys dadfeiliad ymbelydrol, ymholltiad niwclear ac ymasiad niwclear.

○ Gallwn ni ddefnyddio data am symbolau niwclear i gynhyrchu hafaliadau niwclear a'u cydbwyso.

○ Mae amsugno niwtronau araf yn gallu achosi ymholltiad mewn niwclysau U-235, gan ryddhau egni, ac mae allyriad niwtronau o ymholltiad o'r fath yn gallu arwain at adwaith cadwynol cynaliadwy.

○ Swyddogaeth cymedrolydd mewn adweithydd niwclear yw arafu'r niwtronau cyflym sy'n cael eu cynhyrchu gan y broses ymholltiad niwclear, fel eu bod nhw'n gallu achosi mwy o ymholltiad.

○ Mae rhodenni rheoli'n amsugno niwtronau, ac mae'n bosibl symud y rhodenni hyn i fyny ac i lawr i reoli faint o niwtronau thermol sydd yn y rhodenni tanwydd.

○ Mae'r rhan fwyaf o gynhyrchion dadfeiliad ymholltiad niwclear yn ymbelydrol, ac mae gan lawer ohonynt hanner oes hir iawn, felly rhaid eu storio'n ofalus y tu mewn i adeiladwaith cyfyngu'r adweithydd niwclear.

○ Mae gwrthdrawiadau niwclysau ysgafn â llawer o egni, yn enwedig isotopau hydrogen, yn gallu arwain at ymasiad sy'n rhyddhau symiau aruthrol o egni.

○ Er mwyn i ymasiad ddigwydd, mae angen tymheredd uchel iawn; mae'n anodd cyrraedd a rheoli hyn.

○ Mae problemau cyfyngu mewn adweithyddion ymholltiad ac ymasiad hefyd yn cynnwys atal niwtronau a phelydrau gama, a chyfyngu'r gwasgedd mewn adweithyddion ymasiad.

Mynegai

adeiledd atomig 75–6
   modelau gwyddonol 80–1
   adeiledd defnyddiau *gw.* defnyddiau,
     adeiledd
adeiledd dellten *gw.* dellten
adeiledd electronig 76–8
adolygiad gan gymheiriaid 53
adwaith cadwynol, ymholltiad niwclear
   224
adweithiau
   adweithiau adio 133
   adweithiau dadleoli, halogenau 94–5
   ecsothermig 128–9
   endothermig 128–9
Adweithydd Thermoniwclear Arbrofol
   Rhyngwladol *gw.* ITER
adweithyddion niwclear 225–7
   adweithydd tokamak 229–30
afu/iau 59
ailadroddadwyedd canlyniadau 10
alcanau 132
alcenau 132
   adweithiau adio 133
   eu cynhyrchu o alcanau 133–5
   ffurfio polymerau 135
alfeoli 49
alffa (α), dadfeiliad 215, 223
alotropau carbon 105–6
amedrau 153
amseroedd adweithio gyrwyr 201
anadlu 47–8
   cyfansoddiad aer sy'n cael ei fewnanadlu
     a'i allanadlu 49–50
   gwahaniaeth rhwng anadlu a
     resbiradaeth 46
anws 59
arafiad *gweler* cyflymiad
arbed dŵr 139
arbrofion ansoddol a meintiol 44
arddwysedd golau, effaith ar gyfradd
   ffotosynthesis 37, 38–9
arian nitrad, mewn prosesau adnabod
   halidau 95–6
arwynebedd arwyneb adweithyddion,
   effaith ar gyfradd adwaith 117
asidau amino 19
asid lactig, ei gynhyrchu mewn resbiradaeth
   anaerobig 42
astatin 92
astudiaethau poblogaethau anifeiliaid,
   technegau dal ac ail-ddal 71–2
atgynyrchadwyedd canlyniadau 10
atmosffer, effeithiau resbiradaeth a
   ffotosynthesis 43–4
Atomfa Fukushima 220, 221, 226
atyniad electrostatig 101
athreiddedd detholus 27, 28–30

bacteria 16
bagiau aer 209
basau, DNA 19
beta (β), dadfeiliad 215, 223

bioamrywiaeth
   cynnal 65–6
   dulliau astudio 67–8
   pwysigrwydd 64–5
Bohr, Niels 81
bondiau cofalent 103
brasterau
   prawf am 58
   treulio 57, 61
breuder (sylweddau ïonig) 102
bromin 92
bronci a bronciolynnau 47
buanedd
   anifeiliaid cyflymaf 165, 166–7
   gwahaniaeth rhwng buanedd a
     chyflymder 168
   perthynas â phellter ac amser 165–6
burum, celloedd 15
   blaguro 20
   resbiradaeth anaerobig 43
bustl 61
bwtan 132

cambiwm 23
camera gama 216
camerâu cyflymder 204, 206
canser yr ysgyfaint 51, 52
capsid, firysau 16
carbohydradau, treulio 57
carbon
   diemwnt a graffit 104–5
   nanotiwbiau 107
carbon deuocsid
   mewn aer sy'n cael ei fewnanadlu a'i
     allanadlu 50
   mewn ffotosynthesis 35, 37, 38
carbon monocsid 51
carsinogenau, mewn mwg tybaco 51
cata004lyddion 117–18
   gweler hefyd ensymau
cawell diogelwch, ceir 208
ceg, rhan yn y broses dreulio 59
ceir
   nodweddion diogelwch 206 9
cellbilen 13
   athreiddedd detholus 27, 28–30
celloedd 13–14
   celloedd bonyn 24–5
   celloedd burum 15, 20, 43
   celloedd planhigion 14
   celloedd sberm 14
   celloedd sylem 14
   damcaniaeth celloedd 12
   gwahaniaethu mewn celloedd 24
celloedd coch y gwaed 14
cellraniad 20–2
   arsylwi mewn blaenwreiddiau 22–3
cerbydau, pellter stopio 200–3
cerrynt trydanol 153–4, 160
cesiwm 84
Chadwick, James 81
cilia, effaith ymysgu 51–2
clorin 92
cloroffyl 35, 36
cloroplastau 14
cludiant actif 27, 32
cnewyllyn 13, 19

coden y bustl 59, 61
cofio siâp, defnyddiau 109
colofnau cyfnewid ïonau 148
coluddion 59
cracio 132
Crick, Francis 20
cromatograffaeth
   nwy 145
   papur 142–4
cromliniau hydoddedd 145–6
cromosomau 21
cryfder maes disgyrchiant (*g*) 176–8
crynodiad adweithyddion, effaith ar
   gyfradd adwaith 116
copr, priodweddau ac adeiledd 99–100
copr(II) ocsid, cyfrifo fformiwla 124–5
cwadratau 68
cyfansoddion, cyfansoddiad canrannol
   121–2
cyfansoddion ïonig, priodweddau ac
   adeiledd 100–2
cyflymder 168
   cyflymder terfynol 186–7
   graffiau cyflymder-amser 172–4, 181–2
   graffiau pellter-amser 170–2
cyflymiad 168–9
   ail ddeddf Newton 182–3
   graffiau cyflymder-amser 173–4
cyfnewid nwyon, ysgyfaint 49
cyfradd adwaith
   effaith arwynebedd arwyneb
     adweithyddion ar gyfradd adwaith
     117
   effaith crynodiad adweithyddion ar
     gyfradd adwaith 116
   effaith tymheredd ar gyfradd adwaith
     116
   ffactorau sy'n dylanwadu ar gyfradd
     adwaith 116–17
   mesur 111–15
   perthynas ag amlder gwrthdrawiadau
     116
   ymchwilio i 119–20
cyfrifiadau cemegol
   cyfansoddiad canrannol cyfansoddion
     121–2
   cynnyrch adwaith 127
   fformiwlâu cyfansoddion 124–6
   más fformiwla cymharol 121
   más moleciwlaidd cymharol 121
   masau adweithyddion a chynhyrchion
     123–4
   newidiadau egni 127–9
cyhyrau rhyngasennol 48
cylchedau trydanol 153–6
   cerrynt mewn cylchedau cyfres a pharalel
     153–4
   Deddf Cylched Gyntaf Kirchoff 154
   foltedd mewn cylchedau cyfres a pharalel
     155–6
   gwrthyddion 159
cylchred ddŵr 139
cymedrau, manwl gywirdeb 9–10
cynhyrchu amonia, Proses Haber 118
cynnyrch adwaith
   damcaniaethol a gwirioneddol 127
cysonyn dadfeiliad ymbelydrol 211

cytoplasm 13
cywasgrannau 207

dadfeiliad ymbelydrol 211–12
   alffa (α) 215, 223
   beta (β) 215, 223
   cysonyn dadfeiliad ymbelydrol 211
   defnydd milfeddygol 210–11
   dyddio carbon 214–15
   ei ddefnyddio'n ddiogel 220
   gama (γ) 215
   gwahanol ffurfiau 215
   protactiniwm-234 213
damcaniaethau 1, 6
deddf Ohm 160
   a phŵer trydanol 162
defnyddiau, adeiledd
   copr 99–100
   diemwnt a graffit 104–5
   dŵr 103–4
   sodiwm clorid 101–2
defnyddiau clyfar 108–10
   defnyddiau sy'n cofio siâp 109
delweddu radio, meddygol 216–17
dellten
   adeiledd copr 99–100
   adeiledd sodiwm clorid 101–2
Democritus 80
deubromoalcanau 133
diagramau dot a chroes 101
diemwnt, priodweddau ac adeiledd 104–5
dihalwyno dŵr môr 140
diheintio offer, defnyddio radioisotopau
   218–19
dilysrwydd dulliau gwyddonol 8–9
diogelwch ceir, nodweddion 206–9
distyllu 141–2
distyllu ffracsiynol, olew crai 131–2
DNA (asid deocsiriboniwcleig) 12, 13, 17,
   19–20
dosraniad organebau, trawsluniau 68–70
dŵr 138
   arbed dŵr 139
   cylchred ddŵr 139
   'caled' a 'meddal' 147–9
   dihalwyno dŵr môr 140
   dulliau meddalu dŵr caled 148
   gwahanu o hylifau eraill 140–2
   honiadau am fuddion iechyd dŵr caled
   149
   mewn ffotosynthesis 35, 38
   priodweddau ac adeiledd 103–4
   trin dŵr yfed 138–9
dyddio carbon 214–15

ecwilibriwm, mewn osmosis 30
effeithlonrwydd 191
egni
   cyfrifo newidiadau egni mewn
     adweithiau cemegol 127–9
   egni cinetig 193–4, 200
   egni potensial disgyrchiant 194–7
electronau 75
   adeiledd electronig 76–8
   lefelau egni (plisg/orbitau) 76
electronmicrosgop 12
emffysema 51

ensymau 17–18
   model 'clo ac allwedd' 17
   treulio 59, 60, 61–2
ethan 132
Euglena 15

fector, mesurau 168
filysau 60
firysau 15, 16
foltedd 155–6
foltmedrau 155

fflworid, ychwanegu at ddŵr 139
fflworin 92
fformiwla cyfansoddion, cyfrifo 124–6
ffotosynthesis
   carbon deuocsid 35, 37, 38
   cloroffyl 35, 36
   dŵr 35, 38
   effaith ar yr atmosffer 43–4
   ffactorau sy'n effeithio ar ei gyfradd
     37–8
   golau 35, 36, 37
   glwcos 39–40
   gofynion 34, 35–7
   pwysigrwydd 34
   sut mae'n gweithio 35
   tymheredd 38
ffranciwm 84
ffyngau 15

gama (γ), dadfeiliad 215
gametau 21
Generadur Thermodrydan o Radioisotopau
   gw. RTG
glwcos, ei ddefnyddio mewn planhigion
   39–40
golau mewn ffotosynthesis 35, 36
gollyngiadau, canfod drwy ddefnyddio
   radioisotopau 217–18
Gorsaf Ofod Ryngwladol *gw.* ISS
graddiant crynodiad 27
graffiau
   cyflymder-amser 172–4, 181–2
   pellter-amser 170–2
graffit, priodweddau ac adeiledd 104–5
grymoedd
   grymoedd adwaith 198
   grymoedd arwaith 198
   grymoedd arwaith o bellter 198
   grymoedd cyffwrdd 198
   parau grymoedd 197–8
gwagolynnau, celloedd planhigion 14
gwahaniaethu mewn celloedd 24
gwaith 162, 189–90
   ymchwiliad campfa 192
gwe fwyd 64
Gwennol Ofod 178
   lansio, proffil cyflymder-amser 181–2
gwerthoedd R_f 143
gwregysau diogelwch 208–9
gwres hylosgiad 128–9
gwrthdrawiadau, nodweddion diogelwch
   ceir 206–9
gwrthdrawiadau mewn adweithiau
   cemegol, amlder 116
gwrthiant aer 186–7

gwrthiant trydanol 157–8
   deddf Ohm 160
gwrthrychau'n disgyn 186–7
gwrthyddion 159

Haber, Proses 118
haemoglobin, adeiledd 19
halidau, adnabod 95–6
halogenau 83, 92
   adweithiau dadleoli 94–5
   adwaith gyda haearn 92–4
halwynau metelau alcalïaidd, profion fflam
   90–2
hanner oes, isotopau ymbelydrol 211–12
Haul, ymasiad niwclear 227–8
Heisenberg, Werner 81
hydoddedd, effaith tymheredd 145–6
hydoddiannau
   dirlawn 145
   gorddirlawn 145
hydoddion 145
hydrogeliau 109–10
hydrogeniad 133
hylosgiad, gwres 128–9

iau/afu 59
inertia 178–80, 206
ïodin 92
   profi am startsh 35–6, 58
iridiwm-192 210–11, 212
isotopau 78–9, 222–3
   wraniwm 222–3
ISS 176, 178, 179
ITER 229–30

Joint European Torus (JET) 228–9

larymau mwg 219
lein rygbi 189
   egni potensial disgyrchiant 196–7
lipas, amodau optimwm 61–2
lipidau *gweler* brasterau
lithiwm 84

llengig 47–8

magnesiwm ocsid, cyfrifo fformiwla 125–6
manwl gywirdeb 9–10
màs
   mesur newidiadau yn ystod adweithiau
     113–14
   perthynas â phwysau 177–8
màs atomig cymharol 79, 120–1
màs fformiwla cymharol 80, 121
màs moleciwlaidd cymharol 79, 121
masau adweithyddion a chynhyrchion,
   cyfrifo 123–4
meiosis 21, 22
meristemau 23, 25
mesuriadau, manwl gywirdeb 9
metelau, priodweddau ac adeiledd 99–100
metelau alcalïaidd 82, 83–4
   adwaith â bromin 86
   adwaith â chlorin 86, 88
   adwaith â dŵr 85, 88
   adwaith ag ocsigen mewn aer 85, 87
   patrymau adweithedd 87–9

profion fflam 89–90
methan 132
micro-organebau 15
microsgopau 12–13
microsgopeg sganio laser cydffocal 13
mitosis 21, 22
model 'clo ac allwedd', ensymau 17
momentwm 180–1, 206
   ac ail ddeddf Newton 184–5
monomerau 135
mudiant
   deddf gyntaf Newton 179–80
   ail ddeddf Newton 182–5
   trydedd ddeddf Newton 198

newidiadau egni, cyfrifo mewn adweithiau
   cemegol 127–9
newidiadau màs, mesur yn ystod
   adweithiau 113–14
newidiadau trawsyriant golau, mesur yn
   ystod adweithiau 114–15
Newton, Isaac
   deddf mudiant gyntaf 179–80
   ail ddeddf mudiant 182–5
   trydedd ddeddf mudiant 198
nicotin 51
niwcleonau 75
niwclews 75
niwtronau 75
nwyon, mesur cyfaint sy'n cael ei gynhyrchu
   112–13

oesoffagws 59
olew, distyllu ffracsiynol 131–2
organebau
   amlgellog 12
   ungellog 12
osmosis 27, 29–30, 32
   ecwilibriwm 30
   mewn tatws 31–2
   pilenni athraidd detholus 29–30
   pwysigrwydd 30
   symudiad net moleciwlau 29

pancreas 59
paneli solar 152
parau grymoedd 197–8
pellter brecio 201–2
pellter meddwl 201, 202
pellter stopio cerbydau 200–3
pellter teithio, o graffiau cyflymder–amser
   173, 174
peristalsis 62
pigmentau
   ffotocromig 108–9
   thermocromig 108
pilenni athraidd detholus, osmosis 29–30
planhigion, celloedd 14
   gwagolynnau 14
plasmolysis 30
plastigion 135–7
plisg egni *gw.* electronau
poblogaethau adar, newidiadau 66
polyfinylclorid (PVC) 135
polymerau 135
   polymerau adio 135

polymerau cyddwyso 135
   thermoplastigion a thermosetiau 136
polypropen 135
polytetrafflworoethan (PTFE) 135
polythen 135
potasiwm 82, 84
prawf Benedict 58
prawf Biuret 58
priodweddau ffisegol
   copr 99
   diemwnt a graffit 104–5
   dŵr 103
   sodiwm clorid 100
profion fflam 89–92
   metelau alcalïaidd a'u halwynau 89–92
propan 132
Proses Haber 118
protactiniwm-234, dadfeiliad ymbelydrol
   213
proteinau 19
   prawf Biuret 58
   treuliad 57
protista 15
protonau 75
pŵer niwclear 221
   o ble mae'n dod 221–3
pŵer trydanol 162
pwysau, perthynas â màs 177–8

radioisotopau
   archwilio weldiadau metel 218
   eu defnyddio i ganfod gollyngiadau
     217–18
   eu defnyddio i ddiheintio 219
   eu defnyddio i reoli trwch 218
   mewn larymau mwg 219
   RTG 216
radiotherapi 217
rectwm 59
resbiradaeth 40
   aerobig 40
   anaerobig 42–3
   effaith ar yr atmosffer 43–4
   gwahaniaeth rhwng resbiradaeth ac
     anadlu 46
   mesur 40–1
RTG 216
Rutherford, Ernest 80, 81
rwbidiwm 84

rhagdybiaethau 1, 1–2
   gwneud penderfyniadau 5–6
   ffurfio rhagdybiaethau 3–4
rheoli biolegol 73–4
rheoli trwch, defnyddio radioisotopau 218
rheostatau (gwrthyddion newidiol) 159
rhif atomig 75
rhif màs 76
rhodenni rheoli, adweithyddion niwclear
   226
rhywogaethau 'estron' 72–3

samplu amgylcheddau 67–8
   trawsluniau 68–70
sarcoidau, mewn ceffylau 210–11
sathru, effaith ar blanhigion 70

sbectromedrau 150
sbectrosgopeg atomig 150
sberm, celloedd 14
sgalar, mesurau 168
sglefrio ar ddŵr (*aquaplaning*) 202
sgrym rygbi 197–8
siwgrau rhydwytho, prawf Benedict 58
sodiwm 84
sodiwm carbonad, fel meddalydd dŵr 148
sodiwm clorid, priodweddau ac adeiledd
   100–2
Soyuz, cerbydau gofod 178
   modiwl disgyn 186–7
startsh, staen ïodin 35–6, 58
stumog 59
swbstradau 17
sylem, celloedd 14
sylweddau cofalent enfawr 104–5
symudiad net, osmosis 29
system dreulio 59
system resbiradol
   bodau dynol 47
   nodweddion 46–7
   pam rydym ni angen un 46

Tabl Cyfnodol 77–8, 120–1
tanwyddau ffosil 131
Thomson, JJ 80
trac aer llinol, ymchwiliadau 180, 182–3
tracea (pibell wynt) 47
traffig
   cyflymder 203–6
   mesurau 'tawelu' 205
trawsluniau 68–70
treuliad 56, 60
   ensymau 59, 60, 61–2
   'model coludd' 56–7
   peristalsis 62
   system dreulio 59
trylediad 27–8, 32, 46
twf, gwahaniaethau rhwng planhigion ac
   anifeiliaid 23–4
tymheredd
   effaith ar ffotosynthesis 38
   effaith ar gyfradd adwaith 116
   effaith ar hydoddedd 145–6

thermoplastigion a thermosetiau 136

Watson, James 20
weldio, defnyddio radioisotopau i'w
   archwilio 218
wraniwm-235, ymholltiad niwclear 224–5

ymasiad niwclear 227–30
ymgarthion 60
ymholltiad niwclear 224–7
ynysyddion trydanol 158
ysgyfaint 47
   cyfnewid nwyon 49
   niwed oherwydd ysmygu 51–2
ysmygu
   gweithgaredd 'peiriant sigarét' 53
   niwed i'r ysgyfaint 51–2
   tystiolaeth wyddonol o niwed 53–4
   ysmygu goddefol 54